Heinz Griesbach und Dora Schulz

DEUTSCHE SPRACHLEHRE FÜR AUSLÄNDER

Deutsche Sprachlehre für Ausländer

Grundstufe, Teil 2

Von

HEINZ GRIESBACH und DORA SCHULZ

Methodisch neu bearbeitet

2. Auflage

1963

MAX HUEBER VERLAG MÜNCHEN

VOLLSTÄNDIGER LEHRGANG DER DEUTSCHEN SPRACHE

von

HEINZ GRIESBACH und DORA SCHULZ

1. Deutsche Sprachlehre für Ausländer, Grundstufe, Teil I, 148 S.
2. Deutsche Sprachlehre für Ausländer, Grundstufe, Teil II, 192 S.
3. Deutschkurs für Fortgeschrittene, Mittelstufe
4. Grammatik der deutschen Sprache, XVI/445 S.

© 1963 Max Hueber Verlag, München 13
Einbandgestaltung: Erich Hölle, München
Zeichnungen von Konrad Wacker, München
Gesamtherstellung: Verlagsanstalt Manz, Dillingen/Donau
Printed in Germany

Vorwort

Mit diesem Buch wollen die Verfasser den Lehrern eine methodisch neu bearbeitete *Deutsche Sprachlehre für Ausländer* in die Hand geben. Die eigenen Erfahrungen mit den bisherigen Auflagen des Lehrbuches und fördernde Kritik von Lehrern, die damit arbeiten, ergaben eine Reihe von Gesichtspunkten zur methodischen Neubearbeitung der ‚Sprachlehre‘, denn das Lehrbuch möchte möglichst allen Unterrichtssituationen im In- und Ausland gerecht werden. Die methodische Anlage des Buches erlaubt, daß es sowohl in Intensivkursen mit einer hohen Wochenstundenzahl als auch in Deutschkursen mit nur geringer Wochenstundenzahl gleichermaßen erfolgreich benutzt werden kann.

Das Buch ist nunmehr in den Rahmen eines *vollständigen Lehrgangs der deutschen Sprache* hineingestellt und bietet so dem Lernenden die Möglichkeit, im Weiterstudium bis zur Beherrschung der deutschen Sprache vorzudringen. Dieser Lehrgang macht sich die letzten Ergebnisse der Untersuchungen über die deutsche Sprache zunutze und möchte einen möglichst sicheren Weg zum Ziel weisen. Die Struktur des Deutschen wird nicht nur für sich, sondern stets auch mit Rücksicht auf die strukturellen Gegebenheiten anderer Sprachen dargestellt.

Der Lehrgang teilt sich in zwei Stufen, in die *Grundstufe* und in die *Mittelstufe*, die jeweils in zwei Teile aufgeteilt sind. Die Grundstufe behandelt in erster Linie den Formenbestand und dessen Gebrauch, während sich die Mittelstufe vorwiegend mit dem Satz beschäftigt, wobei der Satz mit seiner veränderbaren inneren Form als Bauteil der größeren sprachlichen Einheit, der Rede, aufgefaßt wird.

Allen Lehrstücken liegt ein zeitnaher Text zugrunde, dessen Wortschatz von gebildeten Deutschen tagtäglich benutzt wird. Die Texte machen den Lernenden zunächst mit dem Wortschatz für die Begriffe seiner unmittelbaren persönlichen Umgebung bekannt und führen ihn dann im Verlaufe des Lehrgangs systematisch weiter in alle Bereiche modernen Lebens in Deutschland. Auf diese Weise soll der Lernende sinnvoll auf anspruchsvolle Lektüre (Zeitung, Fachliteratur, schöne Literatur usw.) vorbereitet werden. – Reiner Fachwortschatz, der über das allgemein Bekannte hinausführt, ist immer vermieden worden. Zur Einführung in den Fachwortschatz und in die Fachlektüre sind Lesestoffe in der *Deutschen Reihe für Ausländer* erschienen. – In dem Lehrgang wird der Ausländer auch mit der Eigenart der Bildung von Wörtern, die häufig gar nicht lexikalisch, sondern nur syntaktisch verstanden werden muß, bekannt gemacht.

Dieser Lehrgang, dessen 2. Teil das hier vorliegende Buch darstellt, ist ein umfassendes Lehrwerk der deutschen Sprache. Der Lehrer findet hier Stoff und methodische Anregungen, die sein Wirken bereichern und zugleich erleichtern werden. Viel Neuland wird er entdecken und seine Schüler mit sicherer Hand führen können. Eingehende methodische Fragen, die im Laufe des Lehrens auftreten, werden in der Zweimonatsschrift *Deutschunterricht für Ausländer* erörtert. Dem Schüler bringt dieser Lehrgang nicht nur die gründliche Kenntnis der deutschen Sprache, sondern auch eine tiefere Einsicht in das Phänomen Sprache überhaupt und weckt damit in ihm ein größeres Verständnis und hoffentlich auch eine tiefere Liebe zu seiner eigenen Muttersprache, denn auch dies sollte mit der Sinn des Sprachenlernens sein.

Die Verfasser haben den Wunsch, daß dieses Lehrbuch und mit ihm der ganze Lehrgang allerseits gute und wohlwollende Aufnahme finden möge und daß Lehrer wie Schüler mehr und mehr Freude an der Spracharbeit gewinnen.

Bayerisch-Gmain und München, im März 1962

Heinz Griesbach und Dora Schulz

Zur Einführung für den Lehrer

Die *Deutsche Sprachlehre für Ausländer, Grundstufe, Teil II*, schließt sich an den ersten Teil des gleichnamigen Lehrbuchs an, der den Ausländer in die deutsche Sprache eingeführt hat. Er läßt sich ebensogut als Anschluß an andere Lehrbücher verwenden, die eine gründliche Erlernung der deutschen Sprache anstreben.

Voraussetzung für diesen Teil des Lehrgangs ist eine gute Kenntnis der Formenlehre (Konjugation und Deklination) und der Grundformen des deutschen Satzbaus. Die ersten drei Lehrabschnitte fassen diese grammatischen Voraussetzungen in ihren wichtigsten Teilen systematisch zusammen und geben dem Schüler die Möglichkeit, sich eine Übersicht über das bisher Gelernte zu verschaffen. Der Lehrer kann, wenn er neue Schüler bekommen hat, die auf andere Weise Deutsch gelernt haben, mit den ersten drei Lehrabschnitten die Vorkenntnisse seiner Klasse so abstimmen, daß eine fruchtbare Weiterarbeit gesichert ist. Die übrigen Lehrabschnitte führen den Lernenden dem Ziel dieses Teils des Lehrgangs zu. Dieses Ziel ist die Beherrschung der gesamten Formenlehre der deutschen Sprache sowie der wichtigsten Anwendungsgebiete der Wortformen, die grundlegende Kenntnis des deutschen Satzbaus und das Verstehen einfacher subjektiver Ausdrucksweisen im Deutschen. Der Schüler soll am Ende dieses Lehrgangs den Alltagswortschatz beherrschen und den Wortschatz der modernen Umwelt verstehen können, der ihn befähigt, sich in die Zeitungslektüre einzulesen und sich gegebenenfalls mit einer Fachlektüre zu beschäftigen.

Die Einteilung der sechzehn Lehrabschnitte ist die gleiche wie im Teil I der Sprachlehre. Am Anfang steht ein Text, der erst nach gründlicher mündlicher Vorbereitung gelesen werden sollte. Diese Vorbereitung sollte in einer Gesprächform vor sich gehen, die dem Sprachstand des Schülers entspricht. Die Texte enthalten neuen Wortschatz, doch sind sie so abgefaßt, daß sie nur bekannte grammatische Formen enthalten. Da der Lehrstoff in diesem Buch, wie es auch nicht anders sein kann, überwiegt, sollen die Texte bei Bedarf mit den Texten des *Leseheftes (Grundstufe)* [1]) oder anderer einfacher Lektüre, etwa aus dem Fachgebiet, ergänzt werden. Im übrigen gilt für die methodische Verarbeitung der Texte, was schon in der Einführung zum Teil I des Lehrgangs empfohlen wurde.

Grammatik und Übungen sind auch in diesem Teil so angeordnet, daß nach jeder Grammatikregel die dazugehörige Übung folgt. Diese Übungen sind *numeriert* und sollten auf jeden Fall, möglichst auch schriftlich, durchgearbeitet werden. Die neuen grammatischen Begriffe, deren Kenntnis bei den Schülern nicht vorausgesetzt werden darf, sollten anhand von Beispielen erschlossen werden. Es hat sich gezeigt, daß die Schüler, besonders wenn sie die erste Fremdsprache erlernen wollen, die grammatischen Begriffe besser verstehen und begreifen, wenn sie an der Muttersprache erklärt werden. Ein Vergleich des Deutschen mit der Muttersprache führt immer besser zum Verständnis sprachlicher Erscheinungen. Dieses Verfahren ist auch kein Verstoß gegen die Forderung nach einsprachigem Unterricht, wenn nur sparsam davon Gebrauch gemacht wird. Man wird darauf auch so lange nicht verzichten können, wie im muttersprachlichen Unterricht nicht mehr als bisher auf die Struktur der eigenen Sprache im Hinblick auf etwaige später zu erlernende Fremdsprachen eingegangen wird.

Die Texte hinter dem Grammatikteil eines jeden Lehrabschnitts behandeln ein bestimmtes Sachgebiet aus dem modernen Leben und geben dem Schüler vor allem den Wortschatz, der für eine spätere Zeitungslektüre unentbehrlich ist. Die methodische Verarbeitung dieser Texte soll unter den gleichen Gesichtspunkten erfolgen wie bei den Texten am Anfang eines jeden Lehrabschnitts. Die deutschen Worterklärungen am Ende eines jeden Textes dienen darüber hinaus der Wortschatzerweiterung und bereiten den Schüler auf die sinnvolle Benutzung eines einsprachigen Wörterbuchs vor. In diesem Zusammenhang soll auch dem Lehrer empfohlen werden, seine Schüler im richtigen Gebrauch zunächst eines zweisprachigen und später eines einsprachigen Wörterbuchs zu unterweisen.

Die *mit Buchstaben* bezeichneten Übungen am Ende eines jeden Lehrabschnitts verarbeiten den gesamten bis dahin durchgenommenen Stoff und greifen immer wieder wichtigen Stoff auf, um ihn im Gedächtnis der Schüler weiter zu festigen. Es finden sich dort auch Übungen verschiedenen Typs, die darauf abzielen, den Schüler allmählich auf den selbständigen Gebrauch seiner Deutschkenntnisse hinzuführen. Diesem Zweck dienen in erster Linie jene Übungen, bei denen lediglich Verben angegeben wurden. Diese Verben nennen ein Geschehen (Handlung oder Vorgang) oder ein Sein (Zustand). Der Schüler steht nun vor der Aufgabe, einmal Personen oder Sachen zu finden, die an dem genannten Geschehen oder Sein beteiligt sind (Subjekt und Ob-

jekte) und zum andern die dazu passenden Umstände zu schildern, unter
denen sich das Geschehen oder Sein vollzieht (Angaben der Zeit, des Ortes,
des Grundes usw.). Diese Aufgabe ist richtig gelöst, wenn ein sinnvoller Sachverhalt beschrieben wird. Vor einer ähnlichen Aufgabe steht der Schüler bei
den Übungen, in denen drei Nomen gegeben wurden. Die Nomen nennen
Personen oder Sachen (Subjekt und Objekt) eines unbekannten Geschehens
und deuten vielleicht auch Umstände (Angaben der Zeit oder andere) an,
unter denen das unbekannte Geschehen abläuft. Der Schüler soll nun auf
Grund der Vorstellung, die ihm diese genannten Nomen geben, einen Sachverhalt finden, in dem diese Nomen eine sinnvolle Rolle spielen. Es soll mit
den drei Nomen jeweils nur e i n Satz gebildet werden, in dem natürlich
sowohl Satzglieder als auch Gliedsätze erscheinen dürfen. Ebenso kann auch
eines der gegebenen Nomen als Attribut oder in einem Attributsatz erscheinen. Es ist klar, daß die Schüler bei diesen Übungen zu verschiedenen Lösun-
gen gelangen können. Diese Übungen sind als Vorbereitung des Schülers zu
freiem und selbständigem Gebrauch der Sprache anzusehen und führen ihn
dazu, Nacherzählungen und Aufsätze abzufassen. Aufgabe des Schülers bei
diesen Übungen ist es, zunächst die Bedeutung der gegebenen Wörter zu er-
schließen, sodann einen geeigneten Sachverhalt zu finden und diesen auf
Deutsch auszudrücken. Hierbei muß er die sprachlichen Mittel richtig einsetzen, d. h. er muß die richtige Verbform für die Zeitlage des geschilderten
Sachverhalts wählen, ebenso die für das Subjekt zutreffende Personalform.
Er muß die Objektfom bilden, die das Verb für das zu schildernde Geschehen
verlangt, und die Satzglieder so in den Satz einsetzen, wie es dem deutschen
Satzbau entspricht. Dies alles sind die Grundüberlegungen, die der Lernende
stets anstellen muß, wenn er sich der deutschen Sprache selbständig bedienen
will. Diese Dinge bedürfen der gleichen intensiven Übung wie der richtige
Gebrauch der Flexionsformen. Der Lehrer kann auch später immer wieder auf
die Satzbildungsübungen zurückkommen und daran erkennen, welche Fortschritte seine Schüler in der Fähigkeit, ihre Gedanken auf Deutsch auszudrük-
ken, gemacht haben.

Da diese mit Buchstaben bezeichneten Übungen keinen neuen Stoff bringen,
kann auf sie verzichtet werden, wenn es die Unterrichtszeit wegen einer zu
geringen Wochenstundenzahl nicht anders zuläßt. Es ist damit ein elastischer
Gebrauch dieses Lehrbuchs möglich. Natürlich kann bei dieser Beschränkung
des Übungsstoffes am Ende des Kurses beim Schüler keine so sichere Beherrschung des Deutschen erwartet werden wie bei der Durchnahme des gesamten gebotenen Stoffes [1]).

---

[1]) Hilfsmittel für den Unterricht mit diesem Lehrbuch sind auf Seite 192
angezeigt.

Inhaltsverzeichnis und Stoffplan

[1]) Ergänzungstexte für diese Stufe bietet das *Leseheft* von Schulz-Griesbach,
Max Hueber Verlag, München.

Texte[1])	Grammatik	Übungen
		C. *Satzbildung mit Verben* D. *Aufsatz* E. *Beschreibung*
3. Abschnitt Seite 23 Deutsche Feste	Die Adjektiv-deklination (Wiederholung) Das Attribut (Wiederholung) *welcher? – was für?* (Wiederholung) Gliedsätze (Wiederholung) Das Relativ-pronomen (Wiederholung) Der Satz (Wiederholung) Die Stellung von Subjekt und Objekt	1. *Adjektivdeklination* 2. *Gebrauch und Formen der Adjektive* 3. *Erkennen von Attributen* 4. *Erkennen von Attributen* 5. *welch-?, was für ein?* 6. *Kausalsätze mit „weil"* 7. *Konditionalsätze* 8. *Relativsätze* 9. *Satzarten* 10. *Sprechübung; Stellung von Subjekt und Objekt*
Kurzgespräche		A. *Verbformen und Deklinationsformen* B. *Gebrauch des Plusquamperfekts* C. *Aufsatz* D. *Sprechübung*
4. Abschnitt Seite 37 Der Kaffee-schmuggel	Das Adjektiv als Nomen Das Partizip Präsens Modalverben	1. *Deklination* 2. *Partizip Präsens als Attribut* 3. *Partizip Präsens als Attribut* 4. *Partizip Präsens als Nomen* 5. *Partizip Präsens als Modalangabe* 6. *Gebrauch der Modalverben*

	Texte[1]	Grammatik	Übungen
6. Abschnitt Seite 60	Aus einem Reiseprospekt	Die Konjunktionen *als* und *wenn* Die Verben *haben, sein, werden*	1. *Temporalsätze* 2. *Bedeutung von „haben"* 3. *Gebrauch von „sein"* 4. *Bildung des Perfekts* 5. *haben, sein, werden*
		Das Passiv	6.–9. *Passivbildung*
	Bestimmungen über die Einreise nach Deutschland		A. *Worterklärungen* B. *Satzbildung* C. *Sprechübung* D. *Aufsatz* E. *Passivbildung* F. *Satzbildung*
7. Abschnitt Seite 71	Im Reisebüro	Das Passiv und die Modalverben	1. *Passiv mit Modalverben* 2. *Passiv mit Modalverben*
		Der Ausdruck der Vermutung Fragesatzformen als Gliedsätze Temporalsätze *(bevor, während, nachdem, seitdem)* *viel (mehr); wenig (weniger)* Der attributive Genitiv	3. *Gebrauch des Futurs* 4. *Subjekt- und Objektsätze* 5. *Temporalsätze* 6. *Gebrauch und Formen von viel, wenig usw.* 7. *Gebrauch des attributiven Genitiv und seines Ersatzes*
	Schule und Ausbildung in Deutschland		A. *Gebrauch der Adjektive* B. *Gebrauch von Attributiven* C. *Relativsätze* D. *Perfekt der Modalverben und hören, helfen usw.* E. *Satzbildung mit Verben*

	Texte [1])	Grammatik	Übungen

	Sprichwörter	Die Relativprono-
		men *wer* und *was*
		
		Attribute bei un-
		bestimmten Pro-
		nomen
		Attributsätze
		
		Ausdruck der Zeit
		und des Maßes
			3. *Formen der Relativ-*
			   pronomen
			4. *Relativsätze*
			5. *Gebrauch der*
			   Attribute bei un-
			   bestimmten Pronomen
			6. *Gebrauch der*
			   Attributsätze
			7. *Gebrauch der Zeit-*
			   und Maßangaben

	Auf der Bank		A. *Bildung der indirek-*
			   ten Rede
			B. *Passivbildung*
			C. *Gebrauch von*
			   Attributen
			D. *Bildung von Final-*
			   sätzen
			E. *Satzbildung mit*
			   Verben
			F. *Sprechübung*
			G. *Wortschatzübung*

12. Abschnitt
Seite 137
	Die kluge
	Ehefrau
	Der Letzte
		Konditionalsätze
		ohne *wenn*
		Die Konjunktion
		je ... desto
		
		Das Genitivattribut
		
		Wortbildung
		-heit, -keit — -e —
		-ung
			1. *Bildung von*
			   Bedingungssätzen
			2. *Bildung von Ver-*
			   gleichssätzen
			3. *Gebrauch von*
			   Attributen
			4. *Gebrauch von*
			   Attributen
			5. *Bildung von Nomen*
			6. *Bildung von Nomen*
			7. *Bildung von Nomen*

	„Made in
	Germany"
			A. *Bildung von Sätzen*
			B. *Sprechübung*
			C. *Bildung der indirek-*
			   ten Rede
			D. *Sprechübung in der*
			   indirekten Rede
			E. *Passivbildung*

	Texte [1])	Grammatik	Übungen

13. Abschnitt
Seite 146
	Der Wetter-
	prophet
		Der Ausdruck der
		Nicht-Wirklichkeit
		(Irrealität)
		
		haben (sein) . . . zu
		
		ohne . . . zu; ohne daß
		
		Präpositionen
		Wortbildung
		-ig, -lich
			1. *Bildung von irrealen*
			   Handlungssätzen
			2. *Bildung von irrealen*
			   Bedingungssätzen
			3. *Geläufigkeitsübung*
			   mit irrealen Hand-
			   lungssätzen
			4. *Infinitivsätze mit*
			   „haben" und „sein"
			5. *Bildung von Sätzen*
			   mit „ohne zu" oder
			   „ohne daß"
			6. *Wortbildungsübung*
			7. *Wortbildungsübung*
			8. *Wortbildungsübung:*
			   -ig oder -lich

	Der Wetter-
	dienst
	Ein Wetter-
	bericht
			A. *Sprechübung mit*
			   irrealen Bedingungs-
			   sätzen
			B. *Sprechübung mit*
			   irrealen Bedingungs-
			   sätzen
			C. *Sprechübung in der*
			   indirekten Rede
			D. *Passivbildung*
			E. *Erzählübung*
			F. *schriftlicher Bericht*
			G. *Aufsätze*

14. Abschnitt
Seite 156
	Durchgefallen
	Der Irrtum
		Der irreale Ver-
		gleich
		Der Ausdruck eines
		Wunsches
		
		Rektion der
		Adjektive
			1. *Bildung von irrealen*
			   Vergleichssätzen
			2. *Bildung von irrealen*
			   Wunschsätzen
			3. *Sprechübung*
			4. *Rektion der Adjektive*
			5. *Stellung der Objekte*

	Der Kranken-
	besuch
			A. *Bildung der indirek-*
			   ten Rede
			B. *Bildung von irrealen*
			   Bedingungssätzen
			C. *Passivbildung*

Verzeichnis der Übungen [1])

Formenübungen

zum Verb: (Verbformen:) 1:*1–3*; 3:*B*; 4:*2–5*; (Passiv:) 6:*5, 9*; 6:*E*; 7:*1–2*; 8:*B*; 10:*C*; 11:*B*; 12:*E*; 13:*D*; 14:*C*; (Modalverben:) 4:*9*; (Perfekt:) 7:*D, F*; (Futur:) 7:*3*; (Konjunktiv I und II:) 9:*1–4, 9*; 9:*A–C*; 10:*D*; 11:*A*; 12:*B, D*; 13:*C*; 14:*A, B*; (Konjunktiv II:) 13:*1, 2*; 14:*1–3*

zum Nomen: (Deklination:) 1:*4–6*; (Maß und Zeit:) 11:*7*

zum Pronomen: (Relativpronomen:) 3:*8*; 10:*1*, A; 11:*3*; (unbestimmte Pronomen:) 10:*6–8*; (Fragepronomen:) 10:*B*

zum Adjektiv: (Deklination:) 3:*1–2*; 4:*1*; 7:*6*; 11:*5*; 12:*4*; (Komparation:) 5:*1–3*

zum Gebrauch der Präpositionen: 2:*2–5*

zum Satzbau: (*weil*:) 3:*6*; (*wenn*:) 3:*7*; 12:*1*; 13:*1, 2*; 14: *2, 3*; (Relativsätze:) 3:*8*; 10:*1*, A; 11:*3*; (*lassen*:) 4:*11, 12*; (*hören, helfen, sehen, lassen*:) 4:*13*; (*so... wie*:) 4:*14, 15*; („Zustandspassiv":) 6:*3–4*; (Infinitivsätze:) 8:*1, 2*; 8:*A*; (*um... zu; damit*:) 11:*1–2*; (*je... desto, um so*:) 12:*2*; (*haben... zu; sein... zu*:) 13:*4*; (*ohne daß; ohne... zu*:) 13:*5*; (irrealer Vergl. *als*:) 14:*1*; (Wunsch:) 14:2, *3*; (indirekte Rede:) 9:*1–4*; 9:*9*; 9:*A, B, C*; 10:*D*; 11:*A*; 12:*B, D*; 13:*C*; 14:*A, B*

Wortschatzübungen

(*wieviel, wie viele*:) 1:*B*; (Präpositionen:) 1:*C–D*; 2:*A*; 7:*C*; (Verben:) 1:*E*; (Fragewörter:) 1:*F*; (Modalverben:) 2:*6*; 4:*6–8*; 7:*1*; (*welcher, was für ein*:) 3:*5*; 10:*B*; 11:*G*

Wortbildungsübungen

(*-heit, -keit*:) 12:*5*; (*-e*:) 12:*6*; (Verben:) 12:*7*; (*-ig*:) 13:*6*; (*-lich*:) 13:*7*; (Adjektive:) 13:*8*

Sprechübungen

1:*G*; 3:*10*; 4:*A–C, E*; 5:*A*; 6:*1*, A, C; 8: C, D, E; 9:*7, 8, D*; 11: 2, C, F, G; 12:*B, D*; 13:*A, B, C, E*; 14:*B, G*; 15:*A, B*

Geläufigkeitsübungen

(Konjunktiv I und II:) 9:*5–8*; (irreale Bedingungssätze:) 13:*3*

Satzbildungsübungen

2:*B, C*; 4:*D*; 5:*B, E*; 6:*B*; 7:*E, F*; 9:*E*; 11:*E*; 12:*A*; 14:*E, F*

Aufsätze, Beschreibungen usw.

1:*H*; 2:*D, E*; 3:*C, D*; 4:*E*; 5:*C, D*; 6:*D*; 8:*E*; 12:*F*; 13:*F*; 15:*C, D, E*

Subjektive Ausdrucksformen

(Vermutung:) 7:*3*; 15:*1, 2*; (Irrealität:) 13:*1, 2*; (Wunsch:) 14:2, *3*

Syntax

(Subjekt, Objekt:) 1:*7–9*; 2:*1*; 5:*4–6*; 7:*4*; 14:*3, 4*; (Objekt mit Prädikat:) 4:*10*; (Attribut:) 3:*2–4, 8*; 5:*F*; 7:*6*; 7, A–C; 10:*1*, A; B; 11:*3–6*, C; 12:*3, 4*; 14:*D*; (Stel-

---

[1]) Die erste Zahl bezeichnet den Lehrabschnitt, z. B. 5:7 (Abschnitt 5, Übung 7).

lung einiger Satzglieder:) 3:*10*; (Gliedsätze:) **8**:6; (Satzarten:) 3:*9*; 8:*4*, *5*; (Infinitivsätze:) 8:*1*, *2*; (Kausalsätze:) 3:*6*; 10:2, *3*; (Konditionalsätze:) 3:*7*; 12:*1*; 13:*1*, *2*; (Temporalsätze:) 6:*1*; 7:*5*; (Finalsätze:) 11:*1*, 2; 11:*D*; (Konzessivsätze:) 10:*4*, *5*; (daß-Sätze:) 5:*4–6*; (Funktionen des Verbs:) 8:*3*; (*haben*:) 6:2; (Zeitform – Zeitlage:) 5:7, *8*.

Verzeichnis der Abbildungen

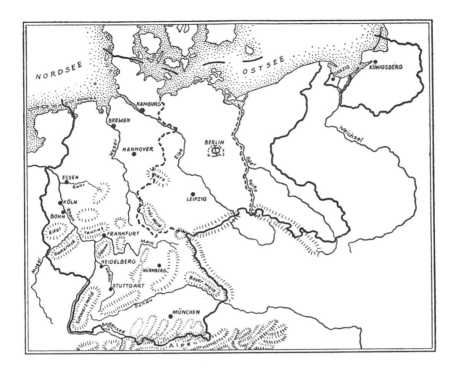

ERSTER ABSCHNITT

Deutschland

Deutschland liegt in Mitteleuropa. Sein Klima ist gemäßigt; es ist also im Sommer nicht zu heiß und im Winter nicht zu kalt. Das ganze Jahr hindurch kann das Wetter wechseln; wir sagen, das Wetter in Deutschland ist sehr veränderlich. Es kann zu allen Jahreszeiten regnen. Im Winter, vor allem im Januar und Februar, schneit es. Die Temperaturen können bis auf minus 15 oder 20 Grad sinken, besonders während der Nacht. Eine Kältewelle dauert aber meistens nicht sehr lange, vielleicht nur acht oder zehn Tage. Im Sommer können die Temperaturen manchmal bis auf plus 35 oder 40 Grad steigen. Der Wind kommt oft vom Westen und bringt vom Atlantik (vom Atlantischen Ozean) den Regen mit.

Natürlich sind das Wetter und die Temperaturen in Deutschland nicht gleichmäßig, denn es gibt viele Landschaften, die ihr eigenes Klima haben. Im Norden liegt das Tiefland. Das Land ist flach, und es gibt keine Berge, nur einige Hügel. Südlich der Donau liegt eine Hochebene und ganz im Süden sind die Bayerischen Alpen. Die Berge der Alpen sind bis 3000 Meter hoch, deshalb nennen wir die Alpen ein Hochgebirge. Mitteldeutschland ist auch gebirgig. Diese Gebirge erreichen aber nicht die Höhe der Alpen. Sie heißen deshalb Mittelgebirge. Sie sind oft bewaldet, und wir finden Namen wie Bayerischer Wald, Thüringer Wald, Schwarzwald, Odenwald. Auch in Westdeutschland gibt es Mittelgebirge, z. B. den Taunus und die Eifel.

Die Gebirgslandschaften sind natürlich besonders schön, aber auch im Norden gibt es schöne Gegenden, z. B. die Lüneburger Heide zwischen Hannover und Hamburg oder die Küsten der Nord- und Ostsee. Überall in Deutschland gibt es auch alte und interessante Städte mit vielen historischen Bauwerken.

Der Rhein ist ein großer Fluß im Westen, der in die Nordsee fließt und an dem die Stadt Köln liegt. Ebenfalls in die Nordsee münden die Weser und die Elbe. An der Mündung der Weser liegt Bremen, an der Mündung der Elbe liegt Hamburg. Das sind die beiden großen Hafenstädte in Deutschland. Ein anderer großer Fluß ist die Oder, die in die Ostsee fließt. Alle diese Flüsse fließen von Süden nach Norden. Nur ein großer Fluß macht eine Ausnahme; das ist die Donau, die vom Schwarzwald kommt und nach Osten fließt. Der Rhein hat einige wichtige Nebenflüsse, an denen große oder bekannte Städte liegen: der Main mit Frankfurt und der Neckar mit Stuttgart und der alten Universitätsstadt Heidelberg.

In einigen Mittelgebirgen findet man Kohle und Erz. An diesen Stellen haben sich Industriezentren gebildet, z. B. im Westen im Ruhrgebiet, das seinen Namen von einem kleinen Fluß, der Ruhr, hat — und in Mitteldeutschland in der Nähe von Leipzig. Aber auch in anderen Gebieten, vor allem in den großen Städten, finden wir bedeutende Industriewerke.

Große landwirtschaftliche Gebiete liegen im Nordosten und Nordwesten, z. B. in Westfalen. Im Norden und in den Alpen im Süden gibt es viel Viehzucht und Milchwirtschaft. Obstkulturen und Weinbau findet man im Westen und Südwesten, am Rhein und am Bodensee, weil dort das Klima besonders mild ist.

*

Erklärungen und Wortschatz:

das Klima: Wetterverhältnisse eines bestimmten Gebietes im Laufe eines Jahres

das Wetter ist veränderlich: das Wetter wechselt oft
die Temperatur sinkt (bis auf plus 15 Grad (minus 15 Grad); die Temperatur steigt.
Das Barometer steigt (fällt).
die Kältewelle: die (kurze) Kälteperiode
das Tiefland, das Hochland, das Flachland
die Ebene, die Hochebene, die Tiefebene
das Gebirge, -; der Berg, -e; der Hügel, -; gebirgig – bergig – hügelig
das Bergland; das Hügelland
das Hochgebirge; das Mittelgebirge
der Wald, ̲ ̲er; bewaldet – waldig
der Fluß, ̲ ̲(ss)e; der Strom, ̲ ̲e; die Quelle, -n; die Mündung, -en (münden)
die Hafenstadt; die Universitätsstadt; die Industriestadt

* * *

Das Verb (Wiederholung)

	schwache Verben		starke Verben	
Präsens:	ich lern-e	ich arbeit-e	ich komm-e	ich nehm-e
	du lern-st	du arbeit-est	du komm-st	du nimm-st
	er lern-t	er arbeit-et	er komm-t	er nimm-t
	wir lern-en	wir arbeit-en	wir komm-en	wir nehm-en
	ihr lern-t	ihr arbeit-et	ihr komm-t	ihr nehm-t
	sie lern-en	sie arbeit-en	sie komm-en	sie nehm-en
Präteritum:	ich lern-t-e	ich arbeit-et-e	ich kam	ich nahm
	du lern-t-est	du arbeit-et-est	du kam-st	du nahm-st
	er lern-t-e	er arbeit-et-e	er kam	er nahm
	wir lern-t-en	wir arbeit-et-en	wir kam-en	wir nahm-en
	ihr lern-t-et	ihr arbeit-et-et	ihr kam-t	ihr nahm-t
	sie lern-t-en	sie arbeit-et-en	sie kam-en	sie nahm-en

Besonderheiten: er brach-te, er dach-te, er kann-te, er ha-tte, er konn-te,
er muß-te, er durf-te

Bildung des Partizips Perfekt:

einfache Verben:	ge-lern-t	ge-arbeit-et	ge-komm-en	ge-nomm-en
trennbare Verben:	ab-ge-lehn-t	ab-ge-rechn-et	an-ge-komm-en	an-ge-nomm-en
untrennbare Verben:	verkauf-t	erwart-et	bekomm-en	erschrock-en

Besonderheiten: Verben mit der Endung **-ieren** bilden das Partizip Perfekt
ohne ge-: rasier-t, telefonier-t, gratulier-t

Perfekt:	ich habe ... gelernt	ich bin ... geeilt
	ich habe ... genommen	ich bin ... gekommen
Plusquamperfekt:	ich hatte ... gelernt	ich war ... geeilt
	ich hatte ... genommen	ich war ... gekommen

Übung 1: *Bilden Sie die Partizipien Perfekt!*

1. liegen, antworten, arbeiten, fragen, gehen — 2. kommen, lernen, sagen, sein, üben — 3. beginnen, bilden, diktieren, erklären, haben — 4. heißen, machen, schließen, schreiben, verbessern — 5. verstehen, wiederholen, zeigen, buchstabieren, kaufen — 6. kosten, zahlen, zählen, lesen, rechnen — 7. abfahren, ankommen, einsteigen, fahren, finden — 8. halten, lesen, nehmen, verlassen, wohnen — 9. vergleichen, ablehnen, anbieten, begrüßen, brauchen — 10. erreichen, erzählen, führen, geben, gehören — 11. helfen, hoffen, klingeln, kochen, öffnen — 12. schaden, sitzen, studieren, unterbrechen, vergehen — 13. weiterfahren, wiederkommen, zurückgehen, bitten, danken — 14. wiedersehen, leben, lieben, bestellen, besuchen — 15. essen, trinken, stehen, benutzen, frühstücken.

Übung 2: *Bilden Sie Sätze im Präsens, Präteritum, Perfekt!*

1. arbeiten, mein Vater, in, eine Fabrik — 2. fragen, Kinder, Eltern — 3. gehen, Schüler, regelmäßig, in, Schule — 4. kommen, Direktor, um 9 Uhr, in, Büro — 5. lernen, meine Schwester, seit, drei Jahre, Deutsch — 6. sein, Lehrer, in Köln — 7. üben, ich, immer, Verbformen — 8. beginnen, Ferien, am 21. Juli — 9. diktieren, Vater, Sohn, Brief — 10. bilden, Schüler, mit, Wörter, Sätze — 11. erklären, ich, Schüler, Grammatikregel — 12. haben, du, zu Haus, viele Bücher — 13. hängen, Bild, in, mein Zimmer — 14. schließen, wir, abends, unsere Haustür — 15. schreiben, Mutter, Sohn, eine Postkarte — 16. verbessern, **Lehrer**, Fehler — 17. verstehen, du, meine Muttersprache, nicht — 18. wiederholen, Mann, Frage — 19. zeigen, ich, mein Gast, meine Wohnung — 20. buchstabieren, Herr, sein Name — 21. kaufen, ich, meine Tochter, Blumen — 22. zahlen, du, Rechnung — 23. zählen, ich, Geld — 24. lesen, Schüler, sein Brief — 25. fahren, Kinder, in, Ferien — 26. finden, wir, in, diese Stadt, kein Zimmer — 27. halten, Auto, vor, Haus — 28. lesen, mein Freund, viele Bücher — 29. nehmen, du, Kind, Heft — 30. verlassen, Leute, unsere Stadt — 31. wohnen, Studenten, in, Studentenhaus — 32. vergleichen, ihr, unser Land, mit, euer Land.

Übung 3: *Bilden Sie die Verbformen (Präsens, Präteritum, Perfekt)!*
1. Um wieviel Uhr .... (abfahren) der Zug von Köln? — 2. Der Bus .... (ankommen) hier pünktlich. — 3. Wir .... (einsteigen) schnell in den Zug. — 4. Ich .... (ablehnen) das Geld. — 5. Warum .... (anbieten) du mir keine Zigarette? — 6. Wann .... (wiedersehen) wir uns? — 7. Der Mann .... (wiederkommen) nicht. — 8. Der Schüler .... (zurückgehen) auf seinen Platz. — 9. Wann .... (zurückfahren) ihr nach Haus? — 10. .... (spazieren gehen) du regelmäßig nach dem Essen? — 11. Mein Freund .... (einladen) mich zu seiner Geburtstagsfeier. — 12. Ihr .... (mitbringen) immer eure Bücher. — 13. Die Leute .... (abnehmen) in einem Haus ihre Hüte. — 14. .... (anrufen) du den Arzt? — 15. Ich .... (gehen) zur Post und .... (einwerfen) den Brief. — 16. Die Frau .... (aufschließen) den Schrank. — 17. Du .... (eintreten) ins Zimmer. — 18. Wir .... (zuschließen) unser Haus um 10 Uhr. — 19. Wann .... (aufräumen) das Mädchen das Zimmer? — 20. .... (einziehen) Sie schon in Ihr neues Haus? — 21. Der Mann .... (aussteigen) jetzt aus dem Auto. — 22. Die Leute auf der Straße .... (nachlaufen) schnell dem Dieb — 23. Wann .... (zurückgeben) du mir mein Geld? — 24. Ich .... (zurückgehen) noch einmal in die Schule. — 25. Zwei Autos .... (zusammenstoßen) an der Straßenecke. — 26. Mein Freund .... (anstellen) das Radio. — 27. .... (aufmachen) ihr morgens das Fenster? — 28. Wann .... (aufstehen) du morgens? — 29. Das Kind .... (ausstrecken) seine Hand nach der Schokolade. — 30. Ich .... (zuschließen) die Haustür und .... (herumdrehen) den Schlüssel zweimal. — 31. Mein Bruder .... (abholen) mich jeden Tag vom Büro. — 32. Wann .... (anfangen) du mit deiner neuen Arbeit? — 33. Wir .... (entgegengehen) unseren Freunden. — 34. Wo .... (kennenlernen) wir neue Freunde? — 35. Peter .... (vorstellen) sich der jungen Dame.

*

Nomen (Wiederholung)

Deklinationsformen (Übersicht):

		maskulin I		maskulin II		neutral		feminin	
Sing.:	Nom.:	der	Freund	der	Mensch	das	Kind	die	Mutter
	Akk.:	den	-	den	-en	das	-	die	-
	Dat.:	dem	-	dem	-en	dem	-	der	-
	Gen.:	des	-es	des	-en	des	-es	der	-
Plur.:	Nom.:	die	Freunde	die	Menschen	die	Kinder	die	Mütter
	Akk.:	die	-	die	-	die	-	die	-
	Dat.:	den	-n	den	-	den	-n	den	-n
	Gen.:	der	-	der	-	der	-	der	-

Maskuline Nomen, die im Plural die Endung -en erhalten, bilden ihre Deklinationsformen allgemein mit der Endung -en.

Besonderheiten: der Herr, den Herrn, dem Herrn, des Herrn (Plur.: die Herren)
der Vetter, des Vetters (Plur.: die Vettern)
der See, des Sees (Plur.: die Seen)
der Doktor, des Doktors (Plur.: die Doktoren); ebenso auch alle Fremdwörter auf -or
der Name, des Namens; der Gedanke, des Gedankens
das Herz, des Herzens (Plur.: die Herzen)
Alle Nomen, die im Plural -s erhalten, haben im Dativ Plural kein -n: die Autos, den Autos; die Hotels, den Hotels; die Parks, den Parks, die Cafés, den Cafés usw.

Übung 4: *Ergänzen Sie die fehlenden Deklinationsendungen der Nomen!*

1. Ich gehe oft mit meinen Freund   spazieren. — 2. Kennen Sie die Tochter des Professor ? — 3. Das Wasser dieses See ist sehr kalt. — 4. Ich habe den Name des Doktor vergessen. — 5. Der Arzt hat mit den Mütter dieser Kinder gesprochen. — 6. Hast du gestern den Student   kennengelernt? — 7. Was gibt es heute in den Kino ? — 8. Kennen Sie Herr   Anton Brück? — Nein, ich kenne keinen Herr   dieses Name . — 9. Mein Sohn spielt mit den Kinder   meines Freund . — 10. Siehst du dort den Tourist ? — Er spricht mit dem Bauer . — 11. Sonntags arbeitet man nicht in den Geschäft . — 12. Du hattest gestern wirklich einen guten Gedanke ! — 13. Der Preis dieses Motor ist sehr hoch. — 14. Das Haus meines Vetter   liegt am Ufer eines See . — 15. Ich habe hier einen Brief für Herr   Braun.

Übung 5: *Bilden Sie die Pluralformen der Nomen!*

1. Der Schüler schreibt seinem Freund einen Brief. — 2. Der Gast dankt dem Gastgeber für die Einladung. — 3. Der Student hat auf die Wohnungsanzeige in der Zeitung geschrieben. — 4. Die Familie hat eine Wohnung gemietet. — 5. Mein Freund will dem Mann helfen. — 6. Der Lehrer hat mit dem Diktat begonnen. — 7. Kann der Schutzmann der Frau eine Auskunft geben? — 8. Fährt diese Straßenbahn zum Sportplatz? — 9. Der junge Mann steht immer an der Straßenecke. — 10. Heizt euer Ofen das Zimmer gut? — 11. Der Fußgänger muß die Straße schnell überqueren. — 12. In der Straße parkt ein Auto. — 13. Wieviel kostet der Wintermantel? — 14. Gibt die Hauswirtin ihrem Mieter ein Handtuch? — 15. Der Professor hat einen Bücherschrank in seinem Arbeitszimmer. — 16. Der Postbeamte holt den Brief aus dem Briefkasten. — 17. Wie lange arbeitet der Beamte im Büro? — 18. Ein Engländer und ein Franzose wohnt in diesem Hotel.

Übung 6: *Bilden Sie die Singularform der Nomen!*

1. Die Bauern arbeiten mit ihren Pferden auf den Feldern. — 2. Die Kinder gehen in ihre Klassenzimmer. — 3. Die Schüler sitzen auf den Stühlen vor den Landkarten. — 4. Was für Filme laufen heute in den Kinos? — 5. Wie heißen die Namen dieser Seen? — 6. Schreiben die Schülerinnen ihre Übungen in den Klassenzimmern? — 7. Die Fahrräder gehören den Landarbeitern. Sie sind auf den Feldern. — 8. Gibt es in diesen Cafés Fernsehapparate? — 9. Die Kaufleute hier haben Mäntel, Anzüge, Jacken, Hosen und Kleider gekauft. — 10. Kommen unsere Gäste mit ihren Autos?

*

Subjekt — Objekt

Ein Satz besteht aus verschiedenen Teilen, den *Satzgliedern.* Diese Satzglieder haben in einem Satz verschiedene Funktionen. Wenn ein Nomen ein Satzglied ist, erhält es eine Deklinationsform. Deklinationsformen zeigen die Funktion eines Nomens im Satz.

Zwei wichtige Funktionen im Satz haben das **Subjekt** und das **Objekt.**

Das **Subjekt** nennt die Person oder die Sache, die etwas tut oder die sich in einem bestimmten Zustand befindet. Es hat die Nominativform.

> *Der Lehrer* kommt heute nachmittag zu uns. — *Das Kind* ist schon seit zwei Tagen krank. — Im Frühling blühen *viele schöne Blumen.*

Weitere Personen oder Sachen, die an der Handlung teilhaben, von denen aber nicht die Handlung ausgeht, sind im Satz **Objekt.** Das Objekt kann alle anderen Deklinationsformen haben. Es kann im *Akkusativ,* im *Dativ* oder im *Genitiv* (selten!) stehen oder es ist *mit einer Präposition* verbunden, die seine Funktion im Satz zeigt.

> *Akkusativobjekt:* Wir sehen *das Haus.*
> *Dativobjekt:* Ich helfe *der Mutter.*
> *Genitivobjekt:* Gedenkt *der armen Kinder!*
> *Präpositionalobjekt:* Sie wohnen *in Berlin.*

Eine wichtige Funktion im Satz hat auch das **Prädikat.**

Das Verb im Prädikat **bestimmt die Form des Objekts** *(Rektion der Verben)* **und die Zahl der Objekte.** Man muß auf jeden Fall mit dem Verb auch seine Rektion lernen, d. h. die Objektform, die ein Verb verlangt.

Beispiele für

Verben, die **kein** *Objekt verlangen:*
> Der Bauer arbeitet fleißig. — Das Kind schlief gut.

Verben, die **ein** *Objekt verlangen:*

Der Vater fragt *den Sohn.* – Der Schüler antwortet *dem Lehrer.* – Die Leute warten *auf den Zug.* – Wir beginnen *mit der Arbeit.*

Verben, die **zwei** *Objekte verlangen:*

Die Mutter gibt *dem Kind den Apfel.* – Der Dieb nimmt *dem Mann das Geld.* – Ich bitte *den Herrn um die Zeitung.* – Wir danken *dem Vater für den Brief.*

BEACHTEN SIE: Die Deklinationsformen der Nomen hinter den Präpositionen sind keine Funktionsformen des Satzglieds wie beim Objekt im Akkusativ oder Dativ, sondern hängen von den Präpositionen ab *(Rektion der Präpositionen).*

Übung 7: *Wie heißen in diesen Sätzen die Subjekte und Objekte?*
Welche Deklinationsformen haben die Objekte?

1. Die Kinder gehen regelmäßig in die Schule. — 2. Frau Meier stellt die Tassen auf den Tisch. — 3. Das Auto ist gegen einen Baum gefahren. — 4. Helft ihr immer euren Freunden bei der Arbeit? — 5. Die Eltern denken oft an ihren Sohn im Ausland. — 6. Der Unterricht beginnt um 5 Uhr. — 7. Der Lehrer beginnt den Unterricht mit einer Wiederholung. — 8. Kann ich von Ihnen bald eine Antwort bekommen? — 9. Schenkst du deinem Bruder ein interessantes Buch? — 10. Willst du heute mit mir spazieren gehen? — 11. Peter erwartet seinen Freund zu Haus. — 12. Ich warte schon lange auf einen Brief. — 13. Mein Vater kauft mir einen neuen Anzug zum Geburtstag. — 14. Gibt es in eurer Stadt viele Kinos? — 15. Was können Sie mir zum Essen bringen? — 16. Nehmen Sie dem Kind das Messer aus der Hand! — 17. Wo kann ich hier billig einen Mantel kaufen? — 18. Nimm dieses Buch! Es ist sehr gut. — 19. Kommt bitte pünktlich zum Unterricht! — 20. Subjekte haben immer die Nominativform.

Übung 8: *Bilden Sie Sätze und achten Sie auf die richtigen Objektformen!*

1. suchen, Student, Zimmer — 2. erwarten, ich, Gast — 3. bitten, Ausländer, Herr, Auskunft — 4. schenken, Vater, Sohn, Buch — 5. gefallen, Buch, Sohn — 6. bringen, Briefträger, Frau, Brief — 7. anbieten, Gastgeberin, Gast, Wein — 8. unterbrechen, Lehrer, Unterricht — 9. schreiben, wir, Freunde, Postkarte — 10. warten, Peter, Freund — 11. danken, Kinder, Vater, Geschenk — 12. begrüßen, Familie, Gäste — 13. beobachten, Polizist, Dieb — 14. helfen, ihr, alter Mann — 15. beenden, Lehrer, Unterricht.

Übung 9: *Welche Sätze sind formal vollständig, und welche sind unvollständig? Ergänzen Sie die unvollständigen Sätze mit den notwendigen Objekten!*
Zur Kontrolle fragen Sie zuerst: was tut er? usw.

1. Der alte Mann schläft. — 2. Die Frau besucht. — 3. Wir warten. — 4. Herr Braun begrüßt. — 5. Robert zeigt seinem Freund. — 6. Der Lehrer legt auf den Tisch. — 7. Die Kinder lachen. — 8. Inge schickt ihren Eltern. — 9. Der Vater schickt seinen Sohn in die Schule. — 10. Ich habe mich gestern gefreut. — 11. Wir haben gestern um 5 Uhr begonnen. — 12. Die Kinder haben schnell überquert. — 13. Sie haben am Sonntag kennengelernt. — 14. Ich will jetzt anrufen. — 15. Kurt telefoniert gerade. — 16. Wir müssen morgen beenden.

* * *

Im Hotel

Ankunft:

— Guten Tag! Haben Sie ein Zimmer frei? Ich möchte ein Doppelzimmer für mich und meine Frau.
— Für wie lange brauchen Sie das Zimmer?
— Wir wollen voraussichtlich eine Woche hierbleiben.
— Wollen Sie ein Zimmer mit Bad oder mit Duschkabine?
— Ich möchte ein Zimmer mit Bad. Was kostet das Zimmer pro Tag?
— 18 Mark plus 15 % Bedienung.
— Gut. Ich nehme das Zimmer.
— Schön. Zimmer 33. Das Zimmer geht zum Garten.
— Wir haben noch Gepäck am Bahnhof in der Gepäckaufbewahrung. Kann es Ihr Hausdiener holen? Hier ist der Gepäckschein.
— Ja, wir bringen das Gepäck auf Ihr Zimmer. Möchten Sie bitte noch den Meldezettel ausfüllen?
— Gern!
— *(zum Pagen)* Hans, bringe die Herrschaften auf ihr Zimmer. Zimmer 33. *(zu den Gästen)* Der Page führt Sie jetzt auf Ihr Zimmer.

Abreise:

— Wir reisen morgen ab. Können Sie uns bis morgen früh die Rechnung fertig machen?
— Nehmen Sie morgen noch das Frühstück ein?
— Ja, können Sie uns um 7 Uhr wecken?
— Natürlich. Ich sage es dem Zimmermädchen.
— Gute Nacht!

Am anderen Morgen beim Frühstück

— Kann ich jetzt meine Rechnung haben?

— Welche Zimmernummer haben Sie?

— 33.

— Danke. Ich bringe Ihnen sofort die Rechnung.

Nach einer Weile kommt der Kellner zurück und legt die Rechnung auf den Tisch:

— Bitte sehr, **mein Herr!**

Der Herr prüft die Rechnung nach und legt das Geld auf den Tisch. Der Kellner nimmt es. Nach kurzer Zeit kommt er mit der quittierten Rechnung zurück. Die Gäste stehen vom Tisch auf und ziehen ihre Mäntel an. Sie legen noch ein Trinkgeld für den Kellner auf den Tisch und verlassen mit dem Hausdiener, der ihnen das Gepäck zum Bahnhof trägt, das Hotel.

Erklärungen und Wortschatz:

das Doppelzimmer: ein Zimmer mit zwei Betten (vgl. *Einzelzimmer*)

das Bad hier: Badezimmer

die Duschkabine, -n: ein kleiner Raum mit Dusche *(die Dusche; duschen)*

das Zimmer geht zum Garten (zur Straße): das Zimmer ist auf der Gartenseite (Straßenseite) des Hauses; *das Fenster geht zum Garten (zur Straße)*

die Tür geht ins Wohnzimmer, in den Garten, auf die Straße, auf den Gang (Korridor): man kommt durch die Tür in das Wohnzimmer, in den Garten, auf die Straße, auf den Gang (Korridor)

die Gepäckaufbewahrung: ein Platz, an dem man am Bahnhof das Gepäck sicher *aufbewahren* kann

der Meldezettel, -: ein Formular für die Polizei; wenn man in Deutschland eine Wohnung nimmt oder in einem Hotel wohnt, muß man dies der Polizei melden

aufwachen, aufwecken, einschlafen, schlafen, wach sein, wecken: man geht ins Bett und schläft ein, am Morgen wacht man wieder auf; während der Nacht schläft man; wenn man nicht schläft, ist man wach; mein Freund hat mich geweckt (mit Absicht wach machen); mein Freund hat mich aufgeweckt (ohne Absicht wach machen)

das Zimmermädchen: das Mädchen, das für die Ordnung im Zimmer sorgt

der Kellner, -: der Mann in einem Restaurant usw., der das Essen oder die Getränke bringt; man ruft ihn: *Herr Ober!* Man ruft eine Kellnerin: *Fräulein!*

nachprüfen: kontrollieren

quittieren: man bezahlt eine Rechnung und bekommt dafür *eine Quittung,* oder man quittiert die Rechnung. Die Rechnung ist quittiert. Man quittiert eine Rechnung: *den Betrag dankend erhalten, (Unterschrift) Hans Müller, München, den 11. Januar 1962*

Übung A: *s, ss und ß?*

1. Das Wa.er dieses Flu.es ist warm. — 2. Viele Flü.e in Deutschland flie.en nach Norden. — 3. Am Ende des E.ens gibt es eine Sü.speise. — 4. Peter i.t Fisch, wir wollen aber Fleisch e.en. — 5. Ich mu. jetzt das Fenster schlie.en. — 6. Grü.en Sie Ihre Eltern von uns. — 7. Wir haben den Se.el auf die Terra.e gestellt. — 8. Der Schlü.el steckt im Schlo. — 9. Zwei Autos sind auf der Stra.e zusammengesto.en. — 10. Der Schüler hei.t Richard Robertson. — 11. Wir wünschen Ihnen eine gute Rei.e, Herr Profe.or. — 12. Berlin ist eine Gro.stadt.

Übung B: *wieviel, wie viele?*

1. .... Schüler sind in der Klasse? — 2. .... kostet eine Reise nach Deutschland? — 3. .... Pfund hat ein Kilo? — 4. .... Geld haben Sie in Ihrer Tasche? — 5. Um .... Uhr beginnt der Unterricht? — 6. .... Stunden dauert der Unterricht? — 7. .... Seiten hat dieses Lehrbuch? — 8. Der ....te ist heute? — 9. .... Kilometer sind es bis zur nächsten Stadt? — 10. .... Mark kostet ein Radioapparat? — 11. .... Markstücke liegen hier auf dem Tisch? — 12. Auf .... Grad steigt im Sommer die Temperatur?

Übung C: *auf, in, zu?*

1. Das Fenster geht .... Garten. — 2. Die Tür geht .... Straße. — 3. Die Tür geht .... Garten. — 4. Das Zimmer geht .... Straße. — 5. Welche Tür geht .... Speisesaal. — 6. Die Tür geht .... Badezimmer. — 7. Das Zimmer geht .... Park. — 8. Die Tür geht .... Korridor. — 9. Diese Tür geht .... Straße. — 10. Geht diese Tür .... Büro?

Übung D: *an (am), in (im), um?*

1. .... Montag fahren wir nach Köln. — 2. .... wieviel Uhr fährt der Zug ab? — 3. .... Sommer ist das Wetter warm. — 4. .... Jahr 1960 bin ich in Frankreich gewesen. — 5. .... wievielten kommt Ihr Freund zu Ihnen? — 6. .... März hat unser Lehrer Geburtstag. — 7. .... dritten Februar kommen meine Freunde vom Wintersport zurück. — 8. .... 9 Uhr beginnt bei uns der Unterricht. — 9. .... Herbst gibt es noch viele schöne Tage in Deutschland. — 10. .... ersten Januar beginnt das neue Jahr. — 11. .... Nachmittag haben wir keine Schule. — 12. .... Nacht schlafe ich.

Übung E: *aufwachen, aufwecken, einschlafen, schlafen, wach sein, wecken?*

1. Gestern bin ich um Mitternacht .... — 2. Ich habe in der Nacht sehr schlecht .... — 3. Können Sie mich morgen früh um 7 Uhr .... — 4. Seid ruhig! Das Kind .... — 5. Ihr habt das Kind mit eurem

Lärm .... — 6. Jetzt ist das Kind wieder .... — 7. Hoffentlich kann das Kind bald wieder .... — 8. Meine Hauswirtin .... mich jeden Tag um 7 Uhr. — 9. Gestern bin ich zu spät in die Schule gekommen, weil ich am Morgen sehr spät .... bin. — 10. Das Kind schläft nicht, es ist vor wenigen Minuten ....

Übung F: *Ergänzen Sie die richtigen Fragewörter!*

1. .... kommt dort? — 2. .... hast du gestern gekauft? — 3. .... fährt dein Vater morgen? — 4. Um .... Uhr kommt der Zug hier an? — 5. .... lange dauert der Unterricht? — 6. An .... hast du heute einen Brief geschrieben? — 7. .... viele Stunden geht man von hier zur nächsten Stadt? — 8. .... hat dir der Mann gestern erzählt? — 9. .... kommst du jetzt? — 10. .... schnell fährt ein D-Zug in einer Stunde? — 11. .... hat Peter das Buch gegeben? — 12. .... hat Ihnen diese falsche Auskunft gegeben? — 13. .... beginnt das Sommersemester an der Universität? — 14. .... habt ihr Deutsch gelernt? — 15. .... kommt man schnell zur Mozartstraße? — 16. .... habt ihr gestern im Theater getroffen? — 17. .... für einen Film hast du letzten Sonntag gesehen? — 18. In .... Kino bist du gewesen? — 19. .... kostet ein neuer Anzug? — 20. .... wollte dir dieses Buch verkaufen? — 21. .... Hut hängt dort an dem Haken? — 22. In .... Land wollen Sie fahren?

Übung G: *Erklären Sie die folgenden Wörter mit einem Satz!*

1. Doppelzimmer, Einzelzimmer, Küche, Gasthaus, Zimmermädchen — 2. Bäcker, Schüler, Verkehrsschutzmann, Dieb, Radfahrer — 3. Schreibtischlampe, Omnibus, Lastwagen, Straßenlampe, Briefträger — 4. Rasierapparat, Briefumschlag, Kino, Illustrierte, Taschendieb — 5. Kleiderschrank, Bücherregal, Telefonbuch, Wörterbuch, Wecker — 6. Nichte, Vetter, Tante, Enkel, Schwester.

Übung H: *Schreiben Sie einen Aufsatz über Ihr Land! Achten Sie auf folgende Punkte: geographische Lage, Klima, Landschaftsform, wichtige Flüsse, wichtige Städte, Industrie, Landwirtschaft.*

ZWEITER ABSCHNITT

Die deutschen Volksgruppen und ihre Mundarten

Es gibt in Deutschland verschiedene Volksgruppen (Volksstämme), die ihre eigene Mundart oder ihren eigenen Dialekt sprechen. So gehören z. B. die Bewohner von Hannover, Hamburg und Bremen zu den Niedersachsen und sprechen eine niederdeutsche Mundart.

In Mitteldeutschland gibt es die Franken (am Rhein und am Main), die Hessen (z. B. in Kassel), die Thüringer (z. B. in Weimar und Jena), die Sachsen (z. B. in Leipzig und in Dresden).

Im Süden wohnen die Alemannen (oder Schwaben) und die Bayern.

Kein Dialekt gleicht genau der hochdeutschen Schriftsprache, die jedes deutsche Kind in der Schule lernt und gebraucht, auch wenn es zu Haus mit seinen Eltern Dialekt spricht. Denn ein Deutscher von der Nordseeküste kann einen Mann aus den bayerischen Alpen nicht verstehen, wenn beide ihren Dialekt sprechen. Nur in der hochdeutschen Sprache können sie sich unterhalten.

Es gibt drei große Dialektgruppen: die niederdeutsche, die mitteldeutsche und die oberdeutsche Gruppe. Zwischen den Mundarten und der Schriftsprache sind oft große Unterschiede, besonders gilt dies für die niederdeutschen Dialekte. Die niederdeutschen oder plattdeutschen Mundarten nennt man so, weil das Land im Norden „platt" oder flach ist. Plattdeutsch spricht man an der deutschen Nord- und Ostseeküste und in der norddeutschen Tiefebene. Berlin und Köln z. B. liegen an der Grenze zwischen dem mitteldeutschen und dem niederdeutschen Sprachgebiet.

Die mitteldeutschen Mundarten (Fränkisch, Hessisch, Thüringisch, Sächsisch, Schlesisch) und die oberdeutschen Dialekte (Alemannisch und Bayerisch) sind vom Hochdeutschen nicht ganz so verschieden wie die plattdeutschen. Darum bringen die Leute, besonders in Süddeutschland, oft Dialektausdrücke in die hochdeutsche Sprache hinein. Aber auch wenn ein Deutscher sehr gut Hochdeutsch spricht, können wir meistens an seiner Sprache und Intonation seine Herkunft erkennen. Wir können genau sagen: er ist ein Sachse, ein Schwabe, ein Rheinländer oder ein Norddeutscher.

Bayerische Mundart spricht man auch in Österreich, alemannische Dialekte in der Schweiz und im Elsaß, und in Luxemburg gibt es einen Dialekt, der dem benachbarten Rheinfränkischen verwandt ist.

In den Niederlanden und in Belgien sind das Holländische und das Flämische, die zuerst niederdeutsche Dialekte waren, zu Schriftsprachen geworden und haben sich selbständig weiterentwickelt.

In Deutschland gibt es viele verschiedene Dialekte, fast die ganze Literatur aber ist hochdeutsch, denn meistens schreibt man einen Dialekt nicht, sondern man spricht ihn nur. Darum gibt es nur sehr wenige Mundartdichter, die nicht nur in ihrer Heimat, sondern in ganz Deutschland bekannt sind.

Erklärungen und Wortschatz:

das Volk, ¨er: Menschen von gleicher Herkunft, mit gleicher Sprache und Kultur

der Volksstamm, ¨e: der Teil eines Volkes, der sich von den anderen Teilen durch seine Sprache, seinen Dialekt unterscheidet

die Mundart, -en: der Dialekt, -e; die Sprache eines Volksstamms im Gegensatz zur allgemeinen Schriftsprache oder Verkehrssprache

der Bewohner, -: der Einwohner einer Stadt oder eines Dorfes

der Einwohner, -: eine Person, die dauernd in einer Stadt oder in einem Land wohnt

z. B.: zum Beispiel

die Schriftsprache, -n: die Sprache, die in der Literatur und im offiziellen Verkehr eines Landes gebraucht wird

gelten (er gilt), galt, gegolten: gültig, anerkannt sein

nennen, nannte, genannt: bezeichnen, einen Namen geben

der Ausdruck, ¨e: die Art und Weise, wie man spricht

die Herkunft: Nomen von ‚herkommen'

benachbart: in der Nähe liegend, in der Nähe; *der Nachbar, -n:* eine Person, die neben einem wohnt, die in der Nähe wohnt

* * *

Pronomen (Wiederholung)

Personalpronomen

Nom.:	ich	du	er	es	sie	wir	ihr	sie
Akk.:	mich	dich	ihn	es	sie	uns	euch	sie
Dat.:	mir	dir	ihm	ihm	ihr	uns	euch	ihnen

Personalpronomen können für Nomen stehen und vor allem auch Satzglieder sein. Sie können auch ganze Satzglieder vertreten.

Kommt *Fritz* heute? — Ja, *er* kommt heute.
Heute habe *ich* keine Zeit.

Wir haben das *Haus am Waldrand* nicht gekauft. — Warum habt ihr *es* nicht gekauft?

Kennen Sie *den Herrn, der mich gestern besuchen wollte?* — Nein, ich kenne *ihn* nicht.

Reflexivpronomen

Peter arbeitet *sich* müde. — *Ich* rasiere *mich* elektrisch. — *Ein Egoist* denkt nur an *sich.* — *Das Mädchen* sieht *sich* im Spiegel. — *Wir* feiern deinen Geburtstag bei *uns.* — *Der Draht* biegt *sich.*

Man gebraucht die Personalpronomen der 1. und 2. Person auch als **Reflexivpronomen,** nur die 3. Person *(er, es, sie* und Plural *sie)* hat ein eigenes Reflexivpronomen **(sich),** das keine Pluralform und keine Deklinationsformen hat.

Man gebraucht Reflexivpronomen, wenn die gleiche Person oder Sache im Satz in verschiedenen Funktionen auftritt.

Die *Schüler* freuen *sich* auf die Ferien. *Inge* hat *sich* erkältet. Hast *du dich* diesem Herrn vorgestellt? *Wir* unterhielten *uns* mit dem Direktor dieser Firma.

Einige Verben verlangen außer dem Subjekt immer ein Reflexivpronomen

Fragepronomen

	Frage nach Personen	Frage nach Sachen und Begriffen
Nom.	wer?	was?
Akk.	wen?	was?
Dat.	wem?	—
Gen.	wessen?	—

Übung 1: *Beantworten Sie die Fragen und gebrauchen Sie Personalpronomen!*

1. Wo erwartest du deinen Freund? — Zu Hause .... 2. Wann schenkst du deiner Schwester dieses schöne Buch? — Zu ihrem Geburtstag .... 3. Wie hat der Film deinem Vater gefallen? — Sehr gut .... 4. Wo sucht der Herr das Zimmer, das er mieten will? — In der Vorstadt .... 5. Wann warten die Schüler auf ihren Lehrer? — Um 5 Uhr .... 6. Wann will der Professor seine Vorlesung beenden? — Am Nachmittag .... 7. Wohin hat die Gastgeberin ihren Gästen das Essen gebracht? — Ins Nebenzimmer .... 8. Wann schickst du endlich deinen Eltern das Paket? — Morgen .... 9. Wo hat Peter mit seinem Vater telefoniert? — In der Post .... 10. Wann hat der Briefträger Frau Braun das Telegramm gebracht? — Vorgestern .... 11. Wo hat Herr Müller Frau Braun gesehen? — Auf dem Bahnhof .... 12. Wann hat Peter Inge die Blumen geschenkt? — Zu Ostern ....

Präpositionen (Wiederholung)

Präpositionen mit dem **Dativ:**

  aus, bei, mit, nach, seit, von, zu, – gegenüber

‚gegenüber' kann auch hinter dem Nomen stehen.

Folgende Präpositionen verbinden sich mit dem bestimmten Artikel:

bei *dem* – bei*m*	zu *der* – zu*r*
von *dem* – vo*m*	
zu *dem* – zu*m*	

Präpositionen mit dem **Akkusativ:**

  durch, für, gegen, ohne, um, – entlang

‚entlang' steht gewöhnlich nach dem Nomen.

Präpositionen mit dem **Akkusativ** *und dem* **Dativ:**

  an, auf, hinter, in, neben, über, unter, vor, zwischen

Diese Präpositionen stehen mit dem Dativ (Frage: *wo?*); nur bei Ortsveränderung stehen sie mit dem Akkusativ (Frage: *wohin?*).

Folgende Präpositionen verbinden sich mit dem Artikel:

an *dem* – a*m*	an *das* – an*s*
in *dem* – i*m*	in *das* – in*s*

Präpositionen mit dem **Genitiv:**

  (an)statt, trotz, während, wegen

Die Deklinationsformen, die eine Präposition verlangt (Rektion der Präpositionen), sind keine Funktionszeichen eines Satzglieds.

Übung 2: *Ergänzen Sie die Artikel! Achten Sie auf die richtige Deklinationsform!*

1. Wir sind gestern trotz …. schlecht- Wetters an …. See gefahren. — 2. Stellen Sie bitte …. Tassen in …. Küchenschrank! — 3. Ich bin schon seit ein- Woche in dies- Stadt. — 4. …. Garage steht hinter dies- Haus in …. Garten. — 5. Fahren Sie …. Wagen in …. Garage. — 6. Gehen Sie an …. Fenster und sehen Sie auf …. Straße. — 7. Auf …. Straße stehen viele Menschen. — 8. Wir lernen während …. Unterrichts in …. Schule viel. — 9. Um wieviel Uhr kommt ihr aus …. Schule? — 10. Gestern ist hier an …. Straßenecke ein Auto gegen …. Baum gefahren. — 11. Ich habe hier ein- Brief für …. Lehrer. — 12. Wohnst du in …. Hotel „Alpenhof"? — 13. Das Hotel liegt …. Post gegenüber. — 14. Peter war gestern bei …. Arzt, der in …. Ludwigstraße wohnt. — 15. Bist du heute mit …. Zug gekommen oder mit …. Omnibus? — 16. Die Lampe hängt an …. Decke über …. Tisch. — 17. Der Eingang ist an …. Seite des Hauses. — 18. Durch dies- Tür hier dürfen Sie nicht in …. Haus gehen. — 19. Trotz …. schön- Wetters

Feldgottesdienst in Oberbayern

Trachten

Friesische Tracht am Strand von Norderney

*Guttachtal (Schwarz-
wald)*

Schwälmer Schulmädchen (Hessen)

*Anger bei Bad
Reichenhall*

Aufmarsch der Prinzengarde in Düsseldorf

Fasching und
Oktoberfest

Bonndorfer „Pflumeschlucker", Baden

*„A Herzerl fürs
Herzerl",
Oktoberfest in
München*

muß ich zu Hause bleiben. — 20. .... Autostraße geht um .... Stadt, weil es in .... Stadt viele Krankenhäuser gibt. — 21. In dies- Straße dürfen keine Autos parken.

Übung 3: *Ergänzen Sie die richtigen Präpositionen!*

1. Ich lerne .... einer Lehrerin Deutsch. — 2. Wohnen Sie .... Ihrem Bruder zusammen? — 3. Ich sehe viele Autos .... der Straße. — 4. Das Hotel Excelsior ist .... der Kaiserstraße. — 5. Fahren Sie heute .... Berlin? — 6. Das Bild hängt .... der Wand. — 7. Der Lehrer schreibt .... die Tafel. — 8. Die Bücher liegen hier .... dem Tisch. — 9. Das Hotel befindet sich rechts .... dem Bahnhof. — 10. Hans kommt dort .... dem Haus. — 11. Haben Sie einen Brief .... mich? — 12. Wir wohnen schon .... einer Woche .... diesem Hotel. — 13. .... dem Essen machen wir immer einen kleinen Spaziergang. — 14. Ich komme morgen .... meine Schwester .... Ihnen, denn meine Schwester muß .... Haus arbeiten. — 15. Gehen die Kinder .... Fuß .... die Schule? — 16. .... des Unterrichts sprechen wir nur Deutsch. — 17. Peter geht jetzt .... dem Bahnhof. — 18. Werfen Sie bitte meine Briefe .... den Briefkasten! — 19. Fahrt ihr .... dem Zug um 5 Uhr .... München?

*

Das Pronominaladverb *da(r)-* (Wiederholung)

Nicht immer können Pronomen für Nomen oder Satzglieder stehen. Wenn eine Präposition ein Nomen oder Satzglied begleitet, das eine Sache oder einen Begriff bezeichnet, übernimmt das Adverb *da-* (vor Präpositionen, die mit einem Vokal beginnen, *dar-*) die pronominale Funktion.

Vergleichen Sie die folgenden Beispiele:

Wartest du auf *deinen Freund?*   — Ja, ich warte *auf ihn.*
Wartest du *auf den Brief?*   — Ja, ich warte *darauf.*

Hat Peter *von mir* gesprochen?   — Ja, er hat *von dir* gesprochen.
Hat Peter *von seiner Arbeit* gesprochen? — Nein, er hat nicht *davon* gesprochen.

Fährst du *mit Peter* nach Köln?   — Ja, ich fahre *mit ihm* nach Köln.
Fährst du *mit diesem Auto* nach Köln? — Ja, ich fahre *damit* nach Köln.

In gleicher Weise gebraucht man das Frageadverb *wo-* (vor Vokalen: *wor-*):

An wen denkst du?   — Ich denke *an meine Freunde.*
Woran denkst du?   — Ich denke *an meine Arbeit.*

Über wen unterhaltet ihr euch?   — Wir unterhalten uns *über die Leute dieser Stadt.*

Worüber unterhaltet ihr euch?   — Wir unterhalten uns *über die Schönheiten dieser Stadt.*

Übung 4: *Antworten Sie auf folgende Fragen und gebrauchen Sie Personalpronomen oder das Pronominaladverb „da(r)-"!*

1. Muß der alte Mann für seine Familie arbeiten? — 2. Haben sich die Schüler mit dem Lehrer verabredet? — 3. Wollen die Studenten mit ihrem Professor nach Italien reisen? — 4. Freuen sich die Kinder auf die Ferien? — 5. Freuen sich die Gastgeber über ihre Gäste? — 6. Warten die Leute auf den Autobus? — 7. Warten die Minister auf die Ankunft des Präsidenten? — 8. Warten die Minister auf den Präsidenten? — 9. Arbeitet Peter für seine Prüfung? — 10. Telefoniert Frau Braun mit ihrem Mann? — 11. Haben die Lehrer schon mit dem Unterricht begonnen? — 12. Hat Herr Müller den Bankdirektor um Geld gebeten? — 13. Wollen sich die Kinder von ihrem Lehrer verabschieden? — 14. Ist Karl mit seinem Fahrrad an den See gefahren? — 15. Ist dieser Brief für meinen Bruder?

Übung 5: *Fragen Sie nach den präpositionalen Ausdrücken!*

1. Karl wartet auf uns. — 2. Wir gehen mit dem Lehrer spazieren. — 3. Familie Müller fährt sonntags mit dem Auto spazieren. — 4. Wir haben von unserer Reise gesprochen. — 5. Peter denkt immer an seine Prüfung. — 6. Ich habe mich gestern mit deinem Bruder unterhalten. — 7. Wir haben bei unseren Freunden gewohnt. — 8. Ich warte schon eine halbe Stunde auf das Essen. — 9. Wir schreiben mit einem Füller. — 10. Peter freut sich auf den Besuch seiner Eltern. — 11. Ich habe dich um das Buch gebeten. — 12. Ich habe Karl für seine Hilfe gedankt. — 13. Der Lehrer hat schon mit dem Unterricht begonnen. — 14. Wir warten auf das Ende des Unterrichts. — 15. Peter Schmidt hat sich mit Fräulein Bender verabredet.

*

Modalverben (Wiederholung)

wollen drückt den Wunsch oder die Absicht aus:
Peter *will* in Berlin Medizin studieren. — Ich *will* morgen nach Köln fahren.

können drückt die Fähigkeit und die Möglichkeit aus; negativ die Unfähigkeit oder Unmöglichkeit:
Du *kannst* gut Deutsch sprechen. — Wenn du willst, *kannst* du in unserer Stadt jeden Tag in ein anderes Kino gehen.

dürfen drückt die Erlaubnis (negativ ein Verbot) aus: Man gebraucht es auch als höfliche Frage oder Bitte:
Die Kinder *dürfen* nicht in diesen Film gehen. — *Darf* ich Sie morgen abend besuchen?

müssen drückt die Notwendigkeit oder den Zwang aus:
Ich *muß* jeden Tag um 8 Uhr im Büro sein. – Wenn du krank bist, *mußt* du zum Arzt gehen.

Übung 6: *Gebrauchen Sie in den folgenden Sätzen die richtigen Modalverben!*

1. Ich stehe morgen früh um 6 Uhr auf. (Notwendigkeit) – 2. Herr und Frau Braun fahren im Sommer nach Italien. (Absicht) – 3. Karl liest in diesem Buch. (Erlaubnis) – 4. Ich gehe nach dem Unterricht spazieren. (höfliche Frage) – 5. Das Kind geht früh zu Bett. (Zwang) – 6. Wir sehen uns heute den interessanten Film an. (Wunsch) – 7. Sie rauchen während des Unterrichts. (Verbot) – 8. Du schreibst deine Arbeiten ohne Fehler. (Unfähigkeit) – 9. Wann sehe ich Sie morgen wieder? (Möglichkeit) – 10. Ich rauche hier. (höfliche Frage) – 11. Wir gehen jetzt ins Café. (Unmöglichkeit) – 12. Die Autos parken in dieser Straße. (Erlaubnis) – 13. Dieser Herr spricht drei Sprachen (Fähigkeit) – 14. Du gehst sofort zum Direktor. (Zwang) – 15. Ich bitte Sie um Ihre Hilfe. (höfliche Bitte)

* * *

Auf dem Bahnhof

Ich gehe mit meinem Koffer zu einem Fahrkartenschalter, vor dem nur wenige Leute Schlange stehen. Nach kurzer Zeit komme ich an die Reihe und löse meine Fahrkarte.

– Bitte, einmal erster nach Frankfurt, mit Zuschlag.
– Wollen Sie eine Rückfahrkarte?
– Nein, nur einfach.
– 39,50 (neununddreißig fünfzig).

Ich lege einen Fünfzigmarkschein auf den Zahlteller. Der Beamte gibt mir die Fahrkarte und die Zuschlagkarte. Dann gibt er mir auf meine fünfzig Mark 10 Mark 50 heraus. Jetzt gehe ich zur Gepäckannahme.

– Ich möchte meinen Koffer als Reisegepäck aufgeben.
– Darf ich Ihre Fahrkarte haben?

Ich gebe meine Fahrkarte ab.

– Die Fahrkarte bekommen Sie nebenan am Gepäckschalter wieder zurück. Dort müssen Sie auch zahlen.

Ich gehe zum Gepäckschalter. Der Beamte sagt:

– Nach Frankfurt, 4 Mark 25. – Danke! Hier sind Ihre Fahrkarte und der Gepäckschein.

Danach gehe ich zu den Bahnsteigen. Ich werfe noch schnell einen Blick auf die Ankunfts- und Abfahrtstafel und suche darauf meinen Zug: Dort steht:

15.35 D 23 nach Frankfurt (22.17) über Nürnberg (18.47) — Würzburg (20.30) Bahnsteig 6.

Jetzt ist es gerade zwanzig nach drei. Ich habe also noch fünfzehn Minuten Zeit. Am Zeitschriftenstand kaufe ich mir noch eine Illustrierte und ein Taschenbuch. Da höre ich aus dem Lautsprecher:

— Achtung, Achtung! Der Fernschnellzug aus Berlin, FD 28, planmäßige Ankunft 15.22 Uhr, hat voraussichtlich 5 Minuten Verspätung. Ich wiederhole: Der FD-Zug aus Berlin hat voraussichtlich 5 Minuten Verspätung. — Achtung, Achtung für eine Durchsage! Herr Peter Müller aus Hamburg möchte bitte zum Bahnhofsvorsteher, Bahnsteig 1, kommen!

Ich gehe zur Sperre vor dem Bahnsteig 6 und gebe dem Beamten meine Karten. Er locht sie und gibt sie mir wieder zurück. Dann gehe ich durch die Sperre zu meinem Zug. Aus dem Lautsprecher hört man wieder:

— Achtung, Achtung! Der FD-Zug aus Berlin, planmäßige Ankunft 15.22 Uhr, läuft soeben auf dem Bahnsteig 5 ein. Bitte von der Bahnsteigkante zurücktreten!

Inzwischen bin ich in meinen Zug eingestiegen und habe mich auf einen Fensterplatz gesetzt. Durch das geöffnete Fenster höre ich wieder den Lautsprecher:

— Hier ist München Hauptbahnhof, München Hauptbahnhof, Bahnsteig 5! Bitte alles aussteigen! Der Zug fährt nicht weiter. Ich gebe die Anschlüsse bekannt: Personenzug nach Starnberg, Abfahrt 15.32 Uhr vom Bahnsteig 12. Eilzug nach Salzburg mit Kurswagen nach Bad Reichenhall — Berchtesgaden, Abfahrt 15.34 Uhr vom Bahnsteig 3. Schnellzug nach Frankfurt über Nürnberg und Würzburg, Abfahrt 15.35 Uhr vom Bahnsteig 6. Reisende, die in diese Züge umsteigen wollen, möchten sich bitte beeilen! D-Zug nach Stuttgart, Abfahrt 16.05 Uhr von diesem Bahnsteig. Personenzug Richtung Augsburg, Abfahrt 16.12 Uhr vom Bahnsteig 12. Ich wiederhole: ....

Jetzt schließe ich das Fenster und warte auf die Abfahrt meines Zuges. Es ist gerade 15.35 Uhr. Mein Zug fährt also jede Minute ab. Durch das geschlossene Fenster höre ich noch:

— Achtung, Achtung Bahnsteig 6! Der planmäßige Schnellzug nach Frankfurt über Nürnberg und Würzburg fährt sogleich ab. Bitte einsteigen und die Türen schließen!

Nach wenigen Augenblicken hört man wieder:

— Vorsicht am Zug! Zurücktreten! Der Zug fährt ab! Wir wünschen Ihnen eine gute Reise!

Langsam setzt sich der Zug in Bewegung und verläßt den Bahnhof.

Erklärungen:

Schlange stehen: in einer Reihe hintereinander stehen

an die Reihe kommen: als erster am Schalter stehen, drankommen (Umgangssprache)

eine Fahrkarte lösen: eine Fahrkarte kaufen

einmal erster nach Frankfurt; mit Zuschlag: eine Fahrkarte nach Frankfurt für die erste Klasse und eine Zuschlagkarte für den Schnellzug

Zuschlagkarte: eine besondere Karte für einen Schnellzug. Man muß für Schnellzüge und Fernschnellzüge zum normalen Fahrpreis einen Zuschlag (einen Mehrpreis) zahlen

Rückfahrkarte: eine Karte für die Hin- und Rückfahrt; *Sonntagsrückfahrkarte:* eine Rückfahrkarte, die nur sonntags gilt, d. h. von Sonnabend 12 Uhr bis Sonntag 24 Uhr. Sie kostet nur zwei Drittel des normalen Fahrpreises *(33% Ermäßigung)*

einfach d. h. hier: eine einfache Fahrt, keine Hin- und Rückfahrt

herausgeben: das übrige Geld zurückgeben; *können Sie mir auf 5 Mark herausgeben?*

die Gepäckannahme: der Platz, an dem man das Gepäck für die Reisenden annimmt *(Gepäckausgabe)*

das Reisegepäck: das Gepäck, das den Reisenden begleitet

einen Blick auf etwas werfen: eine Sache kurz ansehen oder lesen

die Ankunft: Nomen von *ankommen*

die Abfahrt: Nomen von *abfahren*

stehen: (idiomatisch) in dem Buch, in dem Brief, auf der Tafel steht folgendes: man hat dort etwas Bestimmtes geschrieben. *Was steht in diesem Brief? Was steht auf der Tafel?*

voraussichtlich: man kann etwas voraussehen

die Durchsage, -n: man sagt etwas durch den Lautsprecher, durch das Telefon

der Zug läuft ein: der Zug kommt in den Bahnhof

der Fensterplatz, _ne: in einem Wagen der Platz neben dem Fenster

das geöffnete (geschlossene) Fenster: man hat das Fenster geöffnet (geschlossen); das Fenster ist geöffnet (geschlossen)

alles aussteigen: alle Leute müssen aussteigen

der Anschluß, _n (ss)e: die Verbindung, die man auf einer Reise hat, wenn man den Zug oder den Autobus wechseln muß

der Kurswagen, -: ein Wagen, der den Zug nur auf einem Teil der Fahrt begleitet und den man dann an einen anderen Zug hängt, der eine andere Richtung fährt

umsteigen: von einem Zug in einen anderen steigen

der Zug fährt jede Minute (jeden Augenblick) ab: der Zug fährt sofort ab

sich in Bewegung setzen: mit der Fahrt beginnen

Übung A: *Ergänzen Sie die richtigen Präpositionen! zu, nach — bei, mit — aus, von*

1. Wir gehen jetzt .... dem Bahnhof. — 2. Fahrt ihr .... Köln? — 3. Wir wohnen in Köln .... unserem Onkel. — 4. Peter kommt .... London. Er wohnt dort. — 5. Herr Braun hat eine Reise gemacht. Er kommt heute .... Stuttgart zurück. — 6. Wohnst du .... Peter im gleichen Zimmer? — 7. Ja, wir wohnen .... Familie Berger. — 8. .... wem lernt ihr Deutsch? Wer ist euer Lehrer? — 9. Ich gehe jetzt .... Haus. — 10. Hans ist jetzt .... Post gegangen. — 11. Wann ist er wieder .... Haus? — 12. Kommt ihr heute .... uns? — 13. Ja, wir kommen .... unseren Eltern .... euch. — 14. Der Ausländer kommt .... Jugoslawien. Er hat in Wien .... Freunden gewohnt und ist gestern .... dort gekommen. — 15. Geht ihr .... uns .... der Stadt? — 16. Nein, wir bleiben .... Haus.

Übung B: *Bilden Sie mit folgenden Wörtern Sätze! Drei Nomen in einem Satz!*

1. Jahreszeit, Wald, Schnee — 2. Landschaft, Gebirge, Fluß — 3. Industrie, Stadt, Einwohner — 4. Hotelzimmer, Bedienung, Ordnung — 5. Abreise, Rechnung, Hotel — 6. Freund, Geburtstag, Buch — 7. Zug, Reise, Haus — 8. Gast, Mittagessen, Zigarette — 9. Großstadt, Student, Zimmer — 10. Zeitung, Nachricht, Bild — 11. Kino, Reklame, Vorstellung — 12. Telefon, Nacht, Arzt — 13. Keller, Garten, Treppe — 14. Dieb, Hotel, Polizei — 15. Bauer, Feld, Pferd — 16. Kaufhaus, Preis, Qualität — 17. Straße, Auto, Fußgänger — 18. Straßenbahn, Bahnhof, Haltestelle — 19. Wasser, Küche, Mieter — 20. Brief, Gruß, Unterschrift.

Übung C: *Bilden Sie mit folgenden Verben vollständige Sätze im Perfekt!*

1. wohnen; besuchen; abreisen; bleiben; suchen — 2. schreiben; beschreiben; beobachten; ansehen; sehen — 3. finden; sich befinden; liegen; stehen; sitzen — 4. legen; stellen; setzen; leben; lieben — 5. kaufen; verkaufen; mieten; vermieten; einkaufen — 6. gehen; fahren; abfahren; sich verspäten — 7. schließen; zuschließen; aufschließen; öffnen — 8. holen; bringen; abholen; mitbringen; verbringen — 9. beginnen; aufhören; beenden; enden; anfangen — 10. hören; gehören; besitzen; anrufen — 11. erwarten; warten; stecken; hängen; fallen — 12. schlafen; einschlafen; aufwachen; wecken.

Übung D: *Schreiben Sie einen Aufsatz über Ihr Volk! Achten Sie auf folgende Punkte: Volksgruppen, Dialekte, Schriftsprache.*

Übung E: *Was tun Sie vor einer Reise auf dem Bahnhof? Beschreiben Sie das schriftlich!*

DRITTER ABSCHNITT

Deutsche Feste

Das große Fest in Deutschland ist Weihnachten. Man feiert es, wie in fast allen europäischen Ländern, am 25. und 26. Dezember. Aber schon der 24. Dezember, der Heilige Abend, ist ein halber Feiertag. Die Geschäfte sind nur bis mittags geöffnet, und am Abend dieses Tages versammelt sich die Familie unter dem Weihnachtsbaum. Feierliche Gottesdienste finden schon am späten Nachmittag oder um Mitternacht statt. Am Heiligabend sind Kinos, Cafés und Tanzlokale geschlossen, denn alle verbringen den Abend mit Verwandten und Freunden. Man macht seinen Angehörigen Geschenke, besonders viele Geschenke bekommen natürlich die Kinder, die schon wochenlang ungeduldig auf Weihnachten gewartet haben.

Weihnachten ist ein stilles Fest, aber am Silvesterabend, dem letzten Abend im alten Jahr, hört man auf den Straßen viel Lärm. Man feiert den Beginn des neuen Jahres mit Rufen, Schießen und Raketen; man ist fröhlich und lustig.

Ostern fällt nicht wie Weihnachten auf ein bestimmtes Datum, sondern ist am ersten Sonntag nach dem Frühjahrsvollmond. Es sind zwei Feiertage, Ostersonntag und Ostermontag. Dem Osterfest geht der Karfreitag voraus, der besonders in den evangelischen Gegenden von Deutschland ein hoher Feiertag ist. Am Karfreitag sind die Läden geschlossen, es findet kein Tanz statt, und auch im Radio hört man nur ernste, meist kirchliche Musik.

Ostern selbst ist ein fröhliches Fest. Die Kinder suchen Nester mit bunten Eiern, die der „Osterhase" für sie versteckt hat.

Vierzig Tage nach Ostern, immer an einem Donnerstag, ist Christi Himmelfahrt, und zehn Tage danach ist Pfingsten. Dies sind zwei Feiertage: Pfingstsonntag und Pfingstmontag. Weil dieses Fest in eine schöne Zeit des Jahres fällt, benutzen viele Leute die zwei Pfingsttage zu einem Ausflug ins Grüne.

Zwölf Tage nach Pfingsten, an einem Donnerstag, ist in den katholischen Gegenden von Deutschland Fronleichnam, ein hoher Feiertag. Festliche Prozessionen ziehen durch die Städte und Dörfer und auch durch die blühenden Wiesen und Felder.

Außer diesen hohen kirchlichen Feiertagen gibt es noch andere, lokale Feste. So feiert jedes Dorf einmal im Jahr seine „Kirchweih" oder „Kirmes". Der Tag dieser Feiern ist in den einzelnen Gemeinden verschieden, meist liegt er aber im Herbst. Zum Kirchgang tragen die Bauern an manchen Orten noch ihre alten Trachten. Am Nachmittag gibt es meist ein lustiges Volksfest mit Tanz und Spielen und gutem Essen und Trinken.

Einige Städte und Gegenden haben noch ihre besonderen Feste; so findet in München jährlich das Oktoberfest statt, das aber schon im September beginnt und ungefähr zwei Wochen dauert. Der Karneval im Rheinland ist ebenfalls weltbekannt. In Süddeutschland heißt der Karneval „Fasching". Außerdem haben viele Städte ihre besonderen lokalen, meist historischen Feste, die wir gar nicht alle nennen können.

*

Was sagt und schreibt man in Deutschland seinen Verwandten und Bekannten zu den hohen Feiertagen?

Ich wünsche Dir (Ihnen)

> frohe Weihnachten
> ein frohes Fest
> ein schönes Weihnachtsfest
> schöne Feiertage
> ein glückliches und gesundes neues Jahr
> viel Glück im neuen Jahr
> viel Glück zum Jahreswechsel (nur schriftlich!)
> Die besten Wünsche zum Jahreswechsel! (nur schriftlich)
> Prosit Neujahr! (freundschaftlich; nur mündlich)

Ich wünsche Dir (Ihnen)

> fröhliche Ostern ein frohes Pfingstfest
> ein frohes Osterfest frohe Pfingsten
> schöne Feiertage

Erklärungen und Wortschatz:

der Weihnachtsbaum, ॠe: ein Nadelbaum (Tanne oder Fichte), den man zu Weihnachten in die Wohnung stellt und den man mit bunten Kugeln und Kerzen usw. schmückt

der Heilige Abend, Heiligabend: der Vorabend des Weihnachtsfestes

der Angehörige, -n: eine Person, die zur Familie gehört: *der Verwandte, -n*

sein Geburtstag fällt auf einen Mittwoch: sein Geburtstag ist (in diesem Jahr) an einem Mittwoch

der Frühjahrsvollmond: der erste Vollmond nach dem 21. März (Frühlingsanfang)

der Vollmond, der Halbmond, der Neumond, abnehmender Mond, zunehmender Mond, die Mondphase, -n

evangelisch, katholisch: christliche Konfession

der Osterhase, -n: die Kinder glauben, der Osterhase bringt ihnen zu Ostern die bunten Eier

Christi: Genitiv von *Christus*

die Tracht, -en: traditionelle Kleidung der Bauern

* * *

Die Adjektivdeklination (Wiederholung)

Man dekliniert die Adjektive, die **vor** den Nomen stehen.

Hinter den Artikeln **der** (Nom. mask.), **das** (Nom. u. Akk. neutr.) und **die** (Nom. u. Akk. femn.) haben die Adjektive die Endung **-e.**

Hinter den Artikeln **ein** (Nom. mask.) haben sie die Endung **-er,**
ein (Nom. u. Akk. neutr.) haben sie die Endung **-es** und
eine (Nom. u. Akk. fem.) haben sie die Endung **-e.**

Übersicht über die Endungen

hinter dem bestimmten Artikel, ebenso auch hinter den Demonstrativpronomen

		m.	n.	f.
Sing.	Nom.	-e	-e	-e
	Akk.	-en	-e	-e
	Dat.	-en	-en	-en
	Gen.	-en	-en	-en
Plur.	Nom.	-en	-en	-en
	Akk.	-en	-en	-en
	Dat.	-en	-en	-en
	Gen.	-en	-en	-en

hinter dem unbestimmten Artikel, ebenso auch hinter den Possessivpronomen und *kein*

		m.	n.	f.
Sing.	Nom.	-er	-es	-e
	Akk.	-en	-es	-e
	Dat.	-en	-en	-en
	Gen.	-en	-en	-en
Plur.	Nom.	-en	-en	-en
	Akk.	-en	-en	-en
	Dat.	-en	-en	-en
	Gen.	-en	-en	-en

Wenn Adjektive allein vor einem Nomen stehen, erhalten die Adjektive die Deklinationsendungen **des bestimmten Artikels** (Artikeldeklination).

Im Singular Genitiv maskulin und neutral behalten die Adjektive ihre Endung **-en.**

Übersicht über die Endungen

		m.	n.	f.
Sing.	Nom.	-er	-es	-e
	Akk.	-en	-es	-e
	Dat.	-em	-em	-er
	Gen.	-en	-en	-er
Plur.	Nom.	-e	-e	-e
	Akk.	-e	-e	-e
	Dat.	-en	-en	-en
	Gen.	-er	-er	-er

Übung 1: *Ergänzen Sie die Adjektivendungen!*

1. Kennen Sie den jung- Herrn Müller? — 2. Er wohnt in der breit-
Straße, die zum neu- Theater führt. — 3. Ein ausländisch- Student sucht
ein billig- Zimmer mit fließend- Wasser. — 4. Das klein- Zimmer, das
ein gut- Freund für ihn gesucht hat, hat kein fließend- Wasser. —
5. Ich sehe dort auf dem hoh- Berg eine klein- Kirche. — 6. Sehen Sie
das rot- Licht an der Verkehrsampel? Bei rot- Licht dürfen Sie nicht
über die Kreuzung fahren. — 7. Möchten Sie ein hell- oder ein dunkl-
Bier? — 8. Haben Sie keinen alt- Wein? Ich liebe alt- Wein sehr. —
9. Gefällt Ihnen die neu- Frühjahrsmode? — 10. Die eng- Hosen für die
Herren finde ich sehr unpraktisch. — 11. Tragen Sie weit- Hosen? —
12. Weit- Hosen kann man enger machen, aber eng- Hosen kann man
nicht weiter machen. — 13. Wer ist dieser jung- Herr mit der grün-
Jacke? — 14. Das ist Herr Arnold, der Sohn unseres neu- Direktors. —
15. Lieb- Herr Müller, ich danke Ihnen für Ihre freundlich- Hilfe. —
16. Gehst du auch immer bei schön- Wetter spazieren? — 17. Heute ist
wirklich schlecht- Wetter! — 18. Mit herzlich- Dank für Ihre groß-
Freundlichkeit schicke ich Ihnen dieses klein- Geschenk. — 19. Heute
ist der neunt- April. — 20. Am wievielt- kommt Ihr Vater von seiner
lang- Reise zurück? — 21. Ich glaube, er kommt Montag, den dreißigst-
April. — 22. Ziehen Sie nicht diese bunt- Krawatte an! Sie paßt nicht
zu Ihrer kariert- Jacke.

Übung 2: *Setzen Sie die Adjektive richtig ein!*

1. Wer ist der Herr mit dem Gesicht? (blond, sympathisch) — 2. In
Süddeutschland haben die Häuser in den Dörfern Dächer. (klein, male-
risch, rot) — 3. In den Straßen dieser Stadt ist Verkehr. (eng, klein,
stark) — 4. Diese Stadt hat Straßen. (alt, eng) — 5. Kennen Sie den
Schauspieler, der in diesem Hotel wohnt? (bekannt, teuer) — 6. Wir
suchen für unser Haus ein Mädchen, das Hausarbeit tun kann. (fleißig,
leicht) — 7. Unsere Firma kann Ihnen Herrenmäntel, Sportjacken und
Hosen anbieten. (modisch, elegant, schick) — 8. Lieben Sie Musik oder
Musik? (klassisch, modern) — 9. Ich habe keinen Bleistift, aber ich kann
Ihnen Tinte geben. (rot, rot) — 10. Die Leute haben gestern im Kino
einen Film gesehen. (interessant, jung, neu) — 11. Schüler bekommen
Noten in der Schule. (fleißig, gut) — 12. Ich putze meine Schuhe mit
Schuhcreme. (braun, schmutzig) — 13. Hast du deine Hose zur Reini-
gung gebracht? (chemisch, grau) — 14. Pausen gefallen Schülern. (faul,
lang) — 15. Wer ist der Herr in dem Auto? (dick, klein)

Das Attribut (Wiederholung)

Ein Attribut ist ein Wort, das ein anderes Wort erklärt, oder ein Ausdruck, der einen anderen Ausdruck erklärt: z. B. *dieses fleißige* Kind, *die* Studenten *in der Universität, das* Haus *des Kaufmanns, sehr schnell, schwer* verletzt, *gut* bekannt usw.

Übung 3: *Unterstreichen Sie die Attribute in den folgenden Sätzen!*

1. Das Haus dort oben auf dem Berg gehört einem reichen Kaufmann. — 2. Der Zug München—Berlin hat zehn Minuten Verspätung. — 3. Kennst du das Kino in der Bahnhofstraße? — 4. Im letzten Sommer hat man die Straße zwischen Nürnberg und Fürth neu asphaltiert. — 5. Dieser Mantel hier ist wirklich billig.

*

Ein Attribut kann selbst auch Attribute haben, z. B. die Studenten in der *neuen* Universität, das Haus des *reichen* Kaufmanns, die *rot* karierte Jacke, ein *sehr* schönes Haus.

Übung 4: *Welche Wörter sind Attribute zu anderen Attributen?*

1. Das Hotel in der breiten Straße gehört einem Mann aus einer alten Hoteliersfamilie. — 2. Die Kinder spielen im Park nahe der neuen Schule. — 3. Die Lampen mit den gelben Mustern auf den Schirmen gefallen mir nicht. — 4. Haben Sie Mäntel mit braunen Pelzkragen?

*

welcher? usw. — was für ein? usw. (Wiederholung)

Nach Attributen, die bei Nomen stehen, fragt man mit *welcher, -es, -e?* und *was für ein, eine?*

welcher usw. fragt nach Personen oder Sachen, die zu einer **bestimmten und bekannten Gruppe** oder Menge gehören. In der Antwort steht der bestimmte Artikel, ein Demonstrativpronomen, oder ein Possessivpronomen.

was für ein usw. fragt **allgemein** nach einer Beschreibung oder Erklärung. In der Antwort steht der unbestimmte Artikel; im Plural steht kein Artikel.

Übung 5: *Bilden Sie Fragen mit „welch-" oder „was für ein"!*

1. Dort steht *ein alter Mann* an der Straßenecke. — 2. Wir haben gestern *den Besitzer des Fotogeschäfts* kennengelernt. — 3. Ich wohne in *dem Haus am Waldrand.* — 4. Wir können uns *keinen großen Wagen* kaufen. — 5. Peter wartet auf *einen wichtigen Brief.* — 6. In dieser Klasse gibt es *fleißige Schüler.* — 7. *Der Direktor der Gesellschaft* wohnt schon seit langer Zeit in unserer Stadt. — 8. Ihr müßt morgen *eine schwere Prüfung* machen. — 9. Sie dürfen nicht durch *die große Tür* gehen. — 10. Wir haben mit *den Kindern in der Schule* gesprochen. — 11. Peter hat *ein Zimmer mit Balkon* gemietet. — 12. Er wohnt jetzt bei *reichen Leuten.* —

13. Mir gefällt *das Auto vor eurem Haus.* — 14. Ich bin mit *deinem Fahrrad* in die Stadt gefahren. — 15. Du kennst *die junge Dame mit den blonden Haaren.*

*

Gliedsätze (Wiederholung)

Gliedsätze sind Satzglieder, d. h. also Bauteile eines Satzes, die selbst den Charakter eines Satzes besitzen, weil sie ein eigenes Prädikat haben.

Satzglied: Wir sind gestern *wegen des schlechten Wetters* zu Hause geblieben.

Gliedsatz: Wir sind gestern zu Hause geblieben, *weil das Wetter schlecht war.*

Die Konjunktion, die vor einem Gliedsatz steht, zeigt die Funktion des Gliedsatzes; z. B. nennt der Gliedsatz mit der Konjunktion *weil* einen Grund (Frage: *warum?*); der Gliedsatz mit der Konjunktion *wenn* nennt eine Bedingung (Frage: *unter welcher Bedingung?*). **Das konjugierte Verb steht am Ende des Satzes.**

Übung 6: *Bilden Sie Gliedsätze mit „weil"!*

1. Herr Breuer sucht in Frankfurt eine Wohnung. (Er hat in Frankfurt eine neue Arbeit gefunden.) — 2. Wir sind müde. (Wir haben heute sehr viel gearbeitet.) — 3. Wir müssen unser Zimmer heizen. (Es ist sehr kalt geworden.) — 4. Peter kommt heute nicht zu uns. (Sein Vater besucht ihn.) — 5. Ich muß mich jetzt von Ihnen verabschieden. (Meine Eltern erwarten mich pünktlich zum Essen.) — 6. Ich habe meinen Lehrer nicht getroffen. (Er ist gestern nach Hamburg gefahren.) — 7. Morgen müssen wir früh aufstehen. (Unser Zug fährt schon um 7 Uhr ab.) — 8. Peter geht zum Arzt. (Er hat sich bei der Arbeit die Hand verletzt.) — 9. Sie müssen diese Übung wiederholen. (Sie haben zu viele Fehler gemacht.) — 10. Die Schüler gehen wieder in die Klasse. (Die Pause ist zu Ende.)

Übung 7: *Bilden Sie Gliedsätze mit „wenn"!*

1. Wir kommen zu spät in die Schule. (Wir gehen jetzt nicht.) — 2. Ich fahre morgen allein an den See. (Mein Freund kommt heute nicht.) 3. Du mußt zum Arzt gehen. (Du bist krank.) — 4. Wir bleiben zu Hause. (Das Wetter ist morgen schlecht.) — 5. Ich muß wieder nach Hause fahren. (Ich finde hier kein Zimmer.) — 6. Ich hole die Polizei. (Sie verlassen nicht sofort mein Haus.) — 7. Du machst bestimmt eine gute Prüfung. (Du bist immer in der Schule fleißig.) — 8. Ich kann die Suppe nicht essen. (Sie bringen mir keinen Löffel.) — 9. Wir kommen noch pünktlich zum Essen. (Wir gehen jetzt nach Haus.) — 10. Du kannst sicher bald richtig Deutsch sprechen. (Du lernst die grammatischen Formen gut.)

Relativpronomen (Wiederholung)

Relativpronomen leiten Relativsätze ein, die als Attributsätze Teile eines Satzglieds sind. Die Relativpronomen vertreten im Relativsatz das Nomen, von dem der Relativsatz abhängt. Die Deklinationsform des Relativpronomens zeigt die Funktion dieses Nomens im Relativsatz.

Ich habe *dem Herrn, der mich neulich besucht hat*, geschrieben.
(*Der Herr* hat mich neulich besucht.)
Ich habe *dem Herrn, mit dem wir gesprochen haben*, geschrieben.
(Wir haben *mit dem Herrn* neulich gesprochen.)

Deklinationsformen des Relativpronomens:

	mask.	neutr.	femn.
Sing.: Nom.:	..., der ...	..., das ...	..., die ...
Akk.:	..., den ...	..., das ...	..., die ...
Dat.:	..., dem ...	..., dem ...	..., der ...
Plur.: Nom.:		..., die ...	
Akk.:		..., die ...	
Dat.:		..., denen ...	

Die Relativpronomen haben im Nom., Akk. und Dat. die gleichen Formen wie der bestimmte Artikel. Nur der **Dativ Plural** erhält noch die Endung -en: *denen*. Vergleichen Sie diese Form mit den Personalpronomen:

	Personalpronomen	Relativpronomen
den Freund – – –	*ihn*	..., *den* ...
den Freunden – –	*ihn*en	..., *denen* ...
Attribut		*Attributsatz*

Kennen Sie *den Herrn dort am Fenster?* *Der Garten am See* gefällt mir gut. Wir sprechen nicht mit *unhöflichen Menschen.*	Kennen Sie *den Herrn, der dort am Fenster steht?* *Der Garten, der am See liegt,* gefällt mir gut. Wir sprechen nicht mit *Menschen, die unhöflich sind.*

Übung 8: *Bilden Sie Relativsätze!*

1. Karl will mir seinen neuen Wagen zeigen. (Karl kommt heute zu mir.) – 2. Ich habe dem Kind Schokolade geschenkt. (Das Kind hat mir den Weg gezeigt.) – 3. Wir kennen den Mann. (Wir haben mit dem Mann gesprochen.) – 4. Mein Vater kommt mit dem Zug. (Der Zug kommt hier um 6 Uhr an.) – 5. Arbeitest du bei der Firma? (Dein Vater ist Ingenieur in der Firma.) – 6. Ich lese den Brief. (Ich habe den Brief heute von meinen Eltern bekommen.)

Der Satz (Wiederholung)

Ein Satz besteht aus verschiedenen Teilen. Diese Teile heißen **Satzglieder;** z. B. sind Subjekt und Objekt Satzglieder. Wir betrachten die äußere Form eines Satzes: besonders wichtig ist das **Prädikat.** Im deutschen Satz übernimmt das Verb die Prädikatsfunktion.

Man unterscheidet zwei Satzarten, die die gleiche Satzform haben. Dies sind

1. Fragesätze mit Entscheidungsfragen; das sind Fragen ohne Fragewörter. Man antwortet auf diese Fragen mit *ja* oder *nein.*

2. Imperativsätze; das sind Sätze, die eine Person zu einer Handlung auffordern.

Diese beiden Satzarten beginnen mit einem Prädikatsteil und enden mit einem Prädikatsteil, wenn das Prädikat aus zwei Teilen besteht. Alle Satzglieder stehen zwischen den Prädikatsteilen! Vorn steht immer die Personalform eines Verbs, und hinten steht der *Verbzusatz* (d. i. der trennbare Teil eines Verbs), ein *Infinitiv* oder ein *Partizip Perfekt.*

Kommt	der Lehrer jetzt in die Schule		? (nur ein Prädikatsteil)
Fährt	der Zug um 5 Uhr von Köln	*ab*	? (Verbzusatz)
Willst	du mit Peter nach Berlin	*fahren*	? (Infinitiv)
Hat	der Lehrer dem Schüler das Buch	*gegeben*	? (Partizip Perf.)
Ist	der Zug pünktlich in Frankfurt	*angekommen*	? (Partizip Perf.)
Steigen	Sie schnell in den Zug	*ein*	! (Verbzusatz)
Kommen	Sie heute abend zu mir		! (nur ein Prädikatsteil)

Bei den **Aussagesätzen** (das sind die Sätze, die eine Mitteilung enthalten), stellt man ein Satzglied vor die Personalform. Jedes Satzglied, das zwischen den Prädikatsteilen steht, kann man vor die Personalform stellen. Der Zusammenhang der Aussagesätze in der Rede bestimmt, welches Satzglied vor der Personalform stehen muß, z. B.

	Willst	du morgen um 5 Uhr mit Peter nach Köln	*fahren*	?
Ich	*will*	... morgen um 5 Uhr mit Peter nach Köln	*fahren*	.
Morgen	*will*	ich ...... um 5 Uhr mit Peter nach Köln	*fahren*	.

Bei *Fragesätzen,* die nach einem Satzglied fragen **(Ergänzungsfragen),** steht die Frage vor der Personalform.

Um wieviel Uhr	*fährt*	der Zug von München	*ab*	?
Wer	*hat*	dich gestern im Büro	*besucht*	?
Was	*will*	der Lehrer dem Schüler	*geben*	?
Mit wem	*mußt*	du heute in der Schule	*sprechen*	?
Wo	*kann*	ich dich morgen in der Stadt	*treffen*	?

Bei **Nebensätzen** *(Gliedsätzen oder Attributsätzen)*, die mit einer Konjunktion, einem Relativpronomen usw. beginnen, tritt die Konjunktion oder das Relativpronomen an die Stelle der Personalform. Die Personalform tritt ans Ende des Satzes zu den übrigen Prädikatsteilen. Das ganze Prädikat steht dann am Ende des Satzes.

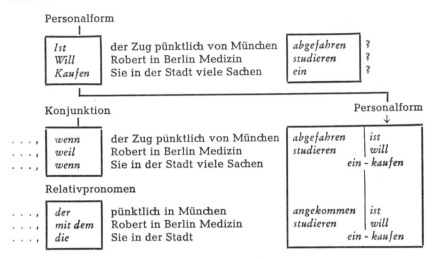

Übung 9: *Was für Sätze finden Sie in dieser Übung? Bestimmen Sie die Art der Sätze! (Fragesätze: Entscheidungsfragen, Ergänzungsfragen; Aussagesätze oder Imperativsätze)*

1. Gehst du heute mit mir spazieren? — 2. Seit wann lernst du Deutsch? — 3. Morgen wollen wir ins Theater gehen. — 4. Ihr dürft in diesem Zimmer nicht rauchen. — 5. Rauchen Sie hier bitte nicht! — 6. Wieviel Uhr ist es jetzt? — 7. Dort kommt Herr Müller. Er ist unser Lehrer. — 8. Seid fleißig! — 9. Wo liegt mein Buch? — 10. Arbeite! — 11. Geht ihr heute nicht in die Schule? — 12. Mir hat der Film gestern abend gut gefallen.

*

Die Stellung von Subjekt und Objekt

Für die Stellung von Subjekt und Objekten gelten folgende Regeln:
1. Nomen stehen hinter der Personalform, hinter den Konjunktionen oder Relativpronomen in der Reihe: Nom., Dat., Akk.
2. Pronomen stehen dort in der Reihe: Nom., Akk., Dat.
3. Pronomen stehen vor den Nomen in der gleichen Ordnung.
4. Präpositional-Objekte (nominal oder pronominal) stehen am Ende der Objektgruppe.

		Nom.	Dat.	Akk.	
1. Gestern	*hat*	der Vater	seinem Sohn	ein Buch	*geschenkt*
...,	*weil*	der Vater	seinem Sohn	ein Buch	*geschenkt hat*

		Nom.	Akk.	Dat.	
2. Gestern	*hat*	er	es	ihm	*geschenkt*
...,	*weil*	er	es	ihm	*geschenkt hat*

3. Gestern	*hat*	er	seinem Sohn	ein Buch	*geschenkt*
...,	*weil*	er	seinem Sohn	ein Buch	*geschenkt hat*
Gestern	*hat*	ihm der Vater	ein Buch		*geschenkt*
...,	*weil*	ihm der Vater	ein Buch		*geschenkt hat*
Gestern	*hat*	es	der Vater seinem Sohn		*geschenkt*
...,	*weil*	es	der Vater seinem Sohn		*geschenkt hat*
Gestern	*hat*	er	ihm	ein Buch	*geschenkt*
...,	*weil*	er	ihm	ein Buch	*geschenkt hat*
Gestern	*hat*	er	es	seinem Sohn	*geschenkt*
...,	*weil*	er	es	seinem Sohn	*geschenkt hat*
Gestern	*hat*	es	ihm der Vater		*geschenkt*
...,	*weil*	es	ihm der Vater		*geschenkt hat*

4. Gestern	*hat*	der Sohn den Vater um das Geld	*gebeten*
...,	*weil*	der Sohn den Vater um das Geld	*gebeten hat*
Gestern	*hat*	er ihn darum	*gebeten*
...,	*weil*	er ihn darum	*gebeten hat*
Gestern	*hat*	ihn der Sohn darum	*gebeten*
...,	*weil*	ihn der Sohn darum	*gebeten hat*

Übung 10: *Antworten Sie auf folgende Fragen mit Personalpronomen oder Pronominaladverbien! Beginnen Sie mit dem Temporaladverb und achten Sie auf die richtige Stellung der Satzglieder!*

1. Hat Peter g e s t e r n seinem Freund den Brief geschrieben? — 2. Denkst du j e t z t an deine Arbeit? — 3. Bezahlt der Vater s p ä t e r seinem Sohn das Studium? — 4. Ruft Herr Braun m o r g e n den Lehrer seines Sohnes an? — 5. Bringt dir Karl h e u t e das Fahrrad zurück? — 6. Hat Frau Braun g e s t e r n die Gäste erwartet, die sie eingeladen hatte. — 7. Hast du g e s t e r n deinen Freunden für das Geschenk gedankt, das du von ihnen bekommen hast? — 8. Hast du dich h e u t e nicht rasiert? — 9. Wollt ihr j e t z t den Schutzmann um Auskunft bitten? — 10. Hat sich Herr Müller g e s t e r n über den Erfolg seines **Sohnes** gefreut?

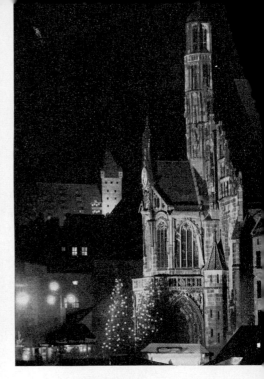

Weihnachtsabend in Tübingen

Vor der Frauenkirche in Nürnberg

Weihnachten

Auf dem Weihnachts-markt

Der Christbaum

Weihnachtsgebäck

*Palmbuschen in Bischofs-
wiesen*

Palmprozession Kloster Birnau, Bodensee

Ostern —
Fronleichnam

*St.-Georgi-Ritt,
Traunstein
(Ostermontag)*

*Fronleichnamsprozession in Effeltrich, Nord-
bayern*

Kurzgespräche

Im Geschäft

Gespräch zwischen dem Kunden und dem Verkäufer:
— Was darf es sein, mein Herr?
— Ich möchte ein Stück Seife und eine Tube Zahnpasta.
— Wünschen Sie eine besondere Marke? Wieviel darf es kosten?
— Ich habe keinen besonderen Wunsch. Was haben Sie vorrätig?
— Hier habe ich eine Seife zu neunzig Pfennig, hier eine zu eins zwanzig und eine zu eins achtzig. Das ist eine sehr gute Seife!
— Danke. Ich nehme die zu eins zwanzig.
— An Zahnpasta haben wir viele Sorten in verschiedenen Preislagen.
— Geben Sie mir eine so um eine Mark oder eins zwanzig!
— Da kann ich Ihnen diese zu eins zehn empfehlen. Haben Sie sonst noch einen Wunsch?
— Danke, nein.
— Das sind dann zusammen zwei dreißig. Ich schlage Ihnen die Sachen noch etwas ein.
Der Kunde legt einen Zwanzigmarkschein auf den Ladentisch. Der Verkäufer fragt:
— Haben Sie zufällig dreißig Pfennig klein?
— Ich will mal nachsehen.
Der Kunde sieht in seinem Portemonnaie nach und legt dreißig Pfennig hin.
— Danke. Das sind dann zwei Mark. Sie bekommen dann noch achtzehn Mark heraus.
— Danke. Auf Wiedersehen (Auf Wiederschauen)!

*

Beim Herrenfrisör

Ein Kunde betritt das Geschäft eines Frisörs. Ein Frisörgehilfe bedient gerade einen Herrn. Er sagt zu dem neuen Kunden:
— Guten Tag, mein Herr. Nehmen Sie bitte dort einen Moment Platz! Mein Kollege kommt gleich.
Der zweite Gehilfe kommt aus einer Nebentür, geht an seinen Arbeitsstuhl und sagt:
— Der nächste Herr, bitte! Was darf es sein?
— Haarschneiden, Façonschnitt, bitte. Schneiden Sie hinten bitte nicht zu kurz!
— Wie Sie wünschen!

Der Frisör schneidet dem Herrn die Haare und sagt dann:
— Ihr Haar ist sehr trocken. Darf ich Ihnen etwas Öl ins Haar tun?
— Danke, nein! Feuchten Sie die Haare etwas an!
— So, nun sind wir fertig! Danke schön! Zahlen Sie bitte an der Kasse!
Der Kunde geht zur Kasse.
— Einmal Haarschneiden, bitte!
— Eins fünfzig.
— Können Sie fünfzig Mark wechseln?
— Gern.

*

Auf der Bank oder in der Wechselstube

— Ich möchte meine Reiseschecks einlösen und einige Dollars umwechseln.
— Ja, bitte. Unterschreiben Sie die Schecks bitte hier! Wieviel Dollar möchten Sie umwechseln?
— Hundert Dollar! Wie ist zur Zeit der Umwechselkurs?
— Ein Dollar vier Komma Null fünf. Ich gebe Ihnen diese Nummer. Sie bekommen Ihr Geld dann am Kassenschalter.
— Danke.

*

An der Tankstelle

— Guten Tag!
— Ich möchte tanken.
— Super oder Normal?
— Super, bitte.
— Wieviel wollen Sie tanken?
— Tanken Sie voll, bitte!
— Ist Öl und Wasser in Ordnung?
— Schauen Sie bitte einmal nach!
— Wann haben Sie das letzte Mal Ölwechsel gehabt?
— Bei 25 000 Kilometern.
— Sie haben genug Öl, sehen Sie bitte! Aber Wasser muß ich noch nachfüllen.
— Prüfen Sie bitte auch die Luft nach. Ich glaube, vorn rechts fehlt etwas.
— Tatsächlich. Der Reifendruck ist zu niedrig. So ist er jetzt richtig.
— Wo muß ich zahlen?

— Dort im Büro. Brauchen Sie eine Quittung?
— Ja, bitte.
— Gute Fahrt!
— Danke. Auf Wiedersehen!

Erklärungen und Wortschatz:

der Kunde, -n; die Kundin, -nen: eine Person, die in einem Geschäft kauft
was darf es sein?: was möchten Sie kaufen? Was wünschen Sie?
die Marke, -n: das Fabrikat, -e; der Name, den eine Firma ihrem Fabrikat gegeben hat; *das Markenfabrikat:* die Sache, die eine bekannte Firma verkauft und für die sie mit ihrem guten Namen garantiert
vorrätig haben: im Geschäft, am Lager haben; *der Vorrat, ̈e*
zu neunzig Pfennig: für neunzig Pfennig
eins zwanzig: eine Mark und zwanzig Pfennig
an Zahnpasta haben wir viele Sorten: wir haben viele Sorten Zahnpasta
in verschiedenen Preislagen: zu verschiedenen Preisen
geben Sie mir eine so um eine Mark: geben Sie mir eine Tube Zahnpasta zu ungefähr einer Mark
ich schlage Ihnen die Sachen noch etwas ein: ich packe Ihnen die Sachen noch ein wenig ein
der Gehilfe, -n: ein Mann, der ein Handwerk gelernt hat und eine Prüfung abgelegt hat; *der Lehrling, -e; der Gehilfe, -n (der Geselle, -n); der Meister, -*
anfeuchten: feucht machen; *naß, feucht, trocken*
umwechseln: das Geld eines Landes in Geld eines anderen Landes wechseln
ein Dollar vier Komma Null fünf (4,05): ein Dollar hat den Kurs von 4,05 Mark
ich gebe Ihnen diese Nummer: die Nummer ist hier eine Kontrollnummer für den Bankbeamten an der Kasse
Super, Normal: das sind zwei Qualitäten Benzin (Superbenzin, Normalbenzin)
volltanken: den Tank eines Autos voll machen
nachschauen: nachsehen, kontrollieren
vorn rechts fehlt etwas: im vorderen rechten Reifen des Autos fehlt ein wenig Luft
der Reifendruck: der Luftdruck in einem Autoreifen

* * *

Übung A: *Ergänzen Sie alle fehlenden Endungen!*

Wenn morgen d- Wetter gut ist, woll- wir mit unser- Eltern einschön- Ausflug mach-. Wir fahr- mit ein- groß- Autobus an ein- schön- See, d- ungefähr 80 km von unser- klein- Stadt lieg-. Wir fahr- in den früh- Morgenstunde- von hier ab und sind dann nach zwei Stunde- an unser- Ziel. Nach d- Ankunft gehen wir zu- Schwimmen oder fahrmit klein- Boote- auf d- Wasser spazieren.

In d- See gibt es viel- klein- Inseln. Auf ein- groß- Insel lieg- eininteressant- Dorf, in d- kein- Bauern, sondern nur Fischer wohn-. Die

Fischer fahr- mit ihr- Booten oft auf d- See und fang- Fische, d- sie in
d- Stadt verkauf-.

Ich will- mit mein- Eltern zu diese- Insel fahr- und dort zu Mittag
ess-, denn ich ess- frisch- Fische gern. Nach d- Essen geh- meine Eltern
spazier-, aber ich geh- mit mein- Bruder und mein- Schwester zu-
Schwimmen. Bei warm- Wetter ist Schwimmen ein schön- Sport. Man
kann sich in d- Wasser sehr gut erfrisch-. Danach könn- wir uns auf
ein- Wiese in d- Sonne leg- und ein wenig schlaf-.

Später fahr- wir dann mit d- Motorboot wieder zu d- Platz zurück,
an d- unser- Autobus steh-. Er wart- in d- Nähe ein- klein- Gartencafé-.
Ich trink- dort mit mein- Eltern und Geschwistern Kaffee und ess-
Kuchen. Dann steig- wir wieder in d- Autobus ein und fahr- nach Haus.
Hoffentlich ist morgen d- Wetter gut!

Übung B: *Setzen Sie die Sätze ins Perfekt und achten Sie dabei auf die richtigen Zeitformen in den Nebensätzen (Gliedsätzen und Attributsätzen)!*

1. Die Berge sind ganz weiß, weil es in der Nacht geschneit hat. —
2. Peter ist müde, weil er viel gewandert ist. — 3. Du bekommst kein
Geld, weil du nicht gearbeitet hast. — 4. Ich ziehe den neuen Anzug an,
den ich neulich gekauft habe. — 5. Wir besuchen den Zirkus, der in
unsere Stadt gekommen ist. — 6. Ich besuche meinen alten Lehrer, der
mir viele Jahre Deutschunterricht gegeben hat. — 7. Man transportiert
die Personen, die einen Unfall gehabt haben, sofort ins Krankenhaus. — 8. Der Herr hebt das Portemonnaie auf, das auf den Boden
gefallen ist. — 9. Siehst du die Familie, die wir in München getroffen
haben? — 10. Wohin fährt der Herr, der dich vor seiner Abreise besucht
hat?

Übung C: *Schreiben Sie einen Aufsatz über die Feste in Ihrer Heimat!*

Übung D: *Erklären Sie schriftlich oder mündlich! Was tun Sie, wenn Sie*

1. eine Zigarette rauchen wollen — 2. Kaffee kochen wollen — 3. einen
Brief schreiben wollen — 4. einen Gast einladen wollen — 5. eine Reise
machen wollen — 6. die Schuhe putzen wollen — 7. ein Zimmer mieten
wollen — 8. auf der Post telefonieren wollen — 9. Ihren Freund in einer
fremden Stadt treffen wollen — 10. sich gerade rasieren und plötzlich
ein wichtiger Besuch kommt — 11. sich vor dem Schlafengehen die
Zähne putzen und Sie die Wasserleitung nicht mehr zudrehen können —
12. während einer Reise auf einem Bahnhof eine Zeitung kaufen und
der Zug plötzlich ohne Sie, aber mit Ihrem ganzen Gepäck abfährt?

VIERTER ABSCHNITT

Der Kaffeeschmuggel [1])

Der Zug näherte sich der Grenze. Die Reisenden eines Abteils unterhielten sich über die Zollkontrolle. „Ich habe zwei Pfund Kaffee. Hoffentlich kann ich ihn zollfrei über die Grenze bringen", sagte eine hübsche junge Dame. „Ich habe gehört, die Kontrolle soll sehr streng sein."

Außer ihr saßen noch einige Herren im Abteil. Unter ihnen war auch ein freundlicher, dikker [2]) Herr. Er gab ihr den guten Rat: „Verstecken Sie Ihren Kaffee in Ihrer Hutschachtel. Dort sucht ihn der Beamte bestimmt nicht. Ich fahre oft ins Ausland und kenne die Zollbeamten genau. Sie sind nicht so streng, wie Sie glauben. Meistens kommen sie gar nicht ins Abteil herein, sondern bleiben an der Tür stehen und kontrollieren nur die Pässe. Haben Sie kein Visum?" — „Doch!" antwortete die Dame, „ich habe es mir neulich vom Konsulat geben lassen. Was mache ich aber, wenn der Beamte ins Abteil kommt und das Gepäck kontrolliert?" — „Sie kontrollieren nie jedes Gepäckstück", beruhigte der Dicke die Dame. „Lassen Sie auf jeden Fall Ihre Hutschachtel im Gepäcknetz!" Die junge Dame dankte ihm und tat, wie er gesagt hatte.

Nach kurzer Zeit hielt der Zug an der Grenzstation. Die Reisenden sahen viele Beamte auf dem Bahnsteig auf und ab gehen. Wenige Minuten später hörten sie rufen: „Paßkontrolle! Zollkontrolle! Bitte bleiben Sie in Ihrem Abteil!" Und ein Beamter kam ins Abteil, ließ sich von den Reisenden die Pässe zeigen und ging wieder. Nach ihm kam sogleich ein zweiter Beamter herein und grüßte freundlich: „Guten Tag, meine Herrschaften! Hat jemand zollpflichtige Ware bei sich?" Niemand antwortete. Der Beamte schaute auf das Gepäck der

---

[1]) Glossar: Abschnitt 15 A
[2]) Man trennt ck immer k-k: dicker = dik-ker, verstecken = verstek-ken

Reisenden und sagte: „Hier riecht es aber nach Kaffee! Darf ich bitte
das Gepäck kontrollieren?" Da winkte der Dicke dem Beamten und
zeigte auf die Hutschachtel. „Sehen Sie einmal bei der Dame dort
nach! Sie hat vorhin etwas in ihrer Hutschachtel versteckt." Die Dame
bekam einen roten Kopf; in wenigen Minuten hatte der Beamte den
Kaffee gefunden. „Sie müssen den Kaffee verzollen. Sie dürfen nur
ein Pfund Kaffee unverzollt über die Grenze mitnehmen. Bitte kommen
Sie mit mir zur Zollstelle!" Die junge Dame warf dem Dicken einen
wütenden Blick zu und sagte bitter: „So lernt man die Menschen kennen! Zuerst sagen Sie mir, ich soll den Kaffee verstecken, und dann
verraten Sie mich!" Der Dicke ließ die Dame reden und schwieg.

Nach einiger Zeit kam die junge Dame wieder ins Abteil zurück.
Einer der Reisenden half ihr die Hutschachtel ins Gepäcknetz legen.
Der Zug fuhr ab und passierte nach wenigen Minuten die Grenze.

Jetzt wandte sich der dicke Herr lächelnd an die Dame und sagte
bittend: „Verzeihen Sie mir, mein Fräulein! Ich habe Sie nicht verraten wollen, aber es ging nicht anders." — „Lassen Sie mich in Ruhe",
sagte die junge Dame kurz, „ich möchte mich mit Ihnen nicht mehr
unterhalten!" — „Doch!" sagte der Dicke, „Sie müssen mir zuhören!
Ich mußte Sie verraten, weil der Beamte hier im Abteil Kaffee gerochen hatte und ich fünfzig Pfund Kaffee in meinen Koffern habe.
Aber hier gebe ich Ihnen ein Paket Kaffee aus meinem Koffer." Und
er gab ihr fünf Pfund unverzollten Kaffee.

Erklärungen und Wortschatz:

schmuggeln: ohne Erlaubnis Waren über die Grenze bringen (*der Schmuggel;
der Schmuggler, -:* ein Mann, der Sachen über die Grenze schmuggelt)
die Grenze, -n: die politische Markierungslinie zwischen zwei Ländern; *die
Grenze zwischen Deutschland und Österreich, die Grenze nach Österreich*
sich nähern: nahe kommen
sich unterhalten über: mit einigen Personen sprechen über
der Zoll, ⸗e: das Geld, das man bei der Einreise in ein anderes Land für eine
Sache bezahlen muß; man muß sie *verzollen*
zollfrei (zollpflichtig): man muß keinen Zoll (man muß Zoll) bezahlen
außer (Präposition mit dem Dativ): außer meinem Vater kommt auch noch
mein Onkel
unter: hier gibt es zehn Schüler; unter diesen Schülern ist einer aus Amerika
(in dieser Bedeutung steht die Präposition immer mit dem Dativ)
das Ausland (kein Plural!): alle Länder, die nicht das Heimatland sind *(der Ausländer); das Inland:* das politische Gebiet eines Landes
gar nicht, gar kein: absolute Verneinung (Negation)
neulich: vor kurzer Zeit, vor einigen Tagen

das Gepäck (kollektiv): die Koffer und Sachen, die ein Reisender mit sich nimmt
   das Gepäckstück, -e: ein Teil des Gepäcks
der Bahnsteig, -e: der Teil des Bahnhofs, an dem die Züge halten
beruhigen: vom Adjektiv *ruhig*
meine Herrschaften: wenig formell für *meine Damen und Herren*
es riecht nach Kaffee (riechen, roch, gerochen): Kaffee hat einen Geruch verbreitet
   (*es riecht nach Benzin, nach Gas, nach Fisch*)
winken: mit der Hand ein Zeichen machen
vorhin: vor einigen Minuten
einen roten Kopf bekommen: verlegen werden, ärgerlich werden
einer Person einen Blick zuwerfen (warf, geworfen): sie kurz ansehen
so: auf diese Weise
schweigen: nicht sprechen *(Reden ist Silber, Schweigen ist Gold)*
einer der Reisenden: „ein" ist hier Pronomen und bekommt dann die Deklinationsendungen des bestimmten Artikels (S. 119)
die Grenze passieren: über die Grenze fahren
sich wenden an: mit jemandem sprechen wollen (müssen)

* * *

Das Adjektiv als Nomen

Der Kranke muß im Bett liegen. *Ein* Kranker darf keine Zigaretten rauchen. Die Ärzte helfen *dem* Kranken. Dicke sind meist freundliche Menschen. *Die* Dicken sind oft freundlich. Kennen Sie *die* Kleine dort? Sie ist die Tochter *der* Alten.

Ein Adjektiv kann man als Nomen (Substantiv) **gebrauchen, wenn man ein** Nomen ergänzen kann, das eine Person bezeichnet. Man schreibt dann das Adjektiv, wie die Nomen, groß. Das Adjektiv **behält aber seine eigenen Deklinationsendungen.** Wenn die nominalen Adjektive Personen bezeichnen, sind sie maskulin oder feminin [1]).

der Alte (Mann)	*die* Kranke (Frau)	*die* Alten (Leute, Männer, Frauen)
den Alten (Mann)	*die* Kranke (Frau)	*die* Alten (Leute, Männer, Frauen)
dem Alten (Mann)	*der* Kranken (Frau)	*den* Alten (Leuten, Männern, Frauen)
des Alten (Mannes)	*der* Kranken (Frau)	*der* Alten (Leute, Männer, Frauen)
ein Alter (Mann)	*eine* Alte (Frau)	Alte (Leute, Männer, Frauen)
einen Alten (Mann)	*eine* Alte (Frau)	Alte (Leute, Männer, Frauen)
einem Alten (Mann)	*einer* Alten (Frau)	Alten (Leuten, Männern, Frauen)
eines Alten (Mannes)	*einer* Alten (Frau)	Alter (Leute, Männer, Frauen)

Beachten Sie die **Personen, die den neutralen Artikel haben.** Die nominalen Adjektive bekommen den maskulinen oder femininen Artikel!
   das kleine Kind: *der Kleine* (Junge); *die Kleine* (Mädchen)

---

[1] Ebenso dekliniert man: der Beamte, ein Beamter (die Beamtin); der Verwandte, ein Verwandter (die Verwandte)

Übung 1: *Ergänzen Sie die Endungen!*

1. Der Arzt hat d- Krank- (mask. Sing.) geholfen. — 2. Die Polizei fand heute Nacht auf der Straße ein- Tot- (mask.). — 3. Bei dem Verkehrsunfall gab es gestern viele Verletzt-. — 4. Man kennt nur den Namen eines Schwerverletzt- noch nicht. — 5. Dieser Herr ist ein alt-Bekannt- von mir. — 6. Dort ist der Sohn meines Bekannt-. — 7. Dieser Arm- kann nicht sehen; er ist blind. — 8. Das Leben eines Blind- ist nicht leicht. — 9. Die Tochter dieses Alt- kann nicht hören; sie ist taub. — 10. Taub- können oft nicht sprechen; sie sind stumm. — 11. Taubstumm-sind arme Menschen. — 12. Die Reich- müssen den Arm- helfen. — 13. Ein Mann aus Deutschland ist ein Deutsch-; eine Frau aus Deutschland ist eine Deutsch-. — 14. Es gibt viele Millionen Deutsch- in Europa. — 15. Der Dieb stahl das Geld einer Bekannt-. — 16. Das Mädchen hat der Alt- Brot gegeben. — 17. Ein Haus für die Arm- ist ein Armenhaus. — 18. Ein Haus für die Alt- ist ein Altersheim. — 19. Ein Haus für die Krank- ist ein Krankenhaus. — 20. Dort an der Straßenecke steht ein Blind-.

*

Partizip Präsens

fließend, wartend, vorbeigehend, abfahrend, entschuldigend, stehend

Wenn man **an den Infinitiv eines Verbs die Endung -d** hängt, entsteht das Partizip Präsens.

> Infinitiv + **d** = Partizip Präsens

Man gebraucht das Partizip Präsens wie ein Adjektiv, d. h. ein Partizip Präsens kann Attribut oder Nomen sein oder bei einem Verb stehen. Als Attribut oder als Nomen dekliniert man es wie ein Adjektiv.

1. Siehst du das *schlafende* Kind? — Tee muß man mit *kochendem* Wasser machen. — Fragen Sie den *kontrollierenden* Beamten!

Als Attribut erklärt das Partizip Präsens ein Nomen. **Die Person oder die Sache, die das Nomen bezeichnet, tut etwas.** (Das Kind schläft. Das Wasser kocht. Der Beamte kontrolliert.)

Übung 2: *Bilden Sie das Partizip Präsens als Attribut!*

Beispiel: Ein Kind, das schläft, ist ein *schlafendes* Kind.

1. Ein Mädchen, das tanzt, ist ein .... Mädchen. — 2. Wasser, das kocht, ist .... Wasser. — 3. Beamte, die kontrollieren, sind .... Beamte. — 4. Ein Zug, der abfährt, ist ein .... Zug. — 5. Ein Gast, der

zahlt, ist ein .... Gast. — 6. Wasser, das fließt, ist .... Wasser. — 7. Leute, die winken, sind .... Leute. — 8. Ein Tier, das lebt, ist ein .... Tier. — 9. Die Zeiten, die noch kommen, sind .... Zeiten. — 10. Ein Mensch, der denkt, ist ein .... Mensch. — 11. Ein Auto, das parkt, ist ein .... Auto. — 12. Frauen, die arbeiten, sind .... Frauen.

Übung 3: *Bilden Sie die Partizipien Präsens und ergänzen Sie die Endungen!*
1. Ich suche ein Zimmer mit fließen- Wasser. — 2. Siehst du dort die tanzen- Mädchen im Garten? — 3. In einem See ist stehen- Wasser. — 4. In einem Fluß ist fließen- Wasser. — 5. Springen Sie nicht aus einem fahren- Zug! — 6. Der kontrollieren- Beamte fragte mich nach meinem Paß. — 7. Das Mädchen verletzte sich mit kochen- Wasser. — 8. Unter dem Baum liegt ein schlafen- Kind. — 9. Der abfahren- Zug fährt nach Hamburg. — 10. Das parken- Auto vor dem Haus gehört mir.

2. ein Mann, der reist, ist ein *Reisender;* eine Frau, die reist, ist eine *Reisende;* Leute, die reisen, sind *Reisende.*
Als Nomen bezeichnet das Partizip Präsens eine Person, die etwas tut. Man dekliniert es wie ein nominales Adjektiv.

Übung 4: *Bilden Sie das nominale Partizip Präsens!*
1. Die .... (Leute, die vorbeigehen) sehen in mein Zimmer herein. — 2. Siehst du dort die .... (Frau, die schläft)? — 3. Wer ist die .... (Frau, die eintritt)? — 4. Nach der Feier gingen alle .... (Leute, die tanzen) nach Haus. — 5. Kennen Sie die .... (Leute, die warten) dort unten?

3. Die Männer traten *schweigend* ins Zimmer ein. Die Kinder gingen *singend* durch die Straßen. Wir saßen *wartend* im Zimmer.
Das Partizip Präsens **beschreibt eine Nebenhandlung des Subjekts.** Man fragt nach der Nebenhandlung mit *wie?:*
Die Männer traten ins Zimmer ein *und schwiegen dabei.* Die Kinder gingen durch die Straßen *und sangen dabei.* Wir saßen im Zimmer *und warteten dabei.*

Übung 5: *Beschreiben Sie die Nebenhandlung mit einem Partizip Präsens!*
1. Die Schüler saßen in der Klasse *und sangen dabei.* — 2. Das Kind liegt im Bett *und schläft dabei.* — 3. Die Frau antwortete dem Mann *und lachte dabei.* — 4. Mein Freund nahm das Geschenk entgegen *und dankte dabei.* — 5. Die Leute kamen aus dem Kino *und lachten dabei.* — 6. Der Gast tritt ins Zimmer ein *und grüßt dabei.* — 7. Peter steht vor dem Kino *und wartet.* — 8. Die Kinder liefen durch den Garten *und sangen dabei.* — 9. Die jungen Männer und die Mädchen bewegten sich durch das Zimmer *und tanzten dabei.* — 10. Die Dame saß im Zug *und las dabei.*

Modalverben

Übung 6: *Ergänzen Sie das richtige Modalverb! können, müssen, wollen, dürfen? (Wiederholung)*

1. Es ist schon spät. Ich .... jetzt nach Haus gehen. — 2. Unser Kind geht schon vier Jahre in die Schule. Es .... lesen und schreiben. — 3. .... ich Ihnen eine Zigarette anbieten? — 4. Du bist schon fünf Monate in Deutschland und .... noch kein Deutsch sprechen. — 5. Dürfen die Kinder spät ins Bett gehen? Nein, sie .... früh zu Bett gehen. — 6. Um wieviel Uhr .... Sie morgens im Büro sein? — 7. .... du mir bis morgen fünf Mark geben? — 8. Peter .... heute ins Kino gehen. Es gibt dort heute einen interessanten Film. — 9. Seine Schwester .... noch nicht ins Kino gehen; sie ist noch klein. — 10. .... in Ihrem Land kleine Kinder immer ins Kino gehen? — 11. Du .... hier aussteigen. Der Zug fährt nicht weiter. — 12. Kranke Leute .... nicht rauchen; Rauchen ist ungesund. — 13. Wenn ihr gut Deutsch lernen wollt, ... ihr immer Deutsch sprechen. — 14. Mein Freund hat morgen in der Schule Prüfungen. Er .... heute nicht zu uns kommen. — 15. Wenn es dunkel ist, ... ich keine Zeitung lesen. — 16. In Deutschland .... die Eltern ihre Kinder in die Schule schicken. In Deutschland ist Schulpflicht. — 17. Unsere Eltern erwarten uns morgen in Köln. Wir .... heute dorthin fahren. — 18. .... wir Sie morgen besuchen? — 19. Hans hat mir 10 Mark gegeben. Ich .... ihm das Geld heute zurückgeben. — 20. .... ich Ihnen meinen Freund vorstellen? — 21. In Deutschland .... man rechts fahren; man .... nicht links fahren.

*

sollen

ich	soll	wir	sollen	ich *sollte*
du	sollst	ihr	sollt	usw.
er (es, sie)	soll	sie (Sie)	sollen	gesollt

1. Sagen Sie Robert, er **soll** heute abend zu mir kommen. — Mein Arzt hat gesagt, ich **soll** nicht so viel rauchen.

Mit dem Modalverb *sollen* drückt man **den Befehl oder den Wunsch einer dritten Person** aus.

Der Lehrer sagt zu den Schülern: „Geht jetzt nach Haus!"
Die Schüler **sollen** jetzt nach Haus gehen.
Der Arzt sagte zu mir: „Rauchen Sie nicht so viel!"
Ich **soll** nicht so viel rauchen.
Gehen Sie zum Arzt und sagen Sie ihm, er **soll** schnell kommen.

Übung 7: *Bilden Sie Sätze mit „sollen"!*

	Beispiel:
1. Lesen Sie den Imperativsatz!	*Komm schnell!*
2. Frage:	*Was sagte er?*
3. Antwort:	*Er sagte, du sollst schnell kommen.*

1. Bring mir das Buch! — 2. Trinken Sie oft Milch! — 3. Kommt heute abend zu mir! — 4. Waschen Sie dem Schüler die Hemden! — 5. Rasieren Sie sich elektrisch! — 6. Verspätet euch nicht! — 7. Hilf deinem Freund! — 8. Fangt jetzt mit eurer Arbeit an! — 9. Laden Sie auch Ihre Freunde ein! — 10. Setzt euch! — 11. Freue dich nicht zu früh! — 12. Werfen Sie meinen Brief in der Post ein! — 13. Lernt immer die Artikel!

2. In Norwegen **soll** es im Winter sehr kalt sein. — Peter **soll** jetzt in Berlin studieren. — Herr Müller **soll** im letzten Jahr in einer Fabrik gearbeitet haben.

Man gebraucht *sollen,* **wenn man etwas erzählt, das man selbst nicht gesehen, sondern nur gehört oder gelesen hat.**

Vergleichen Sie!
In Norwegen ist es im Winter sehr kalt. (Ich weiß es, denn ich bin dort gewesen.) Peter studiert in Berlin. (Ich weiß es, denn Peter hat es mir selbst gesagt.) Herr Müller hat im letzten Jahr in Köln gearbeitet. (Ich weiß es, denn ich habe Herrn Müller in Köln gesehen.)

Übung 8: *Wie sagen Sie, wenn Sie das Folgende nur gehört oder gelesen, aber nicht gesehen haben?*

1. Im Winter ist es in den Bergen schön. — 2. Peter kommt aus England. — 3. Dein Vater hat ein Haus gekauft. — 4. Sie sind gestern im Theater gewesen. — 5. In diesem Hotel wohnen hundert Gäste. — 6. Du bist schon lange in Deutschland. — 7. Robert studiert jetzt an der Universität in Mainz. — 8. Diese junge Dame ist eine berühmte Filmschauspielerin. — 9. Ihr habt gestern viel getanzt. — 10. Dein Bruder kann fließend Deutsch sprechen. — 11. Sie können gut Tango tanzen. — 12. Er kann heute nicht nach Wien fahren.

*

Perfekt der Modalverben

1. Gestern **habe** ich ins Theater gehen **wollen.** Ich **habe** heute nachmittag arbeiten **müssen.** Ich **habe** nicht ins Theater gehen **können,** weil meine Arbeit noch nicht fertig war.

Wenn Modalverben mit **einem Infinitiv zusammenstehen, bilden sie das Perfekt und Plusquamperfekt** nicht mit dem Partizip Perfekt, sondern **mit ihrem Infinitiv.** Der Infinitiv der Modalverben ersetzt das Partizip Perfekt (Ersatzinfinitiv).

2. Das **habe** ich nicht **gewollt.** Heute **hat** Peter seine Aufgaben nicht **gekonnt.**

Wenn das Modalverb **allein** im Satz steht, bildet es das **Perfekt oder Plusquamperfekt regelmäßig** mit dem Partizip Perfekt.

Übung 9: *Bilden Sie das Perfekt!*

1. Robert will heute seinen Eltern einen Brief schreiben. — 2. In diesem Zimmer dürfen wir nicht rauchen. — 3. Der Kranke muß noch drei Tage im Bett bleiben. — 4. Fritz kann leider nicht Englisch sprechen. — 5. Ich kann aber sehr gut Englisch. — 6. Ich soll Sie von Ihrem Freund grüßen. — 7. Inge will ihrem Vater zum Geburtstag eine neue Krawatte kaufen. — 8. Ich kann im Sommer nicht nach Italien fahren, denn ich muß für die Universitätsprüfung arbeiten. — 9. Mein Freund darf heute ins Kino gehen, aber ich darf nicht. — 10. Die Studenten wollen dieses Jahr an die See fahren, aber der Professor will es nicht. — 11. Der Student wollte eine Prüfung machen, konnte aber die Grammatik nicht. — 12. Ich wollte dich gestern schon besuchen, konnte aber nicht kommen, denn ich mußte zu Haus noch viel arbeiten.

*

Objekt + Infinitiv

1. helfen, hören, sehen

Ich **helfe** meiner Mutter die Pakete zur Post **tragen.** (= Ich helfe *meiner Mutter; sie* trägt die Pakete zur Post. — Oder: *Meine Mutter* trägt die Pakete zur Post, und ich helfe *ihr.*)

Ich **höre** meinen Freund auf der Straße **singen.** (= Ich höre *meinen Freund; er* singt auf der Straße. — Oder: *Mein Freund* singt auf der Straße, und ich höre *ihn.*)

Ich **sehe** meinen Vater im Garten **arbeiten.** (= Ich sehe *meinen Vater; er* arbeitet im Garten. — Oder: *Mein Vater* arbeitet im Garten, und ich sehe *ihn.*)

Das Objekt der Verben helfen, hören, sehen kann einen Infinitiv erhalten. Dieser Infinitiv gibt an, was das Objekt gerade tut (das Objekt ist also Subjekt der Handlung, die der Infinitiv angibt). — Beim Verb **helfen** müssen das Subjekt von *helfen* und das Objekt die gleiche Handlung tun. (Meine Mutter *trägt,* und ich *trage* auch; aber: Mein Freund *singt,* ich *singe nicht.*)

Übung 10: *Bilden Sie nach obigen Beispielen Sätze mit Objekten, die selbst Subjekte einer Infinitivhandlung sind!*

1. Wir hören unsere Freunde; sie sprechen auf dem Korridor. — 2. Ich sehe Herrn Müller; er kommt in unser Haus. — 3. Hörst du die Kinder? Sie singen in der Schule. — 4. Helft ihr eurem Vater? Er arbeitet im Garten. — 5. Die Mutter kocht in der Küche das Essen; Inge hilft ihr. — 6. Die Autos und Straßenbahnen fahren auf der Straße.

Kannst du sie hören? — 7. Die Frau singt. Ich will sie nicht hören. — 8. Der Mann spricht. Wir können ihn nicht hören. — 9. Du trägst die vielen Koffer zur Bahn; Peter will dir helfen. — 10. Die Dame legte den Koffer auf die Bank; ein Herr half ihr.

2. lassen

1. Die Eltern **lassen** ihr Kind ins Kino **gehen**. (Das Kind will ins Kino gehen. Die Eltern erlauben es.) — **Lassen** Sie mich Ihren Brief **lesen**. — **Läßt** du mich einen Gruß unter deinen Brief **schreiben?**
2. Der Lehrer **läßt** die Schüler ein Diktat **schreiben**. (Die Schüler schreiben ein Diktat. Der Lehrer will es so.) — Ich **lasse** die Waschfrau meine Wäsche **waschen**. (Ich wasche meine Wäsche nicht, sondern die Waschfrau muß es tun.) — Wir **lassen** den Mann das Gepäck ins Zimmer **tragen**. (Wir tragen das Gepäck nicht, sondern der Mann muß es tragen.)
3. Herr Müller **läßt** seinem Sohn einen Anzug **machen**. (Herr Müller bestellt für seinen Sohn einen Anzug, den jemand machen muß.) — Der Gastgeber **ließ** mir eine Tasse Kaffee **bringen**. (Man brachte mir eine Tasse Kaffee, den der Gastgeber bestellt hatte.) — Ich **lasse** mir die Haare **schneiden**. Rasierst du dich selbst oder **läßt** du dich **rasieren?**

Übung 11: *Wie müssen Sie sagen, wenn Sie folgende Handlungen erlauben?*

1. Das Kind spielt im Garten. — 2. Die Schüler gehen nach Haus. — 3. Peter fährt mit meinem Fahrrad. — 4. Mein Bruder trinkt aus meinem Glas. — 5. Die Dame sitzt auf meinem Platz. — 6. Inge liest den Brief von meinem Vater. — 7. Robert ißt meinen Nachtisch. — 8. Karl macht ein Foto von mir. — 9. Meine Kinder fahren an einen See. — 10. Meine Freunde hören bei mir Radio.

Übung 12: *Wie sagen Sie, wenn die Personen die folgenden Handlungen nicht selbst tun?*

1. Peter holt Briefmarken von der Post. — 2. Fräulein Müller schreibt einen Brief an die Firma Braun & Co. — 3. Ich bringe meinem Freund ein Glas Bier. — 4. Der Mann holt sich Zigaretten aus der Stadt. — 5. Der Vater schickt seinem Sohn Geld für einen neuen Anzug. — 6. Wir kaufen uns einen neuen Radioapparat. — 7. Ich putze mir die Schuhe. — 8. Die Dame macht sich die Haare. — 9. Herr Müller rasiert sich. — 10. Du holst den Arzt. — 11 Der Mieter heizt sein Zimmer gut. — 12. Der Lehrer schließt die Fenster im Schulzimmer.

3. Perfektbildung von „helfen, hören, sehen und lassen"

Peter *hat* seiner Mutter die Pakete zur Post tragen *helfen*. — Ich *habe* meinen Freund auf der Straße singen *hören*. — Ich *habe* meinen Vater im Garten arbeiten *sehen*. — Der Lehrer hat den Schüler die Fenster schließen *lassen*.

Die Verben *helfen, hören, sehen* und *lassen* bilden das Perfekt und das Plusquamperfekt **mit dem Ersatzinfinitiv (Infinitiv statt Partizip Perfekt),** wenn ihre Objekte selbst Subjekt zu einer Infinitivhandlung sind. Vgl. Perfekt der Modalverben (S. 43).

Übung 13: *Bilden Sie das Perfekt!*

1. Du hilfst der alten Frau die Koffer tragen. — 2. Die Kinder sehen ihren Vater aus dem Haus kommen. — 3. Die Tochter hilft ihrer Mutter bei der Arbeit. — 4. Mein Bruder läßt dich grüßen. — 5. Der Vater hilft seinen Kindern bei den Schularbeiten. — 6. Der Bruder hilft seiner kleinen Schwester einen Brief schreiben. — 7. Wir sehen unseren Freund kommen, aber er sieht uns nicht. — 8. Der Reisende kam zu spät zum Bahnhof und sah nur noch den Zug abfahren. — 9. Hörst du morgens deinen Vater aus dem Haus gehen? — 10. Seht ihr schon unsere Gäste kommen?

*

so... wie, nicht so... wie

Mein Buch und dein Buch sind gleich dick. Mein Buch ist *so* dick *wie* dein Buch. — Frankfurt und Köln sind ungefähr gleich groß. Frankfurt ist ungefähr *so* groß *wie* Köln. Frankreich und Spanien sind nicht gleich weit von hier. Frankreich ist *nicht so* weit von hier *wie* Spanien.

> **so... wie** bezeichnet die Gleichheit
> **nicht so... wie** bezeichnet die Ungleichheit

Übung 14: *Bilden Sie Vergleiche mit „so... wie"!*

Beispiel: Mein Bruder und deine Schwester sind gleich alt.
Mein Bruder ist so alt wie deine Schwester.

1. Gisela und Inge sind gleich hübsch. — 2. Der Lehrer und die Lehrerin sind gleich streng. — 3. Der Beamte und die Beamtin sind gleich freundlich. — 4. Der Baum vor dem Haus und der Baum hinter dem Haus sind gleich hoch. — 5. Der alte Schüler und der neue Schüler sind gleich fleißig. — 6. Herr Braun und Herr Müller sind nicht gleich dick. — 7. Mein Vater und dein Vater sind gleich alt. — 8. Peter und Inge sind nicht gleich jung. — 9. Der Filmschauspieler und die Filmschauspielerin sind gleich bekannt. — 10. Der Mantel und die Sportjacke sind nicht gleich preiswert. — 11. Das Kleid und das Kostüm sind nicht gleich elegant. — 12. Meine und deine Handschrift sind gleich deutlich. — 13. Das rote und das grüne Auto sind gleich teuer. — 14. Das Wetter heute und das Wetter gestern ist gleich warm. — 15. Hunger und Durst sind gleich unangenehm. — 16. Der rechte und der linke Schuh sind

gleich schmutzig. — 17. Diese Milch hier und die andere Milch dort ist nicht gleich frisch.

*

so ..., wie + Vergleichssatz

Karl ist jung. Mein Freund hat das gesagt. — Karl ist *so* jung, *wie* mein Freund gesagt hat.

Diese Stadt ist nicht groß. Ich habe das zuerst gedacht. — Die Stadt ist *nicht so* groß, *wie* ich zuerst gedacht habe.

Übung 15: *Bilden Sie Vergleichssätze!*

1. Der Film war nicht interessant. Meine Bekannten haben mir das gesagt. — 2. Peter hat seine Arbeit gut gemacht. Man hatte das vorher nicht geglaubt. — 3. Das Fest war schön. Wir hatten das erwartet. — 4. Die Konferenz war nicht wichtig. Die Journalisten haben das geglaubt. — 5. Seine Reise dauerte nicht lange. Ich hatte das zuerst gedacht. — 6. In diesem Jahr war die Ernte gut. Man hatte das nicht erwartet. — 7. Die Berge waren nicht hoch. Der Mann hatte sie uns beschrieben. — 8. Wir können nicht schnell fahren. Wir wollten das zuerst.

* * *

Auf dem Einwohnermeldeamt[1])

Ausländer: Guten Tag! Kann ich mich hier anmelden?

Beamter: Ja. Haben Sie Ihren Paß mitgebracht?

Ausländer: Natürlich, hier ist er.

Beamter: Ich gebe Ihnen hier drei Anmeldeformulare. Füllen Sie sie bitte aus!

Ausländer: Danke. — Ach, können Sie mir vielleicht helfen? Ich bin jetzt zum ersten Mal in Deutschland und habe das noch nicht gemacht. Ich weiß nicht, wie ich das machen soll. Ich mache sicher etwas falsch, wenn Sie mir nicht helfen.

Beamter: Gern. Geben Sie die Formulare her. — Danke. Wann sind Sie nach Köln gekommen, und wo wohnen Sie jetzt?

Ausländer: Ich bin vorgestern angekommen und wohne jetzt in der Mozartstraße 4, 3. Stock rechts, bei Frau Neumann.

Beamter: Wo haben Sie zuletzt gewohnt?

Ausländer: Zuletzt habe ich in London gewohnt. Ich habe dort zwei Semester studiert.

Beamter: Ihren Namen, bitte! Vornamen und Familiennamen!

---

[1]) Glossar Abschnitt 15 E

Ausländer: Ich heiße Robert Fischer.
Beamter: Sind Sie ledig oder verheiratet?
Ausländer: Ledig.
Beamter: Was ist Ihr Beruf?
Ausländer: Ich bin Student. Ich studiere jetzt Wirtschaftswissenschaften. Früher bin ich Banklehrling gewesen.
Beamter: Wann und wo sind Sie geboren?
Ausländer: Ich bin am 5. Oktober 1936 in Kopenhagen geboren.
Beamter: Dann sind sie also Däne, nicht wahr?
Ausländer: Ja.
Beamter: Wie ist Ihre Konfession?
Ausländer: Ich bin evangelisch.
Beamter: Jetzt brauche ich noch die Nummer Ihres Passes. Wer hat ihn ausgestellt und wann? — So, jetzt haben wir Ihre Formulare ausgefüllt. Unterschreiben Sie bitte hier unten! — Danke sehr. Jetzt sind wir fertig. Hier haben Sie Ihren Paß zurück. Den Abschnitt des Formulars bekommen Sie auch.
Ausländer: Danke sehr. Auf Wiedersehen!

Erklärungen und Wortschatz:

das Einwohnermeldeamt: eine Dienststelle, bei der sich alle Personen melden müssen, die neu in einen Wohnort ziehen oder die ihren Wohnort verlassen

der Einwohner, -: eine Person, die dauernd in einem Land oder an einem Ort wohnt *(Wieviel Einwohner hat Deutschland? Wieviel Einwohner hat Ihr Land?)*

sich anmelden (abmelden): seine Ankunft (Abreise) beim Einwohnermeldeamt bekanntgeben

ausfüllen: wenn man ein Formular bekommt, in dem Fragen stehen, muß man die Fragen schriftlich beantworten; *füllen:* voll machen *(ich fülle das Glas, die Flasche mit Wasser)*

ledig = unverheiratet – verheiratet

der Beruf, -e: die Tätigkeit, die man gelernt hat *(berufstätig:* eine Person, die in ihrem Beruf arbeitet

die Wissenschaft, -en (vom Verb *wissen*): Philosophie, Mathematik, Physik usw.

der Lehrling, -e: junge Leute, die einen Beruf lernen *(kaufmännischer Lehrling, Frisörlehrling, Bäckerlehrling)*

ausstellen: ein Dokument anfertigen

Übung A: *Beschreiben Sie das Bild auf Seite 37!*

    1. Was für Personen sitzen in dem Abteil?
    2. Was tun diese Personen?
    3. Was für Dinge finden Sie in dem Abteil?

München an der Glyptothek

Sonne

und Regen

Badeleben an der Isar in München

Die besetzte Telefonzelle

Wolkenbruch in der Stadt

80-m-Hürden-Vorlauf der Damen

Mittelstreckenläufer

Übung B: *Antworten Sie auf folgende Fragen!*
1. Worüber haben sich die Reisenden unterhalten? — 2. Was hatte die junge Dame bei sich? — 3. Wie wollte sie den Kaffee über die Grenze bringen? — 4. Welchen Rat hat der dicke Herr der Dame gegeben? — 5. Warum hatte er ihr diesen Rat gegeben? — 6. Was tat der erste Beamte, der ins Abteil kam? — 7. Wonach fragte der zweite Beamte die Reisenden? — 8. Hat jemand auf diese Frage geantwortet? — 9. Warum schaute der Beamte auf das Gepäck? — 10. Was tat nun der dicke Herr? — 11. Was mußte nun die Dame tun? — 12. Hat sich der Herr bei der Dame entschuldigt? Auf welche Weise tat er das? — 13. Was für Papiere brauchen Sie, wenn Sie über die Grenze fahren wollen? — 14. Genügt für alle Länder, in die Sie reisen wollen, ein Paß, oder brauchen Sie noch etwas? — 15. Wer kontrolliert an der Grenze die Pässe? — 16. Wer kontrolliert das Gepäck? — 17. Was müssen Sie tun, wenn Sie Waren bei sich haben? — 18. Wie bezeichnet man die Ware, die Sie verzollen müssen?

Übung C: *Erklären Sie die folgenden Wörter! Gebrauchen Sie Relativsätze!*
1. Zollbeamter; Verkehrsschutzmann; Akademiker; Kaufmann; Medizinstudent — 2. Briefmarke; Briefumschlag; Kursbuch; Fahrplan; Paß — 3. Bahnsteig; Grenzstation; Kunde; Gehilfe; Rückfahrkarte.

Übung D: *Bilden Sie Sätze im Präsens, Präteritum und Perfekt!*
1. können, sprechen, ihr, Deutsch — 2. müssen, gehen, mein Vater, regelmäßig, in, Büro — 3. wollen, trinken, ich, ein Glas Bier — 4. müssen, zurückbringen, Robert, Buch, sein Freund — 5. wollen, suchen, wir, Zimmer, in, Stadt — 6. können, spazieren gehen, ihr, heute nachmittag — 7. wollen, kaufen, Eltern, Fahrkarte nach Deutschland, Sohn — 8. dürfen, fahren, Kinder, an, See — 9. müssen, schreiben, ich, Brief, Eltern. — 10. können, fragen, Schüler (Plur.), Lehrer, immer — 11. wollen, antworten, Lehrer, Schüler (Plur.) — 12. dürfen, trinken, Kranker, wieder, Kaffee — 13. sollen, kommen, Herr Müller, an, Telefon — 14. können, brauchen, wir, immer, viel Geld — 15. müssen, lernen, Kinder, in, Schule, fleißig.

Übung E: *1. Erzählen Sie die Geschichte vom „Kaffeeschmuggel" mit Ihren Worten! 2. Wie hat die junge Dame, die den Kaffee schmuggeln wollte, diese Geschichte erzählt? 3. Wie hat der dicke Herr, der den Kaffee geschmuggelt hat, diese Geschichte erzählt? 4. Wie hat einer der anwesenden Reisenden, die noch in dem Abteil saßen, diese Geschichte erzählt?*

FÜNFTER ABSCHNITT

Ein Sportbericht [1])

Hier ist der Westdeutsche Rundfunk mit allen Sendern. Wir übertragen Ihnen jetzt einen Bericht von den internationalen Sportwettkämpfen direkt aus Düsseldorf. Wir schalten um.

Hier ist Düsseldorf! Zu Ihnen spricht Karl Schmidt. Liebe Sportfreunde! Wir befinden uns hier im Düsseldorfer [2]) Stadion. Trotz des trüben Wetters strömen die Menschen seit den frühen Morgenstunden zum Stadion. Sie wissen, daß heute die wichtigsten Kämpfe stattfinden. Wir schauen uns um und sehen, daß heute Besucher aus den verschiedensten Nationen anwesend sind, denn von überall her sind die schnellsten Läufer, die besten Springer und Speerwerfer gekommen.

Die meisten Wettkämpfe haben schon gestern und heute vormittag stattgefunden. Es war schade, daß das Wetter gestern so schlecht war. Die Ergebnisse der Wettkämpfe waren deshalb nicht so gut wie sonst.

Jetzt findet gerade der letzte Kampf, der 1500-Meter-Lauf, statt. Es sind die spannendsten Minuten. In diesem Augenblick sind die Läufer in der letzten Runde. An der Spitze läuft der schnelle Schwede Olsson.

Ihm folgt Füsli aus der Schweiz und Seebrunner aus Österreich. Die beiden kämpfen auch noch um den zweiten Platz. Der Schweizer ist der schnellere Läufer und hat den Österreicher schon überholt. Aber den Schweden kann er sicher nicht mehr überholen. Olsson ist zweifellos der schnellste Läufer des Tages. Die Schweden haben in diesem

---

[1]) gesprochen auf Schallplatte Nr. 2; Glossar Abschnitt 16 A
[2]) Adjektive von Städtenamen haben die Endung -er und sind nicht deklinierbar.

Jahr ihre besten Sportler geschickt. Es ist schon jetzt klar, daß ihnen der Sieg sicher ist. —

Jetzt beginnt der Endspurt. Alle Wettkämpfer strengen sich noch einmal an, denn sie wollen mit größter Energie eine möglichst gute Zeit erreichen. Da, der Schweizer kommt dem Schweden immer näher. Jetzt hat er ihn erreicht —. Aber der Schwede wird auch schneller. Er fliegt über die Bahn und — jetzt — läuft er als erster durchs Ziel. Dicht hinter ihm folgt der Schweizer, dann der Österreicher und nach ihm die übrigen Läufer. Die Zuschauer sind aufgesprungen, sie klatschen und jubeln den Siegern zu. Sie warten jetzt gespannt darauf, daß die Kampfrichter die genauen Zeiten bekanntgeben. Der Schweizer hat nur 0,3 Sekunden länger gebraucht als der Schwede. Der Österreicher lief 0,6 Sekunden später durchs Ziel.

Meine lieben Hörerinnen und Hörer! Damit sind die internationalen Wettkämpfe beendet. Dieser letzte Kampf war der schönste des ganzen Tages. Ich gebe Ihnen nun die wichtigsten Ergebnisse: Von allen Mannschaften war die schwedische am erfolgreichsten. Sie siegte sowohl im Hundertmeterlauf als auch im 1500-Meter-Lauf. Im Hochsprung jedoch hatten die Amerikaner ein besseres Ergebnis als die Schweden. Der Franzose Petit sprang am weitesten; er wurde Sieger im Weitsprung. Im Speerwerfen erreichten die Dänen weitere Entfernungen als die Schweden und kamen auf den besten Platz.

Hiermit verabschiedet sich Ihr Reporter Karl Schmidt. Die angeschlossenen Sender trennen sich wieder von uns. Auf Wiederhören!

Erklärungen und Wortschatz:

der Bericht, -e: (vom Verb *berichten*) die schriftliche oder mündliche Mitteilung
der Sender, -: die Radiostation
übertragen, - u - a: die Verbreitung von Veranstaltungen über Radio; Nom.:
  die Übertragung, -en (wir übertragen Ihnen jetzt ein Konzert aus dem Opernhaus; Sie hören jetzt die Übertragung eines Konzerts aus dem Opernhaus)
sich befinden, a - u: sein, anwesend sein
trüb: nicht klar *(das Wasser, das Wetter ist trüb)*
strömen: in Massen kommen (figurativ); Nomen: *der Strom, ‿e:* sehr großer Fluß *(der Nil ist ein Strom)*
der Kampf, ‿e: vom Verb *kämpfen;* der Wettkampf (sportlich)
von überall her: aus allen Gegenden (Ländern)
der Speer, -e: ein Sportgerät, das man *wirft (werfen, warf, geworfen;* Nomen: *der Wurf, ‿e)*
das Ergebnis, -se: das Resultat
sonst: hier: gewöhnlich, zu anderer Zeit *(das Wetter ist heute nicht so schön wie sonst; heute ist das Wetter schlecht, sonst ist es aber schön)*
gerade: in diesem Augenblick

spannend: aufregend *(ein spannender Kriminalfilm, ein spannender Roman);*
Nomen: *die Spannung, -en; ich bin gespannt:* ich bin sehr interessiert
die Runde, -n: hier: ein Lauf im Kreis
überholen: eine Person beim Laufen oder Fahren erreichen und vor sie kommen
ihm ist der Sieg sicher: es ist sicher, daß er siegt
der Endspurt, -e: die letzte Anstrengung der Sportler bei einem Wettkampf
sich anstrengen: alle Kräfte und alle Energie bei einer Arbeit zusammennehmen
die Bahn, -en: der Weg, auf dem die Sportler laufen
er fliegt über die Bahn (fliegen, flog, geflogen): fig. er läuft sehr schnell
das Ziel, -e: der Endpunkt, den man erreichen will (auch: *Berufsziel, Studienziel*)
dicht: sehr nahe
die übrigen Läufer: die restlichen Läufer
der Kampfrichter, -: der Richter im Wettkampf; *der Schiedsrichter, -:* der Richter
bei Wettkämpfen zwischen zwei Parteien (Fußball, Handball usw.)
die Mannschaft, -en: eine Gruppe Sportler, die zusammen kämpfen *(Fußballmannschaft, Wasserballmannschaft; Herrenmannschaft, Damenmannschaft)*
erfolgreich: mit Erfolg *(erfolglos:* ohne Erfolg)
weit: fern *(die Entfernung, -en)*
der angeschlossene Sender: der Sender, der das gleiche Programm bringt *(anschließen:* verbinden; *den Radioapparat usw. anschließen)*
Auf Wiederhören!: Abschiedsgruß am Telefon und beim Rundfunk

* * *

Die Komparation

1. Das attributive Adjektiv

Die Donau ist ein langer Fluß. Der Nil ist ein *länger*er Fluß *als* die Donau.
Der Amazonas ist ein *länger*er Fluß *als* der Nil und die Donau; er ist der *längst*e Fluß.

	Grundform (I) als Attribut	Komparativ (II) als Attribut	Superlativ (III) als Attribut
1. billig weit	billig- weit-	billig-*er*- weit-*er*-	billig-*st*- weit-*est*-
2. dunkel teuer	dunkl- teur-	dunkl-*er*- teur-*er*-	dunkel-*st*- teuer-*st*-
3. alt	alt-	ält-*er*-	ält-*est*-
4. groß hoch nah	groß- hoh- nah-	größ-*er*- höh-*er*- näh-*er*-	größ-*t*- höch-*st*- näch-*st*-
gut	gut-	bess-*er*- bess-*r*-	be-st-
viel	viel-	meh-*r*	mei-*st*-

1. Man bildet den Komparativ mit der Endung - e r
   den Superlativ mit der Endung - s t oder - e s t
2. Adjektive auf -el und -er verlieren im Komparativ das letzte „e".
3. Die meisten einsilbigen Adjektive haben im Komparativ und Superlativ den Umlaut.
4. Nur wenige Adjektive haben eine unregelmäßige Komparation.

Merken Sie sich! Ausnahmen bei der Adjektivdeklination ohne Artikel (Nom., Akk.).

viel Geld	mehr Geld	das meiste Geld
viele Bücher	mehr Bücher	die meisten Bücher
wenig Geld	weniger Geld	das wenigste Geld
wenige Bücher	weniger Bücher	die wenigsten Bücher

Die attributiven Adjektive folgen auch in ihrer Komparativ- und in ihrer Superlativform der Adjektivdeklination: der läng-er-e Fluß, ein läng-er-er Fluß, der läng-st-e Fluß.

Übung 1: *Bilden Sie Komparationsformen und ergänzen Sie die Endungen!*

1. München ist eine groß- Stadt, Hamburg ist eine groß- (II) Stadt als München; Berlin ist die groß- (III) in Deutschland. — 2. Die Alpen sind ein hoh- Gebirge, der Kaukasus ist ein hoh- (II) Gebirge; der Himalaya ist das hoh- (III) Gebirge der Welt. — 3. Karl ist ein gut-Schüler, Fritz ist ein .... Schüler als Karl, Max ist der .... Schüler der Schule. — 4. Fräulein Müller hat einen teuer- Hut, ihre Schwester hat einen teuer- (II) als sie; aber ihre Mutter hat den teuer- (III) Hut von allen. — 5. Peter hat viel Geld, sein Bruder hat .... Geld als er, sein Vater hat das .... Geld. — 6. Hans trägt einen dunkel- Anzug, Fritz trägt einen dunkel- (II) als Hans, der Lehrer trägt den dunkel- (III) Anzug von allen. — 7. Inge hat ein schön- Kleid, Gisela hat ein schön- (II) Kleid als Inge, aber Helga hat das schön- (III) Kleid von allen. — 8. Ist es ein weit- Weg zum Bahnhof? Oder können Sie mir einen nah- (II) Weg sagen? Ich suche den nah- (III) Weg zum Bahnhof. — 9. Liest du ein interessant- (II) Buch als ich? — 10. Wie heißt der hoh- (III) Berg in Europa?

Übung 2: *Bilden Sie Sätze nach folgendem Beispiel!*

Stuttgart, München, Berlin: sein, große Stadt:
Stuttgart ist eine große Stadt, München ist eine größere Stadt als Stuttgart, Berlin ist die größte Stadt.

1. Die Zugspitze, der Montblanc, der Mount Everest: *sein, hoher Berg.* — 2. Ich, der Professor, der Kaufmann: *kaufen, guter Anzug.* — 3. Deine Freundin, ihre Tante, unsere Großmutter: *anziehen, warmes Kleid.* — 4. Mein Vetter, unser Freund, euer Lehrer: *haben, dunkler*

Mantel. — 5. Ich, er, sie (Sing.); *lernen, mit großem Erfolg.* — 6. Du, deine Schwester, Fräulein Müller: *sein, gute Schülerin.* — 7. Die Schweiz, England, die Vereinigten Staaten: *schicken, viele Sportler.* — 8. Der Österreicher, der Schweizer, der Schwede: *sein, guter Läufer.* — 9. Karl, du, ich: *haben wenig Geld.* — 10. Zuerst, dann, jetzt: *finden* (Perf.), *ich, ein gutes Zimmer.* — 11. Der Student, der Lehrer, der Professor: *haben, viele Bücher.* — 12. Fritz, Paul, Kurt: *haben, viel Zeit.*

2. Das Adjektiv als Satzglied und das Adverb gern

Wein ist billig, Kaffee ist billig*er*; Wasser ist *am* billig*sten.* — Das Fahrrad fährt schnell; das Auto fährt schnell*er*; der D-Zug fährt *am* schnell*sten.* — Der am schwersten verletzte Mann ist gestern gestorben.

Ich trinke *gern* Milch; ich trinke *lieber* Bier; Wein trinke ich *am liebsten.*

Wenn ein Adjektiv beim Verb oder bei einem Partizip steht, bildet man den Superlativ mit der Endung -sten. Vor dem Superlativ muß **am** stehen.

Übung 3: *Bilden Sie Sätze nach folgendem Beispiel!*

> *alt sein: mein Bruder, meine Mutter, meine Großmutter:*
> *Mein Bruder ist alt, meine Mutter ist älter, meine Großmutter*
> *ist am ältesten.*

1. *Fleißig arbeiten:* ich, meine Schwester, mein Freund. — 2. *Jung sein:* meine Kusine, dieses Mädchen, das Kind. — 3. *Nah sein:* das Theater, das Kino, die Schule. — 4. *Viel kosten:* die Hose, der Anzug, der Mantel. — 5. *Groß sein:* die Tochter, der Sohn, der Vater. — 6. *Gut lernen:* er, du, sie (Plur.). — 7. *Viel lachen:* der Vater, der Onkel, die Kusine. — 8. *Warm sein:* das Wetter in Italien, in Ägypten, in Indien. — 9. *Ich, gern trinken:* Wasser, Bier, Wein. — 10. *Teuer sein:* die Reise nach Köln, nach Hamburg, nach Madrid. — 11. *Es, dunkel sein:* um 8 Uhr, um 9 Uhr, um 10 Uhr. — 12. *Weit sein:* der Weg zur Schule, der Weg zur Post, der Weg zum Bahnhof.

*

Die Konjunktion *daß* vor Gliedsätzen

1. *Es tut mir leid, daß du gestern nicht gekommen bist.* (*Was* tut dir leid?) — *Es ist schade, daß wir heute nicht spazierengehen können.* (*Was* ist schade?) — *Es ist sicher, daß mir mein Vater Geld geschickt hat.* (*Was* ist sicher?) — *Es hat mich sehr gefreut, daß Sie mir geholfen haben.* (*Was* hat Sie gefreut?) — *Ist es bekannt, daß Herr Müller das Haus verkauft hat?* (*Was* ist bekannt?)

Die Konjunktion *daß* steht **vor Gliedsätzen mit Subjektfunktion** (Subjektsätzen). Wenn der Subjektsatz mit der Konjunktion *daß* hinter dem übergeordneten Satz („Hauptsatz") steht, zeigt das Pronomen es den folgenden Subjektsatz an.

> *Daß Herr Müller das Haus verkauft hat, ist bekannt.*

Wenn der Subjektsatz vor der Personalform steht, gebraucht man das Pronomen *es* nicht.

Übung 4: *Bilden Sie Subjektsätze mit der Konjunktion „daß"!*

1. Er bekommt im September keinen Urlaub. Es ist schade. — 2. Das Wetter ist heute sehr gut. Es freut die Sportler. — 3. Der Zug kommt um 5.30 Uhr hier an. Es steht im Kursbuch. — 4. Die reichen Leute sollen den armen Leuten helfen. Ist es nicht richtig? — 5. Ich habe dem Mann kein Geld gegeben. Es ist wahr. — 6. Sie helfen der alten Dame die Koffer tragen. Es ist sehr freundlich von Ihnen. — 7. Du lernst zuerst die deutsche Sprache. Ist es nicht gut? — 8. Du hast von der Firma eine Antwort bekommen. Es ist wichtig. — 9. Der Autofahrer hat rechtzeitig gehalten. Es ist ein Glück. — 10. Sein Sohn lernt in der Schule sehr schlecht. Es gefällt dem Vater nicht.

2. Der Lehrer sieht, *daß die Schüler viel arbeiten.* (*Was* sieht der Lehrer?) — Weißt du, *daß Robert morgen nach Dänemark fahren will?* (*Was* weißt du?)

Die Konjunktion *daß* steht auch **vor Gliedsätzen, die die Stelle von Akkusativobjekten einnehmen.**

Übung 5: *Bilden Sie Objektsätze mit der Konjunktion „daß"!* (*Das Objekt „es" fällt weg!*)

1. Das Wetter ist morgen schön. Ich glaube es nicht. — 2. Meine Schwester kommt heute nachmittag. Meine Mutter hat es geschrieben. — 3. Du willst am Sonntag ins Theater gehen. Ich habe es von deiner Schwester gehört. — 4. Peter ist gestern sehr lange im Café gewesen. Herr Müller hat es mir gesagt. — 5. Der Rundfunk überträgt heute abend den Sportbericht. Wir haben es im Rundfunkprogramm gelesen. — 6. Fritz ist ein sehr schneller Läufer. Ich habe es auf dem Sportplatz gesehen. — 7. Du willst mit deinem Freund im kommenden Sommer an die See fahren. Hans hat es mir erzählt. — 8. Zwei Autos sind auf der Berliner Straße zusammengestoßen. Ich habe es gestern gesehen. — 9. Wir sehen uns bald wieder. Ich hoffe es. — 10. Paul hat in der Schule eine gute Prüfung gemacht. Hast du es schon gehört?

3. Peter wartet *darauf, daß ihm sein Vater bald Geld schickt.* (*Worauf* wartet Peter?) — Ich danke Ihnen *dafür, daß Sie mir gestern geholfen haben.* (*Wofür* danken Sie mir?) — Wir haben nicht *daran gedacht, daß du uns heute besuchen wolltest.* (*Woran* habt ihr nicht gedacht?)

Objektsätze können auch von Verben abhängen, die ein **Präpositional-Objekt** verlangen. In diesem Fall muß sich die Präposition mit *da(r)-* verbinden, weil sie nicht allein stehen kann.

Übung 6: *Bilden Sie Objektsätze!*

1. Wir können bald eine schöne Reise machen. Unsere Eltern freuen sich darüber. — 2. Sie haben mir geholfen. Ich danke Ihnen dafür. —

3. Die Armen brauchen Hilfe. Ein guter Mensch denkt immer daran. —
4. Der Lehrer will eine Reise nach Frankreich machen. Er sprach gestern
mit uns darüber. — 5. Robert beendet im nächsten Jahr sein Studium.
Er schrieb mir davon. — 6. Die Sommerferien haben gestern begonnen.
Die Schulkinder freuen sich darüber. — 7. Bessere Zeiten kommen. Die
Menschen hoffen darauf. — 8. Alle Menschen sind schlecht. Wir glauben
nicht daran. — 9. Früher haben sehr große Tiere in Europa gelebt. Ich
habe davon gehört. — 10. Meine Eltern wollen ein neues Haus bauen.
Sie haben gestern abend mit mir darüber gesprochen.

*

Länder- und Städtenamen

1. Dänemark, Schweden und Norwegen liegen in Nordeuropa. *Das sonnige*
Italien liegt in Südeuropa. — Berlin, Paris und London sind große Städte.
Das kleine Rothenburg ist eine sehr schöne Stadt.
2. *Die* Schweiz, *die* Türkei und *die* Vereinigten Staaten haben ihre besten
Sportler geschickt.

1. **Die meisten Länder- und Städtenamen sind n e u t r a l. Sie haben den
Artikel nur, wenn ein Adjektiv dabeisteht. Sonst stehen sie immer o h n e
A r t i k e l.**
2. **Einige Ländernamen sind f e m i n i n** (z. B.: die Türkei, die Schweiz) **oder
Plurale** (z. B. die Niederlande, die Vereinigten Staaten). **Sie stehen i m m e r
m i t A r t i k e l.**[1]

*

Der Gebrauch der Zeitformen

Man unterscheidet drei Zeitabschnitte:
1. die **Gegenwart,** d. i. die Zeit, in der wir leben, oder im engeren Sinn die
Zeit, in der wir sprechen;
2. die **Vergangenheit,** d. i. die Zeit, die vergangen ist oder hinter uns liegt;
3. die **Zukunft,** d. i. die Zeit, die noch kommt oder vor uns liegt.

Die Zeitformen der deutschen Verben ordnen die Handlung oder den Zustand in diese drei Zeitabschnitte ein. Die Zeitformen und ihre Namen (Präsens, Präteritum, Futur usw.) nennen aber nicht genau den Zeitabschnitt für
die Handlung oder den Zustand. Deshalb stehen im Satz oft Zeitangaben, die
die Zeit genau bestimmen, wenn nicht schon das Verb selbst etwas über die
Zeit aussagt.

Für die GEGENWART gebraucht man
das **Präsens:** Ich schreibe (gerade, in diesem Augenblick) einen Brief. — Das
Kind schläft. — Wir sind im Zimmer.

---

[1] Ländernamen s. S. 187

Für die ZUKUNFT gebraucht man [1])

das **Präsens:** Ich schreibe den Brief später. — Ich fahre morgen nach Haus. — Wenn Hans kommt, gehen wir zusammen ins Kino. — Wir bleiben eine Woche hier.

das **Perfekt**, wenn man ausdrücken will, daß eine Handlung erst in der Zukunft abgeschlossen ist:

Morgen haben wir unsere Prüfung beendet. — Bis nächsten Herbst ist das Haus bestimmt fertiggebaut. — Kommen Sie nächste Woche zu mir! Dann bin ich sicher schon von meiner Reise zurückgekommen.

Für die VERGANGENHEIT gebraucht man

das **Präteritum** oder das **Perfekt:**

Gestern kam mein Freund von der Reise zurück. — Gestern ist mein Freund von der Reise zurückgekommen.

Beachten Sie! Das Präteritum ist die Erzählform für die Vergangenheit. Das Perfekt ist die Gesprächsform für die Vergangenheit.

das **Plusquamperfekt** für eine Handlung, die v o r einer anderen Handlung in der Vergangenheit beendet ist:

Peter ist gestern nicht gekommen, weil ich ihn nicht eingeladen hatte. — Wir mußten sofort nach Haus fahren, denn wir hatten unser Geld verloren.

das **Präsens** für eine Handlung, die schon in der Vergangenheit begonnen hat: Er ist seit gestern hier. — Wir wohnen schon fünf Jahre in diesem Haus.

Wenn etwas **für alle drei Zeitabschnitte gültig** ist, steht

das **Präsens:** Ich gehe jeden Tag ins Büro. — Diese Berge sind schön. — Im Winter liegt immer viel Schnee auf den Bergen.

Übung 7: *Welche Zeitformen finden Sie in diesen Sätzen, und welche Zeitabschnitte bezeichnen diese Zeitformen?*

1. Mein Vater kommt morgen nach Haus. — 2. Peter arbeitet gerade im Garten. — 3. Bis morgen hat der Reporter bestimmt seinen Bericht geschrieben. — 4. Vor drei Wochen sind wir hierher gekommen. — 5. Gestern verhaftete die Polizei den Autodieb. — 6. Wer wohnt in diesem Haus? — 7. Wir bleiben bis nächsten Donnerstag in dieser Stadt. — 8. Ich bin schon acht Jahre in Deutschland. — 9. Nächste Woche komme ich zu dir. — 10. Hast du schon den Brief geschrieben? — 11. Wenn die Antwort aus Berlin nicht rechtzeitig kommt, habe ich hier vergebens gewartet. — 12. Der Mann verkaufte gestern das Auto, das er vor zehn Jahren gekauft hatte. — 13. Der Zug, der in wenigen Minuten hier auf diesem Bahnsteig ankommt, ist um 7 Uhr morgens

---

[1]) Futur s. S. 76

von Nürnberg abgefahren. — 14. Wir machen im kommenden Sommer keine Ferienreise, weil uns unsere Eltern besuchen wollen. — 15. Wenn bis Samstag die Arbeit nicht fertig ist, muß ich Sonntag den ganzen Tag arbeiten. — 16. Wir wollen jetzt abreisen.

Übung 8: *Legen Sie die folgenden Handlungen in andere Zeitabschnitte, aber ändern Sie nicht die Zeitformen!*

1. Jetzt kommt Peter zu uns. — 2. Gestern haben wir unsere Arbeit beendet. — 3. Der Lehrer beginnt in diesem Augenblick mit dem Unterricht. — 4. Morgen abend um diese Zeit bin ich in Berlin angekommen. — 5. Bald fahren wir nach Haus.

* * *

Ein Gespräch[1])

A.: Hast du schon gehört, daß Paul das Abitur gemacht hat? Er hat die Prüfung mit „gut" bestanden.

B.: So? Das wundert mich sehr, denn Paul war nie ein besonders guter Schüler. Er ist sogar einmal sitzengeblieben. Ich glaube, es war in der vierten Klasse. Was will er denn jetzt machen? Geht er auf die Universität?

A.: Nein, er will erst als Praktikant in einen Betrieb gehen. Seine Eltern haben nicht soviel Geld; sein Bruder studiert jetzt schon drei Jahre und ist immer noch nicht fertig.

B.: Ich kann mir denken, daß sie es nicht leicht haben. Paul hat auch noch eine Schwester. Was will die denn werden?

A.: Ich weiß es nicht genau. Aber ich glaube, daß sie Schneiderin werden will. Sie hat sich schon immer für modische Dinge interessiert. Deswegen haben ihre Eltern sie auch nicht auf eine höhere Schule geschickt.

B.: Wie alt ist sie denn? Sie kommt doch sicher bald aus der Schule?

A.: Ja, sie ist schon Ostern aus der Schule gekommen und hat jetzt eine Lehrstelle in einer bekannten Damenschneiderei. Dort muß sie drei Jahre lernen. Dann ist sie fertig und kann schon Geld verdienen.

B.: Das ist richtig. Die Handwerker sind viel schneller fertig als wir Studenten. Wir leben noch mit 22 Jahren vom Geld unseres Vaters oder müssen als Werkstudenten für unser Studium arbeiten.

---

[1]) Glossar Abschnitt 16 E

A.: Wenn ich mich darüber beklage, daß ich noch kein Geld verdiene, sagt mein Vater immer: „Warum hast du kein Handwerk gelernt, das Handwerk hat immer noch einen goldenen Boden!"

Erklärungen und Wortschatz:

das Abitur: die Schlußprüfung an einer höheren Schule; nur mit dieser Prüfung darf man an einer Universität studieren; *hast du das Abitur gemacht? (er hat das Abitur bestanden, – er ist durchs Abitur gefallen, er ist beim Abitur durchgefallen)*
sitzenbleiben: nicht in die nächste Klasse aufsteigen
auf die Universität gehen: an der Universität studieren
der Praktikant, -en: eine Person, die für die Berufsausbildung praktisch arbeitet
der Betrieb, -e: eine Fabrik, ein Werk *(das Werk, -e: z. B. Siemens-Schuckert-Werke)*
was willst du werden?: welchen Beruf willst du erlernen?
die Ausbildung: praktisches und theoretisches Lernen und Lehren; vom Verb *ausbilden; was für eine Ausbildung (Berufsausbildung) haben Sie?*

*

Übung A: *Erklären Sie folgende Wörter!*
1. Radioapparat, Rasierapparat; Sportplatz, Zuschauer, Zuhörer — 2. Damenhut, Herrenfrisör, Damenschneider, Dorfstraße, Landstraße — 3. Schulfreund, Fahrgast, Filmschauspieler, Eckhaus, Hausecke — 4. Studienkollege, Hochschullehrer, Universitätsstadt, Straßenbahn, Autostraße — 5. Fernsprechbuch, Hausnummer, Hausmiete, Mietshaus, Stadtplan.

Übung B: *Bilden Sie mit den drei Wörtern einen Satz!*
1. Wetter, Ausflug, See — 2. September, Herbst, Ernte — 3. Zigarette, Zollbeamter, Dame — 4. Auto, Lampe, Straßenbahnhaltestelle — 5. Semester, Vater, Sohn — 6. Bahnhof, Fahrplan, Zug — 7. Sportplatz, Freund, Fußball — 8. Dorf, Stadt, Landstraße — 9. Gasthaus, Tourist, Autobus — 10. Radio, Reporter, Verkehrsunfall — 11. Abitur, Beruf, Universität — 12. Kind, Kino, Filmschauspieler — 13. Brief, Firma, Kaufmann — 14. Wohnung, Land, Mieter — 15. Auskunft, Fußgänger, Regenschirm.

Übung C: *Welches Schulsystem gibt es in Ihrem Land? Erzählen Sie darüber!*

Übung D: *Welche Sportart interessiert Sie? Warum interessieren Sie sich für diese Sportart?*

Übung E: *Bilden Sie Sätze und achten Sie auf die Objektformen! Bilden Sie auch das Perfekt!*

1. bitten, Dame, Beamter, Auskunft — 2. danken, Reisender, Herr, Hilfe — 3. sich freuen, Kinder, nächste Weihnachten — 4. denken, Student, kommende Prüfung — 5. sprechen, Lehrer, Reise — 6. warten, Karl, Straßenbahn — 7. hoffen, ich, besseres Wetter — 8. sich freuen, ich, dein letzter Besuch — 9. sich beklagen, Mann, schlechte Arbeit — 10. sich interessieren, Peter, Musik — 11. sich wundern, Ausländer, billige Preise — 12. sich wenden, Schüler, Direktor.

Übung F: *Setzen Sie die Adjektive richtig ein!*

1. Die Frau hat dem Mädchen Bonbons geschenkt. (alt, klein, viel) — 2. Die Studenten haben keine Schwierigkeiten beim Studium der Sprache. (ausländisch, deutsch, groß) — 3. Der Herr hat der Dame ein Paket Kaffee gegeben. (dick, groß, jung) — 4. Hans! Ich danke dir für deinen Brief aus Italien (freundlich, lieb, schön) — 5. Ich habe ein Zimmer mit einem Blick auf die Berge gefunden. (billig, nah, schön) — 6. Seit dem Ölwechsel hat der Wagen einen Liter Öl gebraucht. (halb, letzt, neu) — 7. Wir haben Sorten Zahnpasta in Preislagen. (gut, viel, verschieden) — 8. Meinen Anzug habe ich an der Ecke dieser Straße in einem Geschäft gekauft. (breit, groß, neu)

* * *

SECHSTER ABSCHNITT

Aus einem Reiseprospekt[1])

Deutschland und Österreich als Reiseländer

Sie wollen Ihren Urlaub oder ihre Ferien sicher nicht zu Haus verbringen. Vielleicht wollen Sie in diesem Jahr nach Deutschland oder Österreich fahren! Beide Länder können alle Ihre Reisewünsche erfüllen.

Wenn Sie die See lieben, dann fahren Sie an die Ost- oder Nordsee! Dort finden Sie viele moderne Badeorte mit schönem Sandstrand. Wenn Sie aber Bade- oder Wassersportmöglichkeiten im Binnenland suchen, dann können Sie diese auch sehr leicht finden: am Bodensee, dem größten Binnensee Deutschlands, an den herrlichen oberbayerischen Seen oder an den vielen malerischen Seen Österreichs inmitten einer wundervollen Berglandschaft.

---

[1]) Glossar Abschnitt 17 E

Bergsteiger und Skifahrer finden ihr Paradies in den hohen Bergen Österreichs und Oberbayerns oder in den deutschen Mittelgebirgen. Von Bergbahnen, Ski- und Sesselliften werden Sie mühelos auf die höchsten Gipfel gebracht.

Wenn Sie eine Kur machen müssen oder auch nur Erholung für Ihre Nerven suchen, finden Sie unter den zahlreichen Heilbädern und Kurorten Deutschlands und Österreichs sicher den richtigen Platz. Jeder Arzt wird Sie gern beraten.

Viele kleine und große Städte zeigen dem Kunstfreund ihre Kunstwerke, Museen und Sammlungen. Einige Städte ziehen mit ihren weltberühmten Konzerten und Festspielen jährlich Tausende von Musikliebhabern an.

Wenn Sie motorisiert sind oder die Landschaft in Ruhe mit dem Fahrrad kennenlernen wollen, können Sie an vielen romantischen Stellen des Landes Ihr Zelt auf guten Camping-Plätzen aufschlagen. Ein dichtes Netz ausgezeichneter Straßen und die Autobahnen, die besten Straßen Europas, lassen Sie schnell Ihr Reiseziel erreichen. Die Bundesbahn und die Bundespost beider Länder und viele private Autobuslinien bringen Sie schnell und sicher an Ihren Ferienort.

Viele Hotels, Pensionen und Gasthäuser warten auf Sie und möchten Ihnen Ihren Ferienaufenthalt so schön wie möglich machen.

Wenn Sie bequem und sorglos reisen wollen, dann gehen Sie zu Ihrem nächsten Reisebüro. Hier wird Ihnen alle Arbeit abgenommen. Wenn Sie mit Ihrem eigenen Auto oder dem Motorrad fahren wollen, werden Ihnen die nötigen Wagenpapiere besorgt; ebenso ein Visum, wenn Sie es benötigen. Sie können dort auch Ihre Fahrkarten lösen. Die besten Verkehrsbedingungen werden für Sie herausgesucht, und sogar Ihr Zimmer an Ihrem Ferienort wird bestellt, wenn Sie es wünschen. Sie können bei den Reisebüros auch die Adressen guter Hotels und die genauen Preise für Übernachtung, Frühstück und die übrigen Mahlzeiten erfahren.

Wenn Sie besonders billig reisen wollen, dann schließen Sie sich einer Reisegesellschaft an! Diese vermittelt Ihnen ebenfalls Ihr Reisebüro.

Erklärungen und Wortschatz:

der Prospekt, -e: eine Werbeschrift; eine Schrift, eine Drucksache, die für eine Sache wirbt *(werben, warb, geworben)*

das Reiseland: ein Land, in das gerne Touristen kommen

verbringen: die Zeit ausfüllen, *die Zeit verbringen (womit verbringst du sonntags deine Zeit?)*

das Binnenland: der Teil eines Landes, der nicht ans Meer grenzt

malerisch: romantisch; so schön, daß es ein Maler malen möchte

inmitten (Präp. mit dem Genitiv): umgeben von, in der Mitte

die Bergbahn, -en: eine Spezialbahn, die auf Berge hinaufführt *(die Drahtseilbahn, die Zahnradbahn)*

mühelos: ohne Mühe *(mühevoll:* mit viel Mühe)

der Gipfel, -: die Spitze eines Berges

die Kur, -en: eine Behandlung, die der Arzt vorgeschrieben hat, zur Gesundung des Patienten *(eine Kur machen; zur Kur fahren)*

die Erholung: vom Verb *sich erholen:* wieder zu Kräften kommen, seine Kräfte und Gesundheit wieder vollkommen herstellen

der Musikliebhaber, -: eine Person, die sich sehr für Musik interessiert

ich bin motorisiert: ich habe ein Auto (Motorrad, Motorroller)

das Zelt aufschlagen: ein Zelt aufstellen

das Hotel: ein Hotel dient in der Hauptsache zur Übernachtung für nur wenige Tage; in einer *Pension* bleibt man längere Zeit, und man muß dort auch meist die Mahlzeiten einnehmen; ein *Gasthaus* hat meist nur wenige Zimmer, man kann aber dort allgemein gut und billig essen

der Aufenthalt: vom Verb *sich aufhalten:* einige Zeit bleiben

sorglos: ohne Sorgen *(sorgenvoll:* mit Sorgen)

die Wagenpapiere (Plur.): die Grenzdokumente für das Auto

die Übernachtung, -en: vom Verb *übernachten:* über Nacht bleiben

die Gesellschaftsreise, -n: eine Reise mit einer Gruppe

die Reisegesellschaft, -en: eine Gruppe von Reisenden, die zusammen zum gleichen Ziel fahren

*　*　*

Die Konjunktionen *als* und *wenn*

Wann hast du Peter getroffen? — *Als* ich letzten Sonntag im Theater war, habe ich ihn getroffen.

Wann warst du das letzte Mal bei Peter? — Ich war bei ihm, *als* er Geburtstag hatte.

Wann bist du immer an den See gefahren? — Ich bin dorthin gefahren, *wenn* das Wetter gut war.

Wann kommst du zu uns? — Ich komme, *wenn* ich mit meiner Arbeit fertig bin.

Man gebraucht temporale Gliedsätze, wenn mit der Handlung des Satzes eine andere Handlung zusammentrifft (Frage: *wann?*). Man gebraucht die Konjunktion **als,** wenn der Gliedsatz eine bestimmte Handlung beschreibt, **die ein-**

mal in der Vergangenheit geschehen ist. Das Verb steht im Präteritum. In allen übrigen Fällen steht die Konjunktion wenn!

das Ereignis ist	Vergangenheit	Gegenwart	Zukunft
einmalig	als	wenn	wenn
mehrmalig	wenn	wenn	wenn

Unterscheiden Sie: „wenn" und „wann?"

> „wann" ist immer Fragepronomen. Die Antwort beginnt mit „wenn" oder „als".
> *Wann* kommst du? *Wenn* ich Zeit habe.
> *Wann* kam er? *Als* er mit der Arbeit fertig war.

Übung 1: *Antworten Sie auf die Fragen und bilden Sie temporale Gliedsätze!*

1. Wann machst du einen Spaziergang? (Das Wetter ist schön.) — 2. Wann hat dein Freund Italienisch gelernt? (Er war im Sommer in Italien.) — 3. Wann ist der Lehrer zornig? (Die Schüler machen zu viele Fehler.) — 4. Wann hast du dich gefreut? (Mein Vetter besuchte mich gestern.) — 5. Wann regnete es? (Wir kamen in Salzburg an.) — 6. Wann schaute dein Bruder aus dem Fenster? (Vor unserem Haus ereignete sich ein Verkehrsunfall.) — 7. Wann unterhielten sich die Reisenden über die Zollkontrolle? (Der Zug näherte sich der Grenze.) — 8. Wann fuhrt ihr immer ins Gebirge? (Wir hatten Urlaub.) — 9. Wann grüßt Peter immer sehr höflich? (Er trifft eine bekannte Dame auf der Straße.) — 10. Wann gingst du immer ins Theater? (Ich hatte Zeit.) — 11. Wann wurden die Fahrgäste verletzt? (Ein Personenwagen stieß gestern morgen um 7.35 Uhr mit der Straßenbahn der Linie 8 zusammen.) — 12. Wann haben Sie Ihren Herrn Vater getroffen? (Ich war im letzten Monat in Köln.) — 13. Wann ziehst du diesen Mantel an? (Es regnet.) — 14. Wann trinkst du Kaffee? (Ich bin müde.) — 15. Wann ist Peter nach Haus gefahren? (Die Semesterferien begannen im Juli.) — 16. Wann gehst du zum Arzt? (Ich bin krank.) — 17. Wann willst du mit mir an die See fahren? (Ich habe nächstes Jahr Ferien.) — 18. Wann hast du den Arzt kennengelernt? (Ich war im letzten Jahr im Krankenhaus.) — 19. Wann beginnt Robert sein Medizinstudium? (Er hat sein Abitur gemacht.) — 20. Wann unterhältst du dich mit Inge? (Ich treffe sie auf der Straße.)

*

Die Verben haben, sein, werden

1. haben

Das Verb *haben* drückt aus, daß **das Subjekt das Objekt besitzt** oder benutzen darf:

Ich habe *ein Haus.* — Hast *du einen Hund?* — *Wir* haben in der Schule *eine große Tafel.* — Habt *ihr* in München *ein Zimmer?*

Ebenso kann das Verb *haben* zusammen mit einem Objekt **einen Zustand beschreiben.** Das Objekt hat dann meist keinen Artikel.

Ich habe *Hunger.* — Der Zug *hat* in Köln *Aufenthalt.* — Wir *haben* heute *Schule.* — *Habt* ihr morgen *Unterricht?*

Übung 2: *Beschreibt das Objekt von „haben" den Besitz oder das Benutzungsrecht, oder beschreibt es mit dem Verb „haben" einen Zustand?*

1. Inge hat rote Haare. — 2. Wir haben heute viel Zeit. — 3. Die Eltern haben große Freude. — 4. Hast du ein Auto? — 5. Was für eine Bedeutung hat dieses Wort? — 6. Unsere Stadt hat eine schöne breite Straße. — 7. Der Kranke hat wieder Appetit. — 8. Habt ihr einen guten Arzt? — 9. Robert hat kein Abitur. — 10. Ich habe heute viel Arbeit. — 11. Habt ihr Durst? — 12. Er hat Hunger. — 13. Die Frau hat zwei Töchter. — 14. Du hast gestern Glück gehabt. — 15. Der Gast hat in dem Hotel ein schönes Bett. — 16. Die Sportler hatten viel Erfolg.

*

2. sein

Das Verb *sein* **verlangt eine Ergänzung** und **beschreibt mit ihr zusammen einen Zustand, in dem sich das Subjekt befindet.** Die Ergänzungen des Verbs *sein* können sein:

Adjektiv:	Die Stadt *ist schön.* Peter *ist fleißig.* Das Wetter *ist kalt.*
Adverb:	Mein Bruder *ist hier.* Der Unterricht *ist morgens.*
Präposition:	Die Tür *ist zu.* Der Knopf *ist ab.* Der Unterricht *ist aus.*
Präpositionaler Ausdruck:	Meine Eltern *sind zu Haus.* Das Buch *ist im Schrank.* Die Konferenz *ist am Montag.*
Nomen im Nominativ:	Herr Müller *ist ein guter Lehrer.* Karl *ist mein Freund.* Herr Breuer *ist Kaufmann.*

Wenn das Partizip Perfekt eines Verbs, das ein Objekt im Akkusativ verlangt, Ergänzung zum Verb *sein* ist, bezeichnet es **den Zustand, in den das Subjekt** durch die Handlung **gekommen ist.**

Peter hat *die Tür geöffnet.* Die Tür *ist* jetzt *geöffnet.* (die *geöffnete* Tür)

Das Auto hat *den Mann verletzt.* Der Mann *ist* jetzt *verletzt.* (der *verletzte* Mann, der *Verletzte*)

Lübeck, Holstentor

Tore und Türme

Lindau/Bodensee

Nürnberg
Eingang zum
Waffenhof –
Frauentorzwinger

Burg Katz, St. Goar und St. Goarshausen
am Rhein

Burg an der
Mosel

Burgen

Die
Nürnberger
Burg

Übung 3: *In welchem Zustand befindet sich das Objekt nach der Handlung?*
1. Die Schüler haben die Arbeit begonnen. — 2. Der Direktor hat den Brief diktiert. — 3. Der Lehrer hat die Wörter erklärt. — 4. Peter hat seine Aufgaben gemacht. — 5. Frau Braun hat den Brief geschrieben. — 6. Der Lehrer hat die Arbeit des Schülers verbessert. — 7. Ich habe das Auto verkauft. — 8. Die Bewohner haben vor vielen Jahren die Stadt verlassen. — 9. Die Hausfrau hat die Eier gekocht. — 10. Die Post hat mein Telefongespräch mit Herrn Müller unterbrochen. — 11. Der Herr hat im Hotel telefonisch ein Zimmer bestellt. — 12. Robert hat gestern das Handtuch benutzt. — 13. Herr Müller hat vorhin meinen Brief bei der Post eingeworfen. — 14. Die Putzfrau hat mein Zimmer nicht aufgeräumt. — 15. Die Frau hat dieses schöne Zimmer gestern vermietet. — 16. Mein Vetter hat mich heute zum Geburtstag eingeladen.

Übung 4: *Bilden Sie das Perfekt!*
1. Das Telefongespräch ist unterbrochen. — 2. Das Haus ist vermietet. — 3. Die Tür ist geöffnet. — 4. Das Kind ist verletzt. — 5. Die Praktikanten sind ausgebildet. — 6. Der Besuch ist gemeldet. — 7. Der Brief ist unterschrieben. — 8. Das Visum ist ausgestellt. — 9. Das Auto ist beschädigt. — 10. Das Geld ist bei der Bank eingezahlt. — 11. Die Rechnung ist bezahlt. — 12. Das Zimmer ist zugeschlossen.

3. werden

Präsens:	Präteritum:	Perfekt:
ich werde	ich wurde	ich bin . . . geworden
du wirst	du wurdest	
er wird	er wurde	
wir werden	wir wurden	
ihr werdet	ihr wurdet	
sie werden	sie wurden	

Das Verb *werden* verlangt Ergänzungen wie das Verb *sein*. Es beschreibt mit der Ergänzung **einen Zustand, in den das Subjekt kommt** oder **den das Subjekt erreichen will.** Die Ergänzungen des Verbs *werden* können sein:

Adjektiv:	Morgen *wird* das Wetter *schön.* — Bei diesem Regen *werden* die Pflanzen *groß.* — Wenn du bei schlechtem Wetter keinen Mantel anziehst, *wirst* du *krank.*
Nomen im Nominativ:	Mein Bruder studiert jetzt; er will *Ingenieur werden.* — Peter *ist mein bester Freund geworden.*

Übung 5: *Ergänzen Sie die Verben „haben", „sein" oder „werden".*

1. Wir .... hungrig. — 2. Der Mann .... kein Geld. — 3. Die Schule .... in Köln. — 4. Der Junge will Arzt .... — 5. Der Arzt .... nicht zu Haus. — 6. Der Autofahrer .... leicht verletzt. — 7. Beim Sonnenbaden .... man braun. — 8. Bei dieser schweren Arbeit .... ich müde. — 9. Mein Freund .... ein schönes Auto. — 10. Der Mann .... reich. — 11. .... ihr Durst? — 12. Wir .... nicht durstig. — 13. Heute .... die Kinder frei. — 14. .... dieser Platz frei? — 15. Im Frühling .... die Bäume grün. — 16. Am Abend .... es langsam dunkel. — 17. Der Student fährt morgen nach Haus; sein Zimmer .... frei. — 18. Das Licht an der Verkehrsampel .... jetzt rot. Gleich .... es grün. — 19. Wenn es regnet, ... mein Mantel naß. — 20. Das Wetter .... heute schlecht; morgen .... es sicher besser.

*

Das Passiv

Wenn man von einer Handlung spricht, interessiert man sich einmal **für die Handlung** und dann auch **für den Täter,** d. i. die Person, die diese Handlung tut.

Der oder die Täter sind Subjekt im Satz, der eine Handlung beschreibt.

> *Die Arbeiter arbeiten* sonntags nicht in den Fabriken.
> *Die Firma Müller & Co. baut* in der Bahnhofstraße ein Hochhaus.
> *Das Ministerium antwortete* mir nicht auf meinen Brief.
> *Meine Freunde warteten* zwei Stunden auf mich.

Oft ist **nur die Handlung** bekannt, nicht aber der Täter. Es ist aber auch möglich, daß der Täter bekannt, für die Aussage aber uninteressant ist, weil man nur die Handlung beschreiben will. In diesem Fall ist das unbestimmte Pronomen *man* das Subjekt:

> *Man arbeitet* sonntags nicht in den Fabriken.
> *Man baut* in der Bahnhofstraße ein Hochhaus.
> *Man antwortete* mir nicht auf meinen Brief.
> *Man wartete* zwei Stunden auf mich.

Wenn man aber **eine Handlung ohne den Täter** beschreiben will, gebraucht man meistens eine andere Form des Verbs, das PASSIV. Das Passiv ist die Verbform, die den Täter der Handlung gewöhnlich nicht nennt. **Man bildet die Passivform eines Verbs mit werden + Partizip Perfekt.** Die Zeitformen bildet immer das Verb *werden: werden (wird), wurde, ist ... worden.* Beim Passiv hat das Partizip Perfekt von *werden* k e i n e Vorsilbe *ge-!*

Präsens:	Sonntags *wird* in den Fabriken nicht *gearbeitet.*
Präteritum:	Sonntags *wurde* in den Fabriken nicht *gearbeitet.*
Perfekt:	Sonntags *ist* in den Fabriken nicht *gearbeitet WORDEN.*
Plusquamperfekt:	Sonntags *war* in den Fabriken nicht *gearbeitet WORDEN.*

Wenn man einen Satz ins Passiv setzt, muß man beachten, daß **alle Satzglieder auch im Passivsatz ihre Deklinationsform behalten; nur das Akkusativobjekt bekommt die Nominativform!** Die Personalform des Verbs *werden* steht in der 3. Person Singular *(er, es, sie);* wenn aber im Passivsatz ein Subjekt steht, richtet sich die Personalform nach diesem:

> Sonntags *wird* in den Fabriken nicht gearbeitet.
> In der Bahnhofstraße *wird ein Hochhaus* gebaut.
> In der Bahnhofstraße *werden (!) zwei Hochhäuser* gebaut.
> Mir *wurde* nicht auf meinen Brief geantwortet.
> Auf mich *wurde* zwei Stunden gewartet.

Beachten Sie die Personalformen, wenn im Passivsatz das Akkusativobjekt in die Nominativform gesetzt werden muß!

Die Leute grüßen mich oft auf der Straße. – Auf der Straße *werde ich* oft *gegrüßt.*

dich	*wirst du*
ihn	*wird er*
sie	*wird sie*
uns	*werden wir*
usw.	

Man kann in dem Passivsatz, der einen Nominativ besitzt, auch den Täter nennen. In diesen Passivsätzen steht das Nomen oder Pronomen, **das den Täter bezeichnet, meistens hinter der Präposition ‚von':**

Auf der Straße werde ich oft *von den Leuten* gegrüßt.
In der Bahnhofstraße wird *von der Firma Müller & Co.* ein Hochhaus gebaut.

Zusammenfassung für die Bildung des Passivs:
1. man bildet die Passivform des Verbs: *werden* + *Partizip Perfekt;*
2. das Akkusativobjekt erhält die Nominativform;
3. die Personalform des Verbs richtet sich nach dem Nominativ;
4. wenn kein Nominativ im Satz steht, hat *werden* die Personalform der 3. Person Singular;
5. wenn man den Täter nennen will, steht er meist hinter der Präposition *von.*

Übung 6: *Bilden Sie das Passiv! Nennen Sie den Täter nicht!*

1. In Deutschland arbeitet man am Sonntag nicht in den Fabriken. – 2. Am Abend schließt man die Läden um 7 Uhr. – 3. Morgen verkauft man dieses schöne Haus. – 4. Man kocht das Essen vormittags. – 5. Man glaubt mir nicht. – 6. Man gratuliert dem alten Herrn herz-

lich. — 7. Auf dem Bahnhof erwartet man den Minister. — 8. In den Cafés dieser Stadt tanzt man bis in die Nacht. — 9. Man grüßt auf der Straße diese alte Dame höflich. — 10. Um 10 Uhr abends schließt man dieses Haus zu. — 11. Man telefoniert nachts oft mit der Polizei. — 12. Im Sommer vermietet man in unserer Stadt viele Zimmer an die Touristen. — 13. In den Ferien denkt man nicht an die Arbeit. — 14. Man macht in der Nacht diese Tür nicht auf. — 15. Auf der Autobahn fährt man immer sehr schnell.

Übung 7: *Bilden Sie das Passiv! Nennen Sie den Täter nicht!*

1. Der Lehrer zeigt den Schülern ein interessantes Buch. — 2. Während der Pause fragt der Schüler den Lehrer. — 3. Im Unterricht diktiert der Lehrer den Schülern einen schweren Satz. — 4. Am Abend verbessert die Lehrerin die Fehler der Schüler. — 5. Heute nachmittag stellt uns der Direktor den neuen Lehrer vor. — 6. Der Vater schenkt dem Sohn einen schönen Füller zum Geburtstag. — 7. Aus dem Urlaub schicke ich dir viele Postkarten. — 8. Bei einer Familienfeier essen und trinken die Leute bis in die Nacht. — 9. Ich bringe Ihnen morgen das Geld zurück. — 10. Peter telefoniert immer lange mit dem Herrn. — 11. Morgen sprechen wir über den nächsten Ausflug. — 12. Wir schlafen am Sonntagmorgen immer lange. — 13. Wann machen die Hausbewohner abends immer das Licht an? — 14. Warum bringt sonntags der Briefträger die Briefe nicht? — 15. Zahlen die Mieter die Miete am 1. des Monats?

Übung 8: *Bilden Sie das Passiv; achten Sie auf die richtigen Zeitformen! Nennen Sie den Täter der Handlung nicht!*

1. Der Vater beobachtet die Kinder im Garten. — 2. Die Polizei sah den Dieb auf der Straße. — 3. Der Hotelgast zahlt die Zimmerrechnung morgen. — 4. Um 8 Uhr hat die Zimmerwirtin dem Mieter das Frühstück gebracht. — 5. Die Schüler geben dem Lehrer am Ende des Unterrichts die Hefte. — 6. Ein unbekannter Dieb hat Herrn Meier den neuen Wagen gestohlen. — 7. Meine Mutter hat mir für den Winter warme Kleider geschickt. — 8. Frau Braun kauft morgen der jüngsten Tochter einen neuen Sommermantel. — 9. Der Zollbeamte kontrolliert auch den großen Koffer der jungen Dame. — 10. Mein Freund hat mir zu meinem Geburtstag einen schönen Fotoapparat geschenkt. — 11. Ein Krankenwagen bringt den Verletzten sofort ins nächste Krankenhaus. — 12. Der Ausländer hat die Anmeldeformulare richtig ausgefüllt. — 13. Der Hausdiener des Hotels putzt regelmäßig die schmutzigen Schuhe der

Gäste. — 14. Viele gute Bekannte und Freunde haben den alten Herrn Müller immer wegen seiner großen Freundlichkeit geliebt. — 15. Herr Braun kaufte gestern das Auto. — 16. Der Briefträger bringt uns heute die Briefe, auf die wir so lange gewartet haben.

Übung 9: *Wiederholen Sie die Übung 8 und nennen Sie den Täter!*

* * *

Bestimmungen über die Einreise nach Deutschland und den Aufenthalt in Deutschland[1])

Wenn ein Ausländer nach Deutschland einreist, muß er einen gültigen Reisepaß besitzen. Außerdem muß er in seinem Paß das Einreisevisum haben. Dieses Visum bekommt er bei der deutschen Gesandtschaft oder Botschaft in seinem Heimatland. Die deutschen Konsulate oder Generalkonsulate stellen ebenfalls Visa für die Einreise nach Deutschland aus.

Mit vielen europäischen und außereuropäischen Ländern hat die Bundesrepublik besondere Abkommen geschlossen. Die Angehörigen dieser Länder brauchen kein Visum, wenn sie nur drei Monate in Deutschland bleiben wollen.

Nach seiner Ankunft in Deutschland muß sich jeder Ausländer, wie jeder Deutsche, bei der Polizei, d. h. beim Einwohnermeldeamt seines neuen Wohnortes anmelden. Wenn er drei Monate in Deutschland ist, braucht er eine Aufenthaltsgenehmigung (eine Aufenthaltserlaubnis). Diese beantragt man ebenfalls beim Einwohnermeldeamt. Sie gilt immer nur für eine beschränkte Zeit. Nach Ablauf dieser Zeit muß man die Genehmigung verlängern lassen.

Nähere Auskunft darüber geben die Reisebüros und jede Polizeidienststelle.

Erklärungen und Wortschatz:

die Bestimmung, -en (vom Verb *bestimmen*) Regel oder Verordnung, die von einer offiziellen Stelle herausgegeben wurde und die man beachten muß *(Paßbestimmungen, Verkehrsbestimmungen)*
die Einreise: (vom Verb *einreisen*) der Eintritt in ein Land, die Ankunft in einem Land *(die Ausreise: vom Verb ausreisen; die Durchreise: vom Verb durchreisen)*
gültig: vom Verb *gelten (er gilt), galt, gegolten; (Der deutsche Reisepaß gilt 5 Jahre, danach ist er ungültig.)*
das Visum, die Visa: der Sichtvermerk *(Einreisevisum:* Einreisesichtvermerk; *Durchreisevisum:* Durchreisesichtvermerk)

---

[1]) gesprochen auf Schallplatte Nr. 2; Glossar Abschnitt 15 E

die Heimat: das Land oder die Stadt, in der man geboren ist und in der man zu Hause ist *(das Heimatland, die Heimatstadt)*

das Konsulat, -e: die offizielle wirtschaftliche Vertretung eines Landes in einem fremden Land *(der Konsul, -n:* der Leiter eines Konsulats)

das Abkommen, -: die Einigung, die Vereinbarung; *ein Abkommen schließen (Handelsabkommen, Konsularabkommen)*

der Angehörige, -n: eine Person, die zur Familie gehört; eine Person, die zu einer bestimmten Personengruppe gehört *(der Staatsangehörige; die Staatsangehörigkeit; der Parteiangehörige)*

die Genehmigung, -en: (vom Verb *genehmigen*) eine offizielle Erlaubnis (vom Verb *erlauben*)

beschränkte Zeit: ein Zeitraum mit einem vorher festgelegten Ende

der Ablauf der Zeit: das Ende eines bestimmten Zeitraums *(die Zeit läuft ab, ist abgelaufen:* die Zeit ist zu Ende)

verlängern: länger machen *(ich muß meinen Paß verlängern lassen; ich will meinen Aufenthalt in dieser Stadt verlängern)*

die Dienststelle, -: ein offizielles, amtliches Büro

Übung A: *Erklären Sie die Wörter! Wie heißen die Artikel?*

1. Gesellschaftsreise, Reisegesellschaft, Tourist, Geschäftsreise, Reisebüro — 2. Museum, Kunstfreund, Bergsteiger, Bergbahn, Camping-Platz — 3. Mahlzeit, Tageszeit, Fahrplan, Kursbuch, Stadtplan — 4. Lehrling, Schüler, Student, Schulzeit, Schulfreund — 5. Praktikant, Arbeiter, Werkstudent, Damenfrisör, Damenschneiderin — 6. Hochhaus, Gartenhaus, Wochenendhaus, Hausball, Fußballmannschaft — 7. Feriengast, Kurgast, Kurstadt, Seebad, Badestrand — 8. Vaterstadt, Muttersprache, Fremdsprache, Fremdenverkehr.

Übung B: *Bilden Sie mit den drei Nomen einen Satz!*

1. Ausländer, Aufenthalt, Anmeldeformular — 2. Autostraße, Tankstelle, Benzin — 3. Gasthaus, Bergsee, Preis — 4. Bauer, Tourist, Kuh — 5. Fahrplan, Verspätung, Zeitung — 6. Verkehr, Arzt, Skifahrer — 7. Semester, Prüfung, Eltern — 8. Grenze, Paß, Dorf — 9. Fluß, Gebirge, Reiseziel — 10. Frisör, Mädchen, Seife.

Übung C: *Antworten Sie auf die Fragen!*

1. Was müssen Sie tun, wenn Sie ins Ausland fahren wollen? (Paß, Visum usw.) — 2. Wo können Sie etwas über einen Ferienort lesen, und was lesen Sie dort? — 3. Was tun Sie, wenn Sie eine Stadt besichtigen? Was interessiert Sie zuerst? — 4. Wie bereiten Sie eine Ferienreise vor, wenn Sie mit der Eisenbahn (mit dem eignen Auto) fahren? — 5. Was tun Sie, wenn Sie längere Zeit an einem Ferienort bleiben wollen?

Übung D: *Schreiben Sie über Ihre erste (oder letzte) Reise! Denken Sie an folgende Punkte: Grund der Reise, Vorbereitungen, Abfahrt, Fahrt, Ankunft, Aufenthalt, Rückreise usw.*

Übung E: *Bilden Sie das Passiv und nennen Sie immer den Täter!*

1. Das Konsulat hat mir das Reisevisum ausgestellt. — 2. Der freundliche Herr bot mir eine englische Zigarette an. — 3. In diesem Jahre haben viele Touristen ein Einreisevisum für Jugoslawien beantragt. — 4. Viele große Baufirmen bauen im kommenden Jahr schöne, breite Autostraßen. — 5. Die ausländischen Touristen besuchen in dieser Stadt die vielen interessanten Museen. — 6. Gestern hat ein bekannter Bergsteiger den höchsten Gipfel des Berges erreicht. — 7. Dort steht der Wagen, den ein reicher Kaufmann seinem jüngsten Sohn zum Geburtstag geschenkt hat. — 8. Ich muß noch im Büro bleiben, weil mir der Direktor eine wichtige Arbeit gegeben hat. — 9. Der Mann, den gestern ein Autofahrer auf der Bahnhofstraße verletzt hat, liegt jetzt im Krankenhaus. — 10. Hast du gesehen, daß die Arbeiter die Straße nach Bonn neu asphaltieren?

Übung F: *Bilden Sie Sätze mit folgenden Wörtern:*

1. Betrieb, Ausbildung, Satzglied, Schmuggel, Zoll — 2. ausfüllen, sich nähern, danken, nachsehen, verstecken — 3. bei sich haben, sich zeigen lassen, sich unterhalten, sich befinden, sich anstrengen.

*   *   *

SIEBTER ABSCHNITT

Im Reisebüro [1])

Ein Herr:	Guten Tag! Ich möchte mich erkundigen, ob Sie mir eine Ferienreise empfehlen können. Im vorigen Jahr haben meine Frau und ich mit Ihnen eine sehr schöne Reise ins Gebirge gemacht. Wir waren ganz begeistert.
Eine Angestellte des Reisebüros:	Es freut uns sehr, daß Sie mit unserer Arbeit zufrieden waren. Sagen Sie uns, wohin Sie fahren wollen, und wir helfen Ihnen gern wieder. Das ist ja unsere

---

[1]) gesprochen auf Schallplatte Nr. 2; Glossar Abschnitt 17

Aufgabe im Reisebüro. Wollen Sie wieder ins Gebirge fahren? Wir haben auch in diesem Jahr wieder schöne Gesellschaftsfahrten vorbereitet.

Der Herr: Ins Gebirge möchten wir in diesem Jahr nicht wieder fahren. Sie werden doch sicher auch Reisen an die See geplant haben? Meine Frau möchte gern einmal die See kennenlernen. Sie ist noch nie dort gewesen.

Die Angestellte: Wir haben mehrere Reisen an die See vorbereitet. Ich empfehle Ihnen sehr die Reise vom 15. bis 29. Juni. Sie geht zu den Nordfriesischen Inseln und nach Helgoland. Ich bin sicher, daß Ihnen und Ihrer Frau diese Fahrt sehr gefallen wird. Die Reise wird vierzehn Tage dauern und ist außerdem auch sehr preiswert.

Der Herr: Am 15. Juni werde ich noch keinen Urlaub bekommen können. Machen Sie zu einem späteren Zeitpunkt keine Reise mehr dorthin? Vielleicht im Juli oder August?

Die Angestellte: Doch. Wir werden noch eine Reise vorbereiten. Aber der genaue Termin ist noch nicht sicher. Sie wird wahrscheinlich Ende Juli, Anfang August stattfinden. Das wird Ihnen sicher besser passen, nicht wahr?

Der Herr: Ja, das wird gehen. Sagen Sie mir bitte noch, ob die Zimmer wieder von Ihnen bestellt werden oder ob ich mich selber darum kümmern muß.

Die Angestellte: Nein. Wir nehmen Ihnen selbstverständlich alle Arbeit ab. Die Zimmer werden von uns bestellt. Ebenso werden von uns auch die nötigen Schiffskarten für die Dampferfahrt nach Helgoland besorgt.

Der Herr: Wissen Sie schon, wie groß die Reisegesellschaft sein wird?

Die Angestellte: Das kann ich Ihnen jetzt noch nicht sagen. Aber ich nehme an, daß es bestimmt hundert bis hundertfünfzig Personen sein werden.

Der Herr: Ich habe gehört, daß das Wetter an der See immer sehr unbeständig sein soll. Können Sie mir garantieren, daß das Wetter im Juli schön ist?

Die Angestellte: Das kann ich natürlich nicht. Wir können für unsere Kunden viel tun, aber das Wetter können wir nicht für sie bestellen. Ich rate Ihnen, schließen Sie eine

Regenversicherung ab! Dann bekommen Sie Ihr Reisegeld wieder zurück, wenn es in Ihrem Urlaub zu viel regnet. Diese Versicherung kann bei uns abgeschlossen werden, wie Sie auch Ihr Reisegepäck gegen Diebstahl, Feuer usw. bei uns versichern können.

Der Herr: Gut. Ich danke Ihnen für Ihre freundliche Auskunft. Ich werde noch mit meiner Frau sprechen, ob sie mit allem einverstanden ist. Können Sie mir einen Reiseprospekt geben?

Die Angestellte: Gern. Hier haben Sie ihn! Sie können darin lesen, wann unsere verschiedenen Gesellschaftsreisen stattfinden, wie lange sie dauern, wieviel sie kosten und was wir Ihnen für Ihr Geld bieten.

Der Herr: Vielen Dank! Ich werde in den nächsten Tagen noch einmal vorbeikommen und Ihnen sagen, für welche Reise wir uns entschieden haben. Auf Wiedersehen!

Erklärungen und Wortschatz:

sich erkundigen: fragen, Auskunft holen

ganz: vollkommen, total, sehr

der Angestellte, -n: eine Person, die gegen Monatsgehalt beschäftigt ist (*das Gehalt, ⏜er: das Geld, das man für seine Arbeit bekommt); Angestellte und Beamte bekommen Gehalt; Arbeiter bekommen Lohn (der Lohn, ⏜e); Ärzte, Rechtsanwälte und Schriftsteller bekommen Honorar (das Honorar, -e): Schauspieler bekommen eine Gage (die Gage, -n)*

preiswert: nicht zu teuer

der Zeitpunkt: ein bestimmtes Datum, *der Termin*

wahrscheinlich: vielleicht, möglicherweise

das paßt mir: das ist mir recht

das geht: das ist möglich

sich kümmern um: sich bemühen um *(die Eltern kümmern sich um ihre Kinder; der Arzt kümmert sich um seine Patienten)*

eine Arbeit abnehmen: eine Arbeit tun, die eine andere Person tun soll

nötig: notwendig

die Schiffskarte, -n: die Fahrkarte für eine Schiffsreise *(die Flugkarte, -n);* die „Fahrkarte" für eine Flugreise; *der Fahrschein, -e:* das Billett für die Straßenbahn, den Autobus)

annehmen: vermuten, glauben

unbeständig; das Wetter ist unbeständig: das Wetter ist unsicher, veränderlich

die Versicherung, -en: (vom Verb *versichern*): ein Vertrag, in dem eine Firma einer Person garantiert, daß sie den Schaden bezahlt *(Lebensversicherung, Feuerversicherung); sich versichern gegen, eine Versicherung gegen* ... abschließen
die Regenversicherung: eine Versicherung, die dem Touristen den Schaden ersetzt, wenn es an seinem Urlaubsort zu viel regnet
einverstanden sein: zustimmen, die gleiche Meinung haben
vorbeikommen: einen sehr kurzen Besuch machen *(heute kommt Herr Müller bei mir vorbei)*

* * *

Das Passiv und die Modalverben

Die Schuhe der Gäste *werden* täglich *geputzt.*	Die Schuhe *müssen* täglich *geputzt werden.*
Die Tür *wird* abends *geschlossen.*	Die Tür *soll* abends *geschlossen werden.*
Im Krankenhaus *wird* nicht *geraucht.*	Im Krankenhaus *darf* nicht *geraucht werden.*
Dem Kranken *wird* schnell *geholfen.*	Dem Kranken *muß* schnell *geholfen werden.*
Der Dieb *wurde* gestern *gefaßt.*	Der Dieb *konnte* gestern *gefaßt werden.*
Der Paß *ist* beim Konsulat *verlängert worden.*	Der Paß *hat* beim Konsulat *verlängert werden müssen.*

In einem Passivsatz können auch Modalverben stehen. Sie bilden die Personal- und die Zeitformen. **Die Handlung steht im Infinitiv Passiv** *(geputzt werden, geschlossen werden, geraucht werden, geholfen werden, gefaßt werden, verlängert werden):*

Die Tür *soll*	abends *geschlossen werden*				
– – *sollte*	–	–	–		
– – *hat*	–	–	–	*sollen*	
Dem Kranken *muß*	sofort *geholfen werden*				
– – *mußte*	–	–	–		
– – *hat*	–	–	–	*müssen*	

Beachten Sie, **daß die Modalverben können, müssen, dürfen, sollen zur Handlung gehören und sich auf den Täter der Handlung beziehen!** Vergleichen Sie:

Aktiv: *Der Dieb konnte das Geld stehlen.* (Was *konnte der Dieb?*) Der Dieb ist der Täter!

Passiv: Der Dieb *konnte* gestern *(von der Polizei)* gefaßt werden. Die Polizei ist der Täter!
(Die Polizei konnte gestern den Dieb fassen.)

Das Modalverb wollen bezieht sich auf das formale Subjekt des Passivsatzes!
Die Dame wollte zum Bahnhof gefahren werden. (Was *wollte die Dame?*)

Übung 1: *Setzen Sie die Modalverben richtig ein! Achten Sie auf die Zeit-formen!*

1. Die Schulaufgaben werden bis morgen gemacht. *(müssen)* — 2. Das Geld wurde nicht wiedergefunden. *(können)* — 3. In dem großen Fluß wird nicht gebadet. *(dürfen)* — 4. Auf der Autobahn wird schnell gefahren. *(müssen)* — 5. Am Abend werden die Läden geschlossen. *(müssen)* — 6. Von diesem Fenster wurden die Kinder beobachtet. *(können)* — 7. In diesem Garten wird nächstes Jahr ein Haus gebaut *(sollen)* — 8. Der Patient ist gestern im Krankenhaus operiert worden. *(müssen)* — 9. Der Vater wird um Erlaubnis gebeten. *(wollen)* — 10. Das Telegramm wurde uns nicht gebracht. *(können)* — 11. Das alte Auto wurde nicht verkauft *(sollen)* — 12. In dieser Straße wird nicht geparkt. *(dürfen)* — 13. Dem Verletzten wird nicht geholfen. *(können)* — 14. Der Kranke wird morgen nicht ins Krankenhaus gebracht. *(wollen)* — 15. Die Arbeit wird sehr schnell beendet. *(müssen)*

Übung 2: *Bilden Sie das Passiv! Achten Sie auf die Zeitformen! Nennen Sie den Täter nicht!*

1. Ich muß die Briefe schnell zur Post bringen. — 2. Wir mußten die Aufgabe bis heute Mittag machen. — 3. Der Arzt hat dem Patienten nicht mehr helfen können. — 4. Der Koch kann das Essen nicht in zwei Stunden kochen. — 5. Der Hoteldiener soll die Schuhe der Gäste jeden Morgen putzen. — 6. Man soll Reisen immer gut vorbereiten. — 7. Auf dieser Straße darf man die Autos nicht überholen. — 8. Der Direktor muß den Brief noch unterschreiben. — 9. Das Konsulat mußte unsere Pässe noch verlängern. — 10. Man darf Zigaretten und Kaffee nicht über die Grenze schmuggeln. — 11. Hier dürfen die Fußgänger die Straße nicht überqueren. — 12. Du konntest den alten Regenschirm wirklich nicht mehr benutzen. — 13. Herr Müller hat die Wohnung im 2. Stock vermieten müssen. — 14. Vor acht Uhr konnten wir in dem Gasthaus nicht frühstücken. — 15. Man soll den Unterricht nicht unterbrechen. — 16. Frau Müller muß noch heute die Wäsche waschen.

*

Der Ausdruck der Vermutung

Bestimmtheit	Vermutung
Herr Müller arbeitet jetzt in seinem Büro.	Herr Müller *wird* jetzt in seinem Büro *arbeiten.*
Du wohnst schon 3 Jahre in Köln.	Du *wirst* schon drei Jahre in Köln *wohnen.*
Peter fährt morgen nach England.	Peter *wird* morgen nach England *fahren.*
Du bist gestern im Theater gewesen.	Du *wirst* gestern im Theater *gewesen sein.*
Ihr habt das Haus gekauft.	Ihr *werdet* das Haus *gekauft haben.*
Inge will heute zu Haus bleiben.	Inge *wird* heute zu Haus bleiben *wollen.*
Sie kann in einem halben Jahr Auto fahren.	Sie *wird* in einem halben Jahr Auto fahren *können.*
Ihr müßt Sonntag im Büro arbeiten.	Ihr *werdet* Sonntag im Büro arbeiten *müssen.*

Die Verbform *werden* + *Infinitiv,* die man **Futur** nennt, bezeichnet **eine Vermutung des Sprechers.**

Wenn die Handlung oder der Zustand **in der Gegenwart oder in der Zukunft** liegt, gebraucht man den **einfachen Infinitiv;** wenn die Handlung oder der Zustand **in der Vergangenheit** liegt, gebraucht man den **Infinitiv Perfekt** *(gewesen sein, gekauft haben).* Das Verb *werden* kann hier nur die **Präsensform** haben!

Für die 1. Person Singular und Plural *(ich, wir)* wie auch manchmal für die anderen Personen kann das Futur *(werden* + *Infinitiv),* wenn **es** mit der einfachen Infinitivform gebildet wird, die augenblickliche Absicht bezeichnen, die der Sprecher hat.

Bestimmtheit	augenblickliche Absicht
Ich fahre morgen nach München.	Ich *werde* morgen nach München *fahren.*
Wir arbeiten nächste Woche in eurem Garten.	Wir *werden* nächste Woche in eurem Garten *arbeiten.*

Die Absicht liegt in der Gegenwart, die Handlung liegt in der Zukunft. Man muß bei dieser Aussage mit der Futurform daran denken, daß man seine Absicht noch zu jeder Zeit ändern kann.

Übung 3: *Drücken Sie in den folgenden Sätzen Ihre Vermutung aus!*

1. Mein Bruder arbeitet jetzt in Berlin. — 2. Herr Braun hat gestern viel gearbeitet. — 3. Peter ist inzwischen zu Haus angekommen. — 4. Der Zug hat keinen Aufenthalt in Augsburg. — 5. Morgen regnet es. — 6. Der junge Mann muß früher nach Haus gehen. — 7. Der Kranke ist operiert worden. — 8. Wir müssen morgen zum Konsulat gehen. — 9. Die Straße wird neu asphaltiert. — 10. Ihr Kaffee muß verzollt werden. — 11. Der Herr will eine Gesellschaftsreise machen. — 12. Ich kann im Juli noch keinen Urlaub bekommen. — 13. Ein Kauf dieses Hauses ist nicht möglich. — 14. Gestern sind ungefähr fünf Personen verletzt worden. — 15. Die Geschäfte sind Samstag nachmittags geschlossen. — 16. Mein Vater hat einen Brief an den Schuldirektor geschrieben. — 17. Ich kann die Prüfung im nächsten Sommer noch nicht bestehen. — 18. Die junge Dame ist 22 Jahre alt. — 19. Robert läßt sich regelmäßig beim Frisör rasieren. — 20. Der Lehrer läßt die Schüler heute früher nach Haus gehen. — 21. Der Sohn hilft seinem Vater im Garten arbeiten. — 22. Herr Braun will seinen Sohn an der Universität studieren lassen.

*

Fragesatzformen als Gliedsätze

Fragesatz	Gliedsatz
Wer kommt morgen zu dir?	Sage mir, *wer* morgen zu dir kommt!
Wen habt ihr gestern gesehen?	Ich weiß, *wen* ihr gestern gesehen habt.
Wem hat Peter das Geld gegeben?	Er sagt mir nicht, *wem* Peter das Geld gegeben hat.
Wessen Vater will der Lehrer sprechen?	Wir haben nicht gehört, *wessen* Vater der Lehrer sprechen will.
Wo wohnt Herr Müller?	Kannst du mir sagen, *wo* Herr Müller wohnt?
Wohin fahrt ihr im Sommer?	Wißt ihr schon, *wohin* ihr im Sommer fahrt?
Wie macht man das?	Sagen Sie mir bitte, *wie* man das macht!
Wie viele Schüler sind in der Klasse?	Ich weiß nicht, *wie viele Schüler* in der Klasse sind.
Um wieviel Uhr fahrt ihr ab?	Könnt ihr mir sagen, *um wieviel Uhr* ihr abfahrt?

Fragesatz	Gliedsatz
Warum lernt er Deutsch?	Peter sagt mir nicht, *warum* er Deutsch lernt.
Wann kommt dein Freund?	Es ist noch unbekannt, *wann* dein Freund kommt.
Hast du meinen Bruder gesehen?	Sage mir bitte, *ob* du meinen Bruder gesehen hast!
Will er nach Berlin fahren?	Ich weiß nicht, *ob* er nach Berlin fahren will.

Wenn man Gliedsätze aus **Fragesätzen** bildet, tritt die Personalform ans Ende des Satzes. Bei Gliedsätzen, die aus **Entscheidungsfragen** gebildet werden, steht die Konjunktion *ob*.

Diese Sätze können **Subjektsätze** sein:

Es ist nicht bekannt, *wer morgen kommt.*   (*Was* ist nicht bekannt?)
                wessen Auto gestohlen wurde.
                wohin wir gebracht werden.
                warum er sein Haus verkauft.
                wie schnell das Auto fährt.
                ob ein neuer Lehrer kommt.

Sie können **Objektsätze** sein:

Peter weiß nicht, *wer in diesem Haus wohnt.*   (*Was* weiß Peter nicht?)
              wem sein Freund einen Brief geschrieben hat.
              um wieviel Uhr der Zug abfährt.
              wann sein Freund kommt.
              ob er in den Ferien an die See fährt.

Übung 4: *Bilden Sie Subjekt- und Objektsätze aus diesen Fragesätzen! (Das Pronomen* **es** *entfällt, wenn es nicht am Anfang des Satzes steht!)*

1. Wer ist dieser Mann? Ich weiß es genau. — 2. Wen hat mein Freund gestern im Kino getroffen? Ich habe es nicht gesehen. — 3. Wessen Uhr wurde gestern gefunden? Können Sie es mir sagen? — 4. Woher kommt dieser junge Mann? Ich weiß es nicht. — 5. Warum sind Sie gestern nicht in den Unterricht gekommen? Ich habe Sie gefragt. — 6. Wie lange werde ich Urlaub haben? Ich habe den Direktor gefragt. — 7. Wem hat meine Schwester einen Brief geschrieben? Ich kann es mir denken. — 8. Was ist das? Wissen Sie es? — 9. Wohin habe ich meinen neuen Fotoapparat gelegt? Ich kann es nicht sagen. — 10. Wieviel kostet dieser schöne neue Wagen? Der Verkäufer sagte es mir. — 11. Wann werden die Geschäfte am Samstag geschlossen? Es steht in der Zeitung. — 12. Hast du heute abend Zeit? Ich frage meinen Freund. —

13. Werden Sie in München übernachten? Ich weiß es nicht. — 14. Fährt
er morgen nach Berlin? Es ist nicht sicher. — 15. Warum antwortete er
mir nicht? Er wird es schon wissen.

*
Temporalsätze

Satzglied	Gliedsatz
Vor einer Reise kaufe ich die Fahr-karte.	*Bevor* ich eine Reise mache, kaufe ich die Fahrkarte.
Während der Fahrt im Zug lese ich ein Buch.	*Während* ich im Zug fahre, lese ich ein Buch.
Nach meiner Ankunft gehe ich in ein Hotel.	*Nachdem* ich angekommen bin, gehe ich in ein Hotel.
Seit meiner Abfahrt von Köln sind zwei Wochen vergangen.	*Seit(dem)* ich von Köln abgefahren bin, sind zwei Wochen vergangen.

Die Handlung im Gliedsatz mit der Konjunktion **bevor** liegt zeitlich n a c h
der Handlung im übergeordneten Satz. Statt der Konjunktion *bevor* kann auch
die Konjunktion *ehe* stehen (vgl. die Präposition *vor*).

Die Handlung im Gliedsatz mit der Konjunktion **während** liegt i n d e r g l e i -
c h e n Z e i t wie die Handlung im übergeordneten Satz (vgl. die Präposition
während).

Die Handlung im Gliedsatz mit der Konjunktion **nachdem** liegt zeitlich v o r
der Handlung im übergeordneten Satz (vgl. die Präposition *nach*).

Der Beginn der Handlung hinter der Konjunktion **seit(dem)** trifft zeitlich
mit dem Beginn der Handlung des übergeordneten Satzes zusammen (vgl. die
Präposition *seit*).

Beachten Sie die **Zeitformen** nach der Konjunktion *nachdem!*

Nachdem wir zu Haus *angekommen sind, gehen* wir ins Bett. (Perfekt –
Präsens.)

Nachdem wir zu Haus *angekommen waren, gingen* wir ins Bett.

sind wir ins Bett *gegangen.*

(Plusquamperfekt – Präteritum oder Perfekt.)

Übung 5: *Bilden Sie temporale Gliedsätze! (bevor, während, nachdem)*

1. Ich schrieb einen Brief. Danach brachte ich ihn sofort zur Post. —
2. Man überquert eine Straße. Vorher muß man zuerst nach links und
dann nach rechts schauen. — 3. Frau Berger arbeitet in der Küche, und
Herr Berger liest die Zeitung. — 4. Das Orchester spielt. Die Zuhörer
schweigen. — 5. Ich kam in München an; dann besuchte ich meine
Freunde. — 6. Der Ausländer studiert an einer deutschen Universität.
Vorher lernt er gut Deutsch. — 7. Der kranke Vater schläft. Die Kinder

müssen ruhig sein. — 8. Zuerst hilfst du mir, dann helfe ich dir. — 9. Ich war auf einer Reise. Aus meiner Wohnung wurde Geld gestohlen. — 10. Der Zug hält. Vorher darf die Wagentür nicht geöffnet werden. — 11. Wir setzen uns zum Essen; vorher waschen wir uns die Hände. — 12. Du machst deine Arbeit. Danach gehen wir ins Kino. — 13. Ich kann eine Reise machen. Vorher muß ich meine Koffer packen. — 14. Die Freunde saßen bei einem Glas Wein und sprachen von ihrer Schulzeit. — 15. Mein Bruder bestand seine Prüfung. Dann durfte er eine Auslandsreise machen. — 16. Wir aßen und gingen dann spazieren. — 17. Vor unserem Haus ereignete sich ein Verkehrsunfall. Ich schaute zum Fenster hinaus. — 18. Die Freunde hatten zwei Stunden gewartet. Dann kam der Zug aus Paris. — 19. Du gehst aus dem Haus. Vergiß nicht, vorher das Licht auszumachen! — 20. Der Reisende erreichte den Bahnhof. Vorher fuhr der Zug ab.

*

viel (mehr) — wenig (weniger)

Ich nehme nur *wenig* Milch in den Kaffee. — Geben Sie mir *mehr* Zucker. — Mit *viel* Zucker macht man den Kaffee süß. — Ich wünsche Ihnen *viel* Glück. — Ich hatte im letzten Jahr *weniger* Arbeit als jetzt.

Wenn *viel* und *wenig, mehr* und *weniger* **Attribute vor Nomen im Singular** sind, die keinen Artikel haben, dekliniert man sie nicht.

Mein Lehrer hat *viele* Bücher in seinem Arbeitszimmer. — Haben Sie *mehr* Bücher als er? — Nein, ich habe *weniger* Bücher. — Wir sind mit *wenigen* Freunden zusammen gewesen.

Vor Nomen im Plural dekliniert man *viel* und *wenig* wie Adjektive vor Nomen ohne Artikel; die Komparationsformen *mehr* und *weniger* dekliniert man nicht.

Was willst du mit deinen *vielen* Büchern machen? — Mit diesem *wenigen* Geld kannst du nicht viel kaufen.

Nach Artikel, Possessiv- und Demonstrativpronomen dekliniert man *viel* und *wenig* wie andere Adjektive.

Übung 6: *Setzen Sie die Wörter richtig ein!*

1. Menschen sind zum Fest gekommen. (*viel*) — 2. Wir sind nur mit Geld nach Köln gefahren. (*wenig*) — 3. Ich wünsche Ihnen Vergnügen (*viel*) — 4. Ich brauche Geld als du. (*mehr*) — 5. Robert ist mit Kameraden zusammengekommen. (*viel*) — 6. Eßt Obst! (*mehr*) — 7. Wir hatten Erfolge als ihr. (*mehr*) — 8. Mit Geld kann man auch zufrieden sein. (*weniger*) — 9. Mit Butter schmeckt der Kuchen besser. (*mehr*) — 10. Er kann nur Deutsch sprechen. (*wenig*)

Kirche in Bonn, Venusberg

Alte und neue
Kirchen

*Ulmer
Münster*

Matthäuskirche in München

Kongreßhalle

Berlin

„Interbau"

Hansaviertel

Der attributive Genitiv

Roberts Eltern kommen heute. — Inges Vater hat heute geschrieben. — Deutschlands Hauptstadt ist Berlin. — Das ist Vaters Haus. — Hier ist Mutters Hut.

Namen bilden den Genitiv mit der Endung -s und stehen vor dem übergeordneten Nomen, das dann seinen Artikel verliert. Die Familienbezeichnungen *Vater, Mutter, Onkel* und *Tante* kann man nur dann mit diesem Genitiv bilden, wenn man von Personen der eignen Familie spricht. Im andern Fall muß man sagen: Das ist *das Haus seines Vaters.* Hier ist *der Hut seiner Mutter.* In der Umgangssprache hört man bei Namen meistens statt des Genitivs die Konstruktion mit der Präposition *von:*

Die Eltern *von Robert* kommen heute. Der Vater *von Inge* hat heute geschrieben. Die Hauptstadt *von Deutschland* ist Berlin. Das ist das Haus *von Vater.*

Die Konstruktion mit der **Präposition v o n statt des Genitivs** gebraucht man vor allem dann, wenn eine Genitivform nicht erkennbar ist, z. B. der Genitiv Plural bei einem Nomen ohne Artikel und attributives Adjektiv.

      die Arbeiten *eines Schülers*   — die Arbeiten *von Schülern*
aber: die Arbeiten *eines guten Schülers* — die Arbeiten *guter Schüler*

Übung 7: *Bilden Sie mit den kursiv gedruckten Wörtern den Plural!*

1. Der Bau *eines Hauses* ist in der heutigen Zeit sehr teuer. — 2. Der Geschäftsmann kam zum Kauf *eines neuen Autos* nach Köln. — 3. Die Höhe *eines Berges* kann man nicht genau erkennen. — 4. Die Reparatur dieser Straße war die Arbeit *eines Tages.* — 5. Das Erlernen *einer Fremdsprache* ist nicht leicht. — 6. Das Leben *eines Blinden* ist schwer. — 7. Das Wort *eines Mannes* ist mehr wert als das Wort *eines kleinen Kindes.* — 8. Die Einrichtung *eines Zimmers* ist nicht so teuer. — 9. Die Freundschaft *eines guten Menschen* ist mehr wert als die Freundschaft *eines reichen Menschen.* — 10. Die Bewohner *einer Stadt* sind nicht reicher als die Bewohner *eines Dorfes.*

*   *   *

Schule und Ausbildung in Deutschland [1])

In Deutschland besteht Schulpflicht, d. h. alle Kinder müssen in die Schule gehen, wenn sie sechs Jahre alt sind. Zuerst gehen sie in die Volksschule. Diese hat acht Klassen. Jede Klasse dauert ein Jahr. Nach der 8. Klasse verlassen die Kinder die Schule und lernen einen Beruf. Sie sind dann drei Jahre Lehrling. Auch während dieser Zeit müssen

---

[1]) Glossar Abschnitt 16 E

sie mehrmals in der Woche eine Berufsschule besuchen. Am Ende ihrer Lehrzeit müssen sie eine Prüfung machen, die Gesellen- oder die Gehilfenprüfung. Wenn sie einige Jahre als Gesellen gearbeitet haben, können sie noch die Meisterprüfung machen. Sie dürfen dann selbst Lehrlinge ausbilden.

Viele Kinder gehen aber nur vier Jahre in die Volksschule und kommen danach, also mit 10 Jahren, auf ein Gymnasium. Dort bleiben sie 9 Jahre und machen dann, also mit 19 Jahren, das Abitur, d. i. die Schlußprüfung einer höheren Schule. Jetzt können sie ein Studium an einer Universität oder an einer Hochschule, z. B. an einer Technischen Hochschule, beginnen. Aber nicht alle diese Jungen und Mädchen studieren. Viele beginnen nach dem Abitur ihre Lehrzeit in verschiedenen Berufen. Diese dauert dann aber keine 3 Jahre, sie ist viel kürzer.

Die Universitäten in Westdeutschland sind in Berlin, Bonn, Erlangen, Frankfurt am Main, Freiburg, Gießen, Göttingen, Hamburg, Heidelberg, Kiel, Köln, Mainz, Marburg, München, Münster, Saarbrücken, Tübingen, Würzburg. — *Technische Hochschulen* gibt es in Aachen, Berlin, Braunschweig, Darmstadt, Hannover, Karlsruhe, München, Stuttgart.

Die Universitäten in Mitteldeutschland sind in Berlin, Greifswald, Halle, Jena, Leipzig und Rostock. In Dresden und Leipzig sind *Technische Hochschulen*.

In Österreich sind Universitäten in Graz, Innsbruck und Wien.

Berufe:

Handwerker: Bäcker, Schneider, Frisör, Elektriker, Tischler, Maurer, Metzger (Fleischer), Schuhmacher (Schuster), Uhrmacher, Drucker usw.

Akademische Berufe: Lehrer, Arzt, Rechtsanwalt, Richter, Ingenieur, Architekt usw.

Andere Berufe: Kaufmann, Maler, Fotograf, Bildhauer, Schauspieler usw.

* * *

Übung A: *Setzen Sie die Adjektive richtig ein!*

1. Wir verbrachten einen Urlaub an einem See inmitten der Gebirgslandschaft. *(klein, malerisch, schön)* — 2. Touristen fahren gern auf den Autostraßen, die sie schnell in die Gegenden des Landes führen. *(modern, motorisiert, schön)* — 3. Der Mann trug der Dame die Koffer zum Bahnhof. *(alt, höflich, jung, schwer)* — 4. Der Gast bekam in dem Hotel ein Zimmer. *(ausländisch, gemütlich, klein)* — 5. Das Konsulat befindet sich in dem Haus in der Straße. *(breit, deutsch, hoch)* — 6. Auf dem Tisch liegt eine Decke. *(blau, lang)* — 7. Der Student muß für sein Zimmer eine Miete zahlen. *(arm, hoch, klein)* — 8. In dem Garten dieses Hauses gibt es viele Blumen. *(bunt, modern, schön)*

Übung B: *Setzen Sie die Attribute richtig ein!*

1. Im Sommer hat man die Straße asphaltiert. (*letzt, zwischen München und Augsburg, neu*) — 2. Der Sohn wohnt in dem Hotel. (*der Kaufmann, modern, in der Bahnhofstraße*) — 3. Kennt der Herr die Dame? (*alt, jung, mit den blonden Haaren*) — 4. Das Haus gehört dem Besitzer. (*am Waldrand, die Maschinenfabrik*) — 5. Die Kinder lernen Fremdsprachen bei Lehrern. (*in der Schule, ausländisch*) — 6. Bei diesem Wetter können wir nicht zu der Kirche gehen. (*schlecht, heute, dort oben auf dem Berg*) — 7. Der Mann ist der Sohn. (*jung, mit dem Fahrrad, unser Lehrer aus Berlin*). — 8. Das Auto ist eine Automarke. (*dort drüben, bekannt, aus Deutschland*)

Übung C: *Bilden Sie Relativsätze und setzen Sie diese richtig ein!*

1. Der Herr war ein berühmter Filmschauspieler. (Er hat mit mir gesprochen.) — 2. Im Urlaub fahren wir in ein Land. (Wir bekommen ihn im kommenden Sommer. Wir kennen es noch nicht.) — 3. Die schöne Tasche schenke ich meinem Freund. (Ich habe sie gestern in der Stadt gekauft. Er hat nächste Woche Geburtstag.) — 4. Das Hotel gehört einem Herrn. (Wir wohnen darin. Er hat viel für diese Stadt getan.) — 5. Wir stellen den Koffer in das Auto. (Der Gepäckträger hat ihn gebracht. Wir wollen mit dem Auto nach Salzburg fahren.) — 6. Der Briefträger bringt Frau Braun das Telegramm. (Er kommt dort hinten. Sie hat so lange darauf gewartet.) — 7. In der Reisegesellschaft gibt es viele Ausländer. (Ich reise mit ihr nach Italien. Sie kommen aus Skandinavien.) — 8. Das Buch habe ich von einem Freund. (Ich lese gerade darin. Er studierte vor einem Jahr in Paris.)

Übung D: *Bilden Sie das Perfekt!*

1. Der Ausländer läßt seinen Paß beim Konsulat verlängern. — 2. Peter will ins Theater gehen. — 3. Die Tochter hilft ihrer Mutter kochen. — 4. Der Gast muß ein besseres Zimmer bekommen. — 5. Die Studenten dürfen in diesem Sommer eine Reise an die See machen. — 6. Die Kinder sehen Flugzeuge über die Stadt fliegen. — 7. Ich höre nachts die Autos auf der Straße fahren. — 8. Ich kann heute nicht mit meinem Direktor sprechen.

Übung E: *Bilden Sie mit den folgenden Verben Sätze!*

1. erkundigen, empfehlen, sich freuen, vorbereiten, gefallen — 2. stattfinden, passen, passieren, bestellen, stellen — 3. sich kümmern, besor-

gen, sorgen, annehmen, vermuten — 4. garantieren, schließen, abschließen, versichern, sich entscheiden — 5. vorbeikommen, bieten, anbieten, verbieten, bitten.

Übung F: *Bilden Sie Sätze im Perfekt!*

1. bringen, Hausdiener, unser Gepäck, Zimmer — 2. ausfüllen, Hotelgast, Meldezettel — 3. führen, Page, Gäste, Hotelzimmer — 4. einnehmen, Gäste, Mittagessen, 12.30 Uhr — 5. abreisen, Ausländer, Zug, 18.45 Uhr — 6. aufgeben, Koffer, Gepäckannahme — 7. ankommen, Zug, Verspätung, München — 8. sich nähern, Reisende, Landesgrenze — 9. kontrollieren, Grenzpolizei, Pässe — 10. nachsehen, Zollbeamter, meine Koffer, Zugabteil — 11. schließen, Beamte, Wagentüren, Abfahrt des Zuges — 12. nehmen, Herr, Zeitung, Tasche.

Übung G: *Ergänzen Sie die Deklinationsendungen und die Präpositionen!*

1. Der Lehrer war .... d- Arbeit sehr zufrieden. — 2. Ich bin .... d- Ende des Romans gespannt. — 3. Peter war .... sein- Freund wütend. — 4. Wir sind .... d- Direktor der Maschinenfabrik verwandt. — 5. Seid ihr .... d- Herrn bekannt? — 6. Robert ist .... diese- Stadt fremd. — 7. Das Auto war .... vier Personen besetzt. — 8. Wir sind .... euer- Onkel befreundet. — 9. Der junge Mann war d- Diebstahl- verdächtig. — 10. Das schlechte Wetter war d- Touristen unangenehm. — 11. Die Dame war .... d- dicken Herrn zornig. — 12. Der Park liegt nahe .... unser- Wohnung. — 13. München liegt 150 km .... unser- Stadt entfernt. — 14. Nicht weit .... sein-Haus ist die Universität. — 15. Dieser Mann ist d- Beamte- unbekannt.

ACHTER ABSCHNITT

Aus der Zeitung [1])

Steht die erste Reise eines Menschen zum Mond bevor?

hg. Hamburg, 7. Oktober: Wie bereits durch Rundfunk und Fernsehen gemeldet wurde, ist gestern ein seit Tagen angekündigter bemannter Weltraumflug geglückt. Pünktlich um 16.43 Uhr MEZ wurde auf dem amerikanischen Raketenversuchsgelände eine Trägerrakete mit einer bemannten Raumkapsel gestartet. Planmäßig löste sich in der vorausberechneten Höhe die Kapsel von der Rakete und flog in einer Höhe von mehr als 180 km durch den Raum. Bei Eintritt in die dichteren Luftschichten der Erdatmosphäre öffneten sich ordnungsgemäß die Fallschirme, und die Kapsel schwebte sicher zur Erde nieder. Sie wurde danach von Hubschraubern, die von Schiffen aus gestartet waren, aus dem Meer geborgen. Die Schiffe waren schon vor einigen Tagen in das Gebiet ausgelaufen, das für die Landung der Raumkapsel vorgesehen war.

Der amerikanische Astronaut, der in der Kapsel mitgeflogen war, äußerte sich sehr befriedigt über den Flug und über das Arbeiten der in der Kapsel eingebauten Instrumente, die während des Fluges wichtige wissenschaftliche Aufzeichnungen machten. Die Wissenschaftler, die den bei dem Versuch anwesenden Reportern auf zahlreiche Fragen antworten mußten, waren der Meinung, daß die Weltraumforschung mit diesem Versuch einen bedeutenden Schritt weitergekommen ist. Sie werden weiterhin ihre Versuche fortsetzen und rechnen damit, daß es in wenigen Jahren möglich ist, mit einer bemannten Rakete zum Mond zu starten.

Seitdem es den russischen Wissenschaftlern gelungen ist, 1957 den ersten Erdsatelliten auf eine Umlaufbahn um die Erde zu bringen und 1961 den ersten bemannten Weltraumflug erfolgreich durchzuführen, hat die internationale Weltraumforschung große Fortschritte gemacht. Man hofft, daß die auf diesem Gebiet am weitesten fortgeschrittenen Staaten, die Sowjet-Union und die Vereinigten Staaten von Amerika, auch hier eine internationale Zusammenarbeit anstreben; denn nur die friedliche Zusammenarbeit unter den Völkern dient dem Wohl der Menschheit.

Autodieb verurteilt

sch. Neustadt, 8. Oktober (eigner Bericht): In der gestrigen Verhandlung vor dem hiesigen Amtsgericht wurde der 34jährige Max Klemm wegen schweren Diebstahls zu zwei Jahren und vier Monaten Gefängnis verurteilt.

Wie wir vor vierzehn Tagen berichteten, wurde in der Nacht zum 22. September ein dunkelgrüner Personenwagen, Marke Opel „Kapitän", gestohlen. Wenige Tage später konnte der Dieb von der Polizei verhaftet werden. Er wurde in das hiesige Gefängnis eingeliefert. Inzwischen ist auch der gestohlene Wagen wiedergefunden und dem Besitzer zurückgegeben worden.

Bei der Gerichtsverhandlung leugnete der Angeklagte zunächst seine Tat; nachdem jedoch die Zeugen ver-

---

[1]) Glossar Abschnitt 18

nommen worden waren und die Beweisaufnahme ergeben hatte, daß er der Täter war, gab der Angeklagte sein Leugnen auf und gestand den Diebstahl. Der Staatsanwalt beantragte drei Jahre Gefängnis. Das Gericht blieb jedoch unter dem Antrag des Staatsanwalts. Der Angeklagte nahm das Urteil an und wurde sofort wieder ins Gefängnis zurückgebracht.

Erklärungen und Wortschatz:

täglich: regelmäßig jeden Tag; *stündlich, wöchentlich, monatlich, vierteljährlich, jedes Vierteljahr, alle Vierteljahre, jährlich*

das Fernsehen: die Television; *die Fernsehsendung*

ankündigen: vorher bekanntgeben

bemannt: mit einem Mann oder einer Mannschaft besetzt; ein bemanntes Flugzeug; ein *unbemanntes* Flugzeug

der Weltraum: der Raum außerhalb der Erdatmosphäre

glücken: gelingen

MEZ: mitteleuropäische Zeit

der Versuch, -e: das Experiment; *Versuche machen:* experimentieren

die Trägerrakete, -n: eine Rakete, die wissenschaftliche Instrumente usw. transportiert

die Raumkapsel, -n: eine für den Flug in den Weltraum besonders konstruierte Flugkabine

der Fallschirm, -e: Schirm zum Abwurf von Gegenständen oder zum Absprung für Personen vom Flugzeug aus

schweben: ohne Motor oder eigne Bewegung durch die Luft fliegen

der Hubschrauber, -: ein flügelloses Flugzeug, das mit einem Rotor angetrieben wird. Ein *Rotor* ist die vierflügelige Luftschraube, die den Hubschrauber trägt

bergen, a – o: retten

vorsehen, a – e: planen

äußern: sagen

die Aufzeichnung, -en: die Notiz

der Meinung (Gen.) *sein:* meinen, glauben

die Forschung, -en: (Verb: *forschen*) die wissenschaftliche Tätigkeit zu dem Zweck, Neues zu erfinden oder Unbekanntes zu entdecken

der Mond, -e: der Trabant eines Planeten; *die Mondphase, -n:* zunehmender Mond, abnehmender Mond; Neumond, Halbmond, Vollmond (Heute haben wir Vollmond.)

der Satellit, -en: Mond, künstlicher Mond

das Gebiet, -e: Teil eines Landes, (fig.:) Teil einer Wissenschaft *(Wissensgebiet)*

die Menschheit: alle Menschen insgesamt

gestrig: Adjektiv von *gestern (vorgestrig, morgig);* nur als Attribut gebraucht

die Verhandlung, -en: vom Verb *verhandeln*

hiesig: Adjektiv von *hier (dortig)*

das Amtsgericht, -e: ein Gericht niedrigster Instanz

-jährig: ein 34jähriger Mann: ein Mann, der 34 Jahre alt ist; ein *5monatiges* Kind; eine *zweijährige (zweiwöchige, zweitägige)* Reise

die Marke, -n: das Fabrikat, das Zeichen für ein Fabrikat; *der Markenartikel, -:* die Ware einer bekannten Fabrik

verhaften: festnehmen

einliefern: eine Person ins Krankenhaus oder ins Gefängnis transportieren
inzwischen: in der Zwischenzeit
leugnen: etwas bestreiten, etwas als falsch bezeichnen
der Zeuge, -n: die Person, die etwas gesehen oder gehört hat
der Staatsanwalt, _ªe: der offizielle Vertreter der Öffentlichkeit bei Gericht

*

Der Infinitiv als Objekt

Einige Verben können **als Objekt im Satz einen Infinitiv mit der Präposition** *zu* annehmen. Damit wird die Handlung, die der Infinitiv beschreibt, selbst zum Objekt des Satzes. Dies ist aber n u r möglich, wenn das Subjekt der Infinitivhandlung (d. i. also der Täter) vorher genannt wurde. Es gibt hierfür zwei Möglichkeiten:

1. Das Satzsubjekt ist gleichzeitig auch Subjekt der Infinitivhandlung

Ich wünsche, *bald nach Haus zu gehen.* (*Was* wünsche ich? *Ich* wünsche, daß *ich* bald nach Haus gehen kann.)

Der Bergsteiger versucht, *auf den höchsten Gipfel des Berges zu steigen.* (*Was* versucht der Bergsteiger?)

Der Schüler beginnt *seine Schulaufgaben zu schreiben.* (*Was* beginnt der Schüler?)

Inge freut sich *darüber, nächste Woche nach Haus fahren zu können.* (*Worüber* freut sich Inge?)

Fang endlich *an, im Garten zu arbeiten!* (*Was* sollst du anfangen?)

Der junge Mann hat *der Dame* angeboten, *ihre Koffer zum Bahnhof zu tragen.* (*Was* hat der junge Herr der Dame angeboten?) — *Der junge Herr will* der Dame die Koffer zum Bahnhof tragen.

2. Ein Objekt des Satzes ist gleichzeitig Subjekt der Infinitivhandlung

Das Subjekt der Infinitivhandlung kann aber immer nur eine Person sein!

Ich habe *meinem Freund* geraten, *in der Schule Deutsch zu lernen* (*Was* hast du deinem Freund geraten?) — *Mein Freund soll* in der Schule Deutsch lernen.

Ich muß *den Herrn darum* bitten, *mir bei der schwierigen Arbeit zu helfen.* (*Worum* mußt du den Herrn bitten?) — *Der Herr soll* mir bei der schwierigen Arbeit helfen.

Beachten Sie! **Die Handlung kann nur im Infinitiv stehen, wenn das Subjekt dieser Handlung vorher im Satz genannt wurde.** Wenn die Handlung ein eigenes Subjekt hat, gebraucht man den Objektsatz mit der Konjunktion *daß:*

Ich wünsche, *daß d u bald nach Haus gehst.* (*Was* wünsche ich?)

Inge freut sich *darüber, daß i h r e E l t e r n nächste Woche nach Haus kommen.* (*Worüber* freut sich Inge?)

Ich habe *darum* gebeten, *daß mir I n g e das Buch zurückbringt.*

Die Stellung der Präposition z u vor dem Infinitiv:

zu **steht unverbunden vor dem Infinitiv und wird wiederholt, wenn mehrere Infinitivhandlungen beschrieben werden:**

Nach dem Beginn der Feier begannen die Gäste *zu* essen und *zu* trinken.

Bei den trennbaren Verben tritt *zu* **zwischen die trennbaren Teile:**
Ich hoffe, Sie bald bei uns wieder*zu*sehen.

Wenn die Infinitivhandlung ein Modalverb enthält, steht *zu* **vor dem Modalverb:**
Ich hoffe, dir bald helfen *zu* können. (Ich *kann* dir bald *helfen*.)

Beachten Sie! Nach „brauchen" steht[1]) **immer der Infinitiv mit „zu"; das Perfekt wird aber wie bei den Modalverben mit dem Infinitiv** (nicht mit dem Partizip Perfekt) **gebildet, der immer am Ende des Satzes steht. Vor dem Infinitivsatz nach „brauchen" steht kein Komma.**

Wir *brauchen* sonntags nicht *zu* arbeiten.	Wir *haben* sonntags nicht zu *arbeiten brauchen*.
Er *braucht* seinem Vater nur *zu* schreiben, wenn er Geld haben will.	Er *hat* seinem Vater nur *zu schreiben brauchen*, wenn er Geld haben wollte.

Der Ausdruck der Zeit bei Infinitivhandlungen:

Der Infinitiv hat **nur z w e i** Zeitformen. Wenn die Infinitivhandlung s p ä - t e r ist als die Handlung im Satz oder wenn sie g l e i c h z e i t i g ist, gebraucht man **die einfache Infinitivform** mit *zu:*
Ich wünsche, jetzt *zu schlafen*. (gleichzeitig!)
, jetzt zum Bahnhof *gebracht zu werden*. (Passiv; gleichzeitig!)
Wir hoffen, morgen unsere Freunde *wiederzusehen*. (später!)
, morgen nach Köln *gebracht zu werden*. (später!)
Wenn die Infinitivhandlung f r ü h e r war als die Handlung im Satz, gebraucht man den **Infinitiv Perfekt** mit *zu:*
Ich glaube (glaubte, habe geglaubt), die Prüfung *bestanden zu haben*. (früher!)
, gestern morgen von Ihnen *geweckt worden zu sein*. (Passiv; früher!)

Beachten Sie! wenn die Infinitivhandlung **keine eigenen Satzglieder** hat, trennt man den Infinitiv **nicht durch ein Komma** vom Satz, und der Infinitiv kann sich im Satz wie die übrigen Satzglieder einordnen.
Peter fängt immer morgens um 9 Uhr an *zu arbeiten*.
Peter fängt immer morgens um 9 Uhr *zu arbeiten* an.
Peter hat immer morgens um 9 Uhr angefangen *zu arbeiten*.
Peter hat immer morgens um 9 Uhr *zu arbeiten* angefangen.

Übung 1: *Setzen Sie die Sätze als Infinitivsätze ein!*

1. Die Reisenden begannen kurz vor der Grenze .... (*Die Reisenden unterhielten sich über die Zollkontrolle.*) — 2. Peter fängt immer fünf Minuten vor Abfahrt des Zuges an .... (*Er läuft.*) — 3. Ich wünsche .... (*Ich sehe Sie bald wieder.*) — 4. Es fängt in unserem Land immer im Herbst

---

[1]) in negativen Sätzen oder in Sätzen mit dem Modalglied *nur*

an .... (*Es regnet.*) — 5. Glaubst du ....? (*Du siehst deinen Bruder in Hamburg wieder.*) — 6. Mein Freund hat mich gebeten .... (*Ich komme am Samstag wieder zu ihm.*) — 7. Wir beginnen heute .... (*Wir zählen die Tage bis zu den Ferien.*) — 8. Ich habe Peter geraten .... (*Er spricht mit unserem Direktor.*) — 9. Wir freuen uns darauf .... (*Wir fahren im Sommer nach Berlin.*) — 10. Ich freue mich darüber .... (*Ich habe gestern im Theater meinen alten Lehrer getroffen.*) — 11. Kurt bereut .... (*Er hat Peter das Geld gegeben.*) — 12. Ich habe Herrn Müller angeboten .... (*Ich helfe ihm morgen in seinem Garten.*) — 13. Der Dieb verdient — (*Er wird streng bestraft.*) — 14. Der Angeklagte leugnete — (*Er hat das Auto gestohlen.*) — 15. Mein Vater hat mir verboten .... (*Ich komme nach zehn Uhr abends nach Haus.*) — 16. Wann hörst du auf ....? (*Du arbeitest.*) — 17. Wir hoffen .... (*Wir können unseren Sprachkursus bald beenden.*)

Übung 2: *Setzen Sie die Sätze ins Perfekt!*

1. Ich brauche keine Kur zu machen. — 2. Der Lehrer braucht nur ein Wort zu sagen, und alle Schüler fangen an zu arbeiten. — 3. Er braucht die Prüfung nicht mehr zu machen, denn er kann sehr gut Deutsch sprechen. — 4. Der Beamte braucht nur ins Abteil zu kommen und mein Gepäck zu kontrollieren; dann kann er den Kaffee leicht finden. — 5. Heute brauche ich nicht zu Haus zu bleiben; der Arzt erlaubt mir, eine Stunde spazieren zu gehen.

*

Der Infinitiv als Subjekt

Der Infinitiv mit der Präposition *zu* kann auch Subjekt des Satzes sein. **Er steht als Subjekt in Sätzen, die unpersönliche Ausdrücke enthalten** (*es ist möglich, es ist schön* usw.), und folgt meistens dem übergeordneten Satz. Auch dieser Infinitiv hat selbst kein grammatisches Subjekt. Zum Ausdruck des Subjekts (also des Täters) der Infinitivhandlung gibt es zwei Möglichkeiten:

1. **Das Subjekt der Infinitivhandlung ist keine bestimmte Person,** sondern es sind Personen allgemein, die nicht genannt sind:

> *Es ist verboten, im Krankenhaus zu rauchen* (*Was* ist verboten? *Wer* raucht?)
> *Es ist schön, im Wald spazieren zu gehen.* (*Was* ist schön? *Wer* geht spazieren?)
> *Es ist gelungen, Raketen in den Weltraum zu schießen.* (*Was* ist gelungen?)

2. Wenn **das Subjekt der Infinitivhandlung eine bestimmte Person ist,** steht sie im übergeordneten Satz. Vergleiche Infinitiv als Objekt.

> *Es ist mir unangenehm, dich um Geld zu bitten.* (*Was* ist mir unangenehm?)
> *Es ist dem Kranken verboten, Zigaretten zu rauchen.* (*Was* ist dem Kranken verboten?)
> *Es ist meinem Freund nicht gelungen, die Tür leise zu schließen.* (*Was* ist deinem Freund nicht gelungen?)

Es war sehr schwer *für mich, meine Heimat zu verlassen.* (*Was* war schwer für dich?)

Beachten Sie, daß der Infinitiv als Subjekt **keine Zeit** ausdrückt und deshalb **immer in seiner einfachen Form steht!**

Übung 3: *Setzen Sie die Sätze als Infinitivsätze ein!*

1. Es gefällt mir .... (*Ich gehe abends auf der Straße spazieren.*) — 2. Es tat Peter leid .... (*Er hatte diesen interessanten Film nicht gesehen.*) — 3. Es ist nicht leicht gewesen .... (*Man fuhr bei starkem Verkehr mit dem Auto durch die Stadt.*) — 4. Ist es möglich ....? (*Man hilft dem alten Mann.*) — 5. Es ist in der heutigen Zeit wichtig .... (*Man lernt fremde Sprachen.*) — 6. Es ist mir nicht zu gefährlich .... (*Ich steige auf diesen Berg.*) — 7. Ist es nicht zu spät ....? (*Man geht jetzt ins Kino.*) — 8. Es ist dem Schweden gelungen ....? (*Er ist in diesem Wettkampf Sieger geworden.*) — 9. War es der Polizei noch möglich ....? (*Sie hat den Dieb gefaßt.*) — 10. Es war nicht möglich .... (*Man sah das Haus auf dem Berg.*) — 11. Es gefällt mir .... (*Ich sitze bei schönem Wetter in der Sonne.*) — 12. Es ist sehr angenehm für uns .... (*Wir werden vom Bahnhof abgeholt.*) — 13. Es ist nicht möglich gewesen .... (*Man ging im Regen spazieren.*) — 14. Es ist mir eine große Freude .... (*Ich sehe Sie nächstes Jahr wieder.*) — 15. Es war immer mein Wunsch gewesen .... (*Ich fahre im Frühling nach Italien.*)

*

Das Verb

Das Verb ist eine Wortart, die **ein Geschehen oder einen Zustand beschreibt:** *fragen, lachen, glänzen.* Es bildet verschiedene Formen, die im Satz bestimmte Funktionen übernehmen. Diese Formen sind:

1. die Personalform: ich *gehe,* ihr *lacht*
2. das Partizip Perfekt: *gegangen, gelacht*
3. das Partizip Präsens: *gehend, lachend*
4. der Infinitiv: *gehen, lachen*

Das Verb in Prädikatsfunktion

Das Prädikat beschreibt im Satz ein Geschehen oder einen Zustand, an dem Subjekt und Objekt beteiligt sein können. Die Prädikatsfunktion kann das Verb am besten übernehmen, weil sein Wortinhalt der Aufgabe des Prädikats im Satz entspricht.

Als Prädikat tritt das Verb vor allem mit seiner Personalform auf, die sich nach dem Subjektnominativ richten muß. Außerdem erscheint es auch noch mit dem Infinitiv und dem Partizip Perfekt:

Gehst du heute abend mit mir ins Kino?
Bist du gestern abend mit Peter ins Kino *gegangen*?
Willst du heute abend mit mir ins Kino *gehen*?

Als Prädikat zu einem Subjektakkusativ steht es im Infinitiv:

Siehst du *deinen Freund kommen?* (Der Freund kommt.)
Hörst du *die Kinder* im Garten *singen?* (Die Kinder singen.)
Läßt der Lehrer *den Schüler* einen Aufsatz *schreiben?* (Der Schüler schreibt.)

Das Verb in Subjekts- oder Objektsfunktion

Als Subjekt oder Objekt steht das Verb im Infinitiv:

Subjekt: *Schwimmen* ist ein schöner Sport.
Reden ist Silber, und *Schweigen* ist Gold.
Das *Rauchen* schadet der Gesundheit.
Es gelang dem Sportler nicht, so weit zu *springen.*

Objekt: Mein Vater lehrte mich *schwimmen.*
Die Kinder lernen *rechnen.*
Wir hörten auf der Straße lautes *Singen.*
Liebst du es, im Wald *spazieren zu gehen?*

Beachten Sie! Wenn Verben in diesen Funktionen keine eignen Satzglieder haben, werden sie meistens als Nomen betrachtet. Sie behalten aber trotzdem meistens ihren Verbcharakter.

Das Verb in der Funktion einer Modalangabe

Ein Satzglied, das angibt, w i e ein Geschehen oder ein Zustand ist, nennt man Modalangabe (Frage: *wie?*). In dieser Funktion steht das Verb als Partizip Präsens oder als Partizip Perfekt:

Als Partizip Präsens steht das Verb bei einem Geschehen oder einem Zustand, der noch nicht beendet ist (vgl. S. 41):

Der Mann hat mich *fragend* angesehen.
Singend gingen die Kinder durch den Wald.

Als Partizip Perfekt steht das Verb bei einem Geschehen, das beendet ist, oder einem Zustand, der schon eingetreten ist:

Die Blumen standen *vertrocknet* in der Vase.
Die Frau fiel *erschrocken* zu Boden.

Das Verb als Attribut

Als Attribut steht das Verb im Partizip Präsens oder Partizip Perfekt vor dem Nomen:

Wir sahen im Garten die *singenden* Kinder.
Die Frau sah durch das *geschlossene* Fenster.

In allen Funktionen **können die Verben eigene Satzglieder haben,** wenn diese für die Aussage notwendig sind:

Für Kinder ist es nicht gut, *starken Kaffee zu trinken.* — Die jungen Leute gingen, *lustige Lieder singend,* durch die Straßen. — Der Junge schaute, *auf einem Baum sitzend,* dem Fußballspiel zu. — Die Frau fiel, *zu Tode erschrocken,* zu Boden. — Der *soeben auf Bahnsteig 6 einfahrende* Schnellzug kommt aus Berlin. – Die *von dem starken Sturm umgeworfenen* Bäume lagen auf der Straße.

Übung 4: *Welche Formen und welche Funktionen haben die Verben in den folgenden Sätzen?*

1. Hast du den Mann gesehen, der der verletzten Frau geholfen hat? – 2. Ich liebe es, lachende Kinder zu sehen. – 3. Gespannt hörten die Zuschauer die Stimme des Sprechers aus dem Lautsprecher, die die Ergebnisse der vergangenen Wettkämpfe bekanntgab. – 4. Inge lag mit geschlossenen Augen unter dem Schatten spendenden Baum und hörte dem Gesang der Vögel zu. – 5. Kennst du diesen freundlich lächelnden Herrn, der dort auf der mit Blumen geschmückten Terrasse sitzt?

Der Satz (Übersicht)

Grundform des Satzes:

1. Prädikatsteil: **2. Prädikatsteil:**

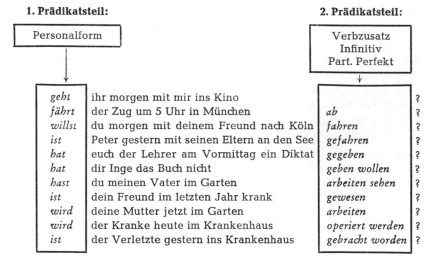

Personalform		Verbzusatz Infinitiv Part. Perfekt
geht	ihr morgen mit mir ins Kino	?
fährt	der Zug um 5 Uhr in München	*ab* ?
willst	du morgen mit deinem Freund nach Köln	*fahren* ?
ist	Peter gestern mit seinen Eltern an den See	*gefahren* ?
hat	euch der Lehrer am Vormittag ein Diktat	*gegeben* ?
hat	dir Inge das Buch nicht	*geben wollen* ?
hast	du meinen Vater im Garten	*arbeiten sehen* ?
ist	dein Freund im letzten Jahr krank	*gewesen* ?
wird	deine Mutter jetzt im Garten	*arbeiten* ?
wird	der Kranke heute im Krankenhaus	*operiert werden* ?
ist	der Verletzte gestern ins Krankenhaus	*gebracht worden* ?

Die Satzform für die Entscheidungsfrage ist die Grundform des Satzes, weil nur in dieser Form alle Satzglieder, die ein Satz haben kann, zwischen den Prädikatsteilen stehen können. Auf diese Weise kann man die **Normalstellung der Satzglieder** erkennen.

1. Prädikatsteil – a l l e   S a t z g l i e d e r – *2. Prädikatsteil*

oder: **P1** **P2**

Nebensatzform:

Verbindungsteil:		Prädikat:

Konjunktion Fragewort Relativpronomen

			geben	will
. . . . . ,	*weil*	dir Inge das Buch nicht	*geben*	*will*
. . . . . ,	*wenn*	Peter morgen mit seinen Eltern an den See		*fährt*
. . . . . ,	*als*	euch der Lehrer am Vormittag ein Diktat	*gegeben*	*hat*
. . . . . ,	*daß*	du morgen mit deinem Freund nach Köln	*fahren*	*willst*
. . . . . ,	*wann*	ihr morgen mit mir ins Kino		*geht*
	um wie-			
. . . . . ,	*viel Uhr*	der Zug in München	*ab-*	*fährt*
. . . . . ,	*den*	man gestern ins Krankenhaus	*gebracht*	*hat*
. . . . . ,	*mit dem*	wir gestern	*gesprochen*	*haben*

Vor den meisten Gliedsätzen und vor allen Attributsätzen steht statt der Personalform ein Verbindungsteil. Die Personalform tritt zu den übrigen Prädikatsteilen. Die Stellung der Satzglieder ändert sich dadurch n i c h t !

Verbindungsteil – a l l e S a t z g l i e d e r – Prädikat

oder: V . . . . P

Normalstellung der Satzglieder

Subjekt und Objekte sind Nomen:

hat	dein Vater	das Buch		*gelesen*	?
hat	dein Vater	dem Lehrer		*geantwortet*	?
hat	dein Vater	dem Lehrer	das Buch	*gegeben*	?
hat	dein Vater	den Lehrer	um das Buch	*gebeten*	?
hat	dein Vater	dem Lehrer	für das Buch	*gedankt*	?
. . . . . , *daß*	dein Vater	das Buch		*gelesen* *hat*	, . . .
. . . . . , *daß*	dein Vater	dem Lehrer		*geantwortet* *hat*	.
. . . . . , *daß*	dein Vater	dem Lehrer	das Buch	*gegeben* *hat*	.
. . . . . , *daß*	dein Vater	den Lehrer	um das Buch	*gebeten* *hat*	.
. . . . . , *daß*	dein Vater	dem Lehrer	für das Buch	*gedankt* *hat*	.

Wenn Subjekt und Objekte Nomen sind, stehen sie in der Reihe
Subjekt (S) – Dativobjekt (Od) – Akkusativobjekt (Oa) –
Präpositional-Objekt (Op):

P1	S – Od – Oa – Op	P2
V	S – Od – Oa – Op	P

Subjekt und Objekte sind Pronomen (oder Pronominaladverbien):

hast	du	ihn		*gefragt*	?
hast	du	ihm		*geantwortet*	?
hast	du	es	ihm	*gegeben*	?
hast	du	ihn	darum	*gebeten*	?
hast	du	ihm	dafür	*gedankt*	?

. . . . . ,	*daß*	du	ihn		*gefragt*	*hast* .
. . . . . ,	*daß*	du	ihm		*geantwortet*	*hast* .
. . . . . ,	*daß*	du	es	ihm	*gegeben*	*hast* .
. . . . . ,	*daß*	du	ihn	darum	*gebeten*	*hast* .
. . . . . ,	*daß*	du	ihm	dafür	*gedankt*	*hast* .

Wenn Subjekt und Objekte Pronomen oder Pronominaladverbien sind, stehen sie in der Reihe **Subjekt (s) – Akkusativobjekt (oa) – Dativobjekt (od) – Präpositional-Objekt (op)**:

P1	s – oa – od – op	*P2*
V	s – oa – od – op	P

Subjekt und Objekte sind Nomen und Pronomen (oder Pronominaladverbien):

hast	du	ihm	das	Buch		*gegeben*	?
hat	es	dir	der	Lehrer		*gegeben*	?
hast	du	es	dem	Freund		*gegeben*	?
hast	du	dem	Freund	das	Buch	*gegeben*	?
hat	es	der	Lehrer	dem	Schüler	*gegeben*	?
hat	ihm	der	Lehrer	das	Buch	*gegeben*	?
hat	dich	der	Lehrer	um das	Buch	*gebeten*	?
hat	der	Lehrer	den	Freund	darum	*gebeten*	?

Wenn Subjekt und Objekte Nomen und Pronomen oder Pronominaladverbien sind, stehen **z u e r s t die Pronomen, d a n n die Nomen** und **z u l e t z t die Präpositional-Objekte**:

P1	s – oa – od – S – Od – Oa – op – Op	*P2*
V	s – oa – od – S – Od – Oa – op – Op	P

— 95 —

Der Aussagesatz:

	hat	der Lehrer gestern in der Schule den Schüler um ein Buch	gebeten	?
Der Lehrer	hat	. . . . gestern in der Schule den Schüler um ein Buch	gebeten	?
Gestern	hat	der Lehrer . . . . . . in der Schule den Schüler um ein Buch	gebeten	.
In der Schule	hat	der Lehrer gestern . . . . den Schüler um ein Buch	gebeten	.
Den Schüler	hat	der Lehrer gestern in der Schule . . . . um ein Buch	gebeten	.
Um ein Buch	hat	der Lehrer gestern in der Schule den Schüler	gebeten	.

Der Aussagesatz enthält eine Mitteilung oder den Teil einer Mitteilung. Aus Aussagesätzen setzt sich die R e d e zusammen, die der vollständige Ausdruck eines Gedankens ist. Ein Aussagesatz ist also normalerweise nur der Teil eines Ganzen und steht in direkter logischer Verbindung mit den übrigen Aussagesätzen, die die Rede bilden. Deshalb hat der Aussagesatz auch eine charakteristische Form. Diese Form wird dadurch gebildet, **daß man ein Satzglied v o r die Personalform stellt.** Es kann dort j e d e s Satzglied stehen. Welches Satzglied dort stehen muß, hängt von dem Zusammenhang ab, in dem der Aussagesatz steht. Im ersten Satz einer Rede steht dort gewöhnlich eine Angabe der Zeit oder des Ortes (Temporalangabe oder Lokalangabe). Vor der Personalform steht nichts Neues und Unbekanntes.

Die Ergänzungsfrage:

Wer	*hat*	dich gestern	*besucht*	?
Wem	*habt*	ihr das Geld	*gegeben*	?
Mit wem	*hat*	Peter gestern	*gesprochen*	?
Wann	*ist*	dein Freund gestern	*gekommen*	?
Um wieviel Uhr	*wird*	der Unterricht morgen	*beginnen*	?
Wie viele Kinder	*sind*	gestern am See	*gewesen*	?
Wo	*findet*	morgen nachmittag das Konzert	*statt*	?
Woher	*ist*	dieser Zug	*gekommen*	?
Wie	*hat*	dir der Film	*gefallen*	?

Mit einer Ergänzungsfrage will man jemand veranlassen, daß er seine Mitteilung ergänzt. Die Frage selbst steht immer vor der Personalform.

Übung 5: *1. Bestimmen Sie die Arten der Sätze! (Aussagesatz, Fragesatz: Entscheidungsfrage, Ergänzungsfrage?) 2. Nennen Sie die Subjekte und die Objekte mit ihren Attributen! 3. Unterstreichen Sie die Prädikate!*

1. Müssen die Studenten in der Universität auch in Laboratorien arbeiten? — 2. Das erste Luftschiff, das über den Atlantik flog, wurde in Deutschland gebaut. — 3. Welche Nationen machen die meisten Versuche in der Raketentechnik? — 4. Die Technik hat sich in den letzten Jahrzehnten sehr schnell entwickelt. — 5. Wie nennt man die Flugzeuge, die sehr langsam fliegen können und die in der Luft fast still stehen können? — 6. Die Polizei hat den Mann, der das Auto gestohlen hatte, in der Nähe des Bahnhofs verhaften können.

Übung 6: *1. Bestimmen Sie die Arten der Nebensätze! (Gliedsätze, Attributsätze?) 2. Welche Funktionen haben die Gliedsätze und die Infinitivsätze? (Subjekt, Objekt?) 3. Nennen Sie die Subjekte und Objekte mit ihren Attributen!*

1. Den Wissenschaftlern ist es gelungen, neue Mittel gegen viele Krankheiten zu finden. — 2. Weißt du, ob die Polizei den Autodieb schon verhaftet hat? — 3. Das Hotel, in dem wir während unseres Winterurlaubs gewohnt haben, ist auch im Sommer meistens besetzt, weil viele ausländische Touristen in diese schöne Gegend fahren. — 4. Ich hoffe, Sie bald wiederzusehen, weil ich Ihnen noch viele interessante Dinge erzählen möchte, die Sie sicher interessieren. — 5. Ich bitte Sie, mir das Museum zu zeigen, von dem Sie gestern gesprochen haben. — 6. Können Sie mir sagen, wo der Autobus abfährt, mit dem wir wieder nach Haus fahren müssen?

*

Die Stellung der Prädikatsteile

Wenn am Ende des Satzes die Prädikatsteile zusammentreffen, stehen sie in folgender Reihe:

..., daß er ... *kommt*	... Personalform
..., daß er ... *an-kommt*	... Verbzusatz-Personalform
..., daß er ... *an-kommen wird*	... Verbzusatz-Infinitiv — Personalform
..., daß er ... *an-gekommen sein wird*	... Verbzusatz-Part. Perf. — Infinitiv — Personalform

Donaudurchbruch bei Kelheim

Landschaften

Strand auf Norderney

Das Eibseehotel mit den Waxensteinen (Obb.)

Grattersdorf (Bayr. Wald)

Celle

*Hamburg, Rathaus,
von der Mönckebergstraße aus gesehen*

Städte

*Frankfurt
am Main,
Blick auf die
Katharinenkirche
und die
Kaiserstraße*

— 97 —

..., daß er den Brief *h a t schreiben müssen*
..., daß er den Brief *w i r d schreiben müssen*
..., daß er das Kind *h a t singen hören*
..., daß er das Kind *w i r d singen hören*

Wenn in der Prädikatsgruppe ein Ersatzinfinitiv steht (z. B. beim Perfekt der Modalverben), **steht die Personalform am Anfang der Prädikatsgruppe;** ebenso steht *werden* in der Personalform dort, wenn die Prädikatsgruppe zwei Infinitive enthält:

Übung 7: *Bilden Sie Gliedsätze!*

1. Sie nahm ein Fernglas. Sie hat das Haus auf dem Berg nicht sehen können. (*weil*). — 2. Wir hörten es. Herr Bauer hat deinem Vater das Geld geben müssen. (*daß*). — 3. Er fragte mich: Haben Sie die Musik auf der anderen Seite der Straße hören können? (*ob*) — 4. Er fragte mich: Wann hat der Schüler seine Prüfung machen müssen? — 5. Wir haben gehört. Der Sohn hat seinem Vater bei der Arbeit im Garten helfen wollen. (*daß*). — 6. Wissen Sie? Wieviel hat dieser schöne Wagen kosten sollen? — 7. Ich glaube, man hat den Dieb finden können. (*daß*) — 8. Es ist sicher, jeder Sportler hat siegen wollen; es ist aber auch ebenso sicher, nur einer hat siegen können. (*daß*) — 9. Haben Sie gehört? Der Verteidiger hat den Angeklagten nicht helfen können. (*daß*) — 10. Es war sehr höflich von dem jungen Mann. Er hat der alten Dame die Koffer tragen helfen. (*daß*)

* * *

Zwei Gerichtsfälle [1]

1. Strafprozeß

Einem Mann ist Geld gestohlen worden. Er geht zur Polizei und zeigt den Diebstahl an. Die Polizei fahndet nach dem Dieb, d. h. sie sucht ihn. Weil die Polizei immer alles weiß, findet sie den Dieb auch bald und verhaftet ihn. Der Dieb wird als Häftling ins Untersuchungsgefängnis eingeliefert und dort zuerst vom Untersuchungsrichter vernommen. Dieser übergibt dann das Vernehmungsprotokoll dem Staatsanwalt. Nach einigen Tagen erhebt der Staatsanwalt Anklage wegen Diebstahls, denn er hat die Aufgabe, die Interessen der Allgemeinheit zu vertreten. Danach lädt das Gericht den Angeklagten und die Zeugen zur Gerichtsverhandlung. Diese ist öffentlich, d. h. jeder kann zuhören.

---

[1] Glossar, Abschnitt 18 E

7 Deutsche Sprachlehre 2

Die Verhandlung wird vom Vorsitzenden des Gerichts eröffnet. Die Zeugen werden einzeln aufgerufen. Der Vorsitzende ermahnt die Zeugen, die Wahrheit zu sagen, nichts zu verschweigen und nichts hinzuzufügen, denn sie müssen später ihre Aussagen beeiden. Dann müssen die Zeugen den Gerichtssaal wieder verlassen und draußen auf dem Gang warten. Jetzt wird der Angeklagte nach Namen, Wohnort, Beruf und anderen Personalien gefragt und schließlich über seine Tat vernommen.

Nach seiner Vernehmung werden die Zeugen einzeln hereingerufen und müssen ihre Aussagen machen. Sie bringen damit die Beweise für die Schuld (oder Unschuld) des Angeklagten. Wenn der Angeklagte seine Tat gestanden hat oder vom Gericht seiner Tat überführt worden ist, ist die Beweisaufnahme abgeschlossen. Jetzt erhält der Staatsanwalt das Wort. Er schildert dem Gericht in seinem Plädoyer noch einmal die Persönlichkeit des Angeklagten und wie die Tat geschehen ist. Dann stellt er den Strafantrag.

Nach dem Plädoyer des Staatsanwalts nimmt der Verteidiger des Angeklagten das Wort und versucht, das Gericht zu überzeugen, daß der Angeklagte eine milde Strafe verdient. Zuletzt bekommt der Angeklagte das „letzte Wort". Meist bereut er seine Tat, schildert selbst sein Leben und bittet um ein mildes Urteil.

Nun zieht sich das Gericht zur Beratung zurück. Nach kurzer Zeit erscheint es wieder im Gerichtssaal, und der Vorsitzende verkündet das Urteil. Danach begründet er, warum das Gericht zu diesem Urteil gekommen ist. Zum Schluß fragt der Vorsitzende den Staatsanwalt und den Angeklagten, ob sie dem Urteil zustimmen oder ob sie Berufung einlegen wollen. Nach ihrer Antwort ist die Gerichtsverhandlung beendet, und der Vorsitzende schließt die Sitzung.

2. Zivilprozeß

Ein Mann kauft ein Rundfunkgerät auf Abzahlung, weil er den ganzen Betrag für den Apparat nicht auf einmal bezahlen kann. Er macht eine Anzahlung und bezahlt auch pünktlich die ersten Monatsraten. Dann kann er aber den Zahlungstermin nicht mehr pünktlich einhalten, und schließlich bezahlt er gar nicht mehr weiter.

Der Geschäftsmann war vorsichtig gewesen. Er hatte beim Verkauf mit dem Kunden einen Vertrag abgeschlossen. Nach diesem Vertrag kann der Verkäufer die sofortige Bezahlung der Restschuld oder die Herausgabe des Apparates ohne Rückerstattung der bezahlten Raten verlangen, wenn der Käufer die Raten nicht zu dem vereinbarten Termin zahlt.

Mit diesem Vertrag geht der Geschäftsmann zu seinem Rechtsanwalt, und dieser verklagt den Käufer auf Herausgabe des Gerätes. Das Gericht lädt den Kläger und den Beklagten zu einem Termin vor. Bei der Verhandlung erklärt jede Partei ihre Gründe. Der Streit dauert lange, aber schließlich kommt es zu einem Vergleich. Beide Parteien einigen sich: der Kläger verzichtet auf Herausgabe des Apparates, der Beklagte verspricht, seine Raten pünktlich zu bezahlen. Die Gerichtskosten gehen zu Lasten des Beklagten.

Erklärungen und Wortschatz:

anzeigen: etwas bei der Polizei melden
fahnden: suchen (von der Polizei)
der Häftling, -e: eine Person, die man verhaftet hat
das Protokoll, -e: der schriftliche Bericht
Anklage erheben: offiziell anklagen (vom Staatsanwalt)
laden, u – a: vor Gericht befehlen
einzeln: einer nach dem anderen; *(Bitte, einzeln eintreten!)*
aufrufen: den Namen einer Person laut nennen
beeiden: beschwören
der Gang, ⸗e: der Korridor
die Personalien (Plur.): die Mitteilung über den Lebenslauf und die Lebensverhältnisse eines Menschen
eine Aussage machen: aussagen; die Dinge erzählen, die man über eine Sache weiß
eine Person einer Tat überführen: Beweise bringen, daß eine Person eine strafbare Handlung begangen hat *(eine strafbare Handlung begehen)*
die Beweisaufnahme, -n: das Sammeln von Beweisen bei Gericht
das Wort erhalten: die Erlaubnis bekommen zu sprechen
schildern: erzählen, erklären
das Wort nehmen: eine Rede beginnen

überzeugen: jemanden zu seiner Ansicht oder Meinung bekehren
bereuen: Reue haben
sich zurückziehen, o – o: verlassen, hinausgehen
begründen: Gründe angeben
die Abzahlung, -en: von *abzahlen:* eine Sache nicht sofort vollständig bezahlen,
    sondern nach und nach *(in Raten)* bezahlen
die Anzahlung, -en: von *anzahlen:* den ersten Teil eines Kaufpreises bezahlen
die Rate, -n: der Teil eines Preises
Schulden (Plur.) *haben:* man muß Geld bezahlen
die Herausgabe: von *herausgeben:* zurückgeben
vereinbaren: verabreden
der Vergleich, -e: die Einigung
die Kosten gehen zu seinen Lasten: er muß die Kosten bezahlen

Strafprozeß		Zivilprozeß	
Richter		Richter	
(Vorsitzender und Schöffen)			
Ankläger	Angeklagter	Kläger	Beklagter
(Staatsanwalt)	Verteidiger	(Vertreter	(Vertreter
	(Rechtsanwalt)	des Klägers,	des Beklagten,
		Rechtsanwalt)	Rechtsanwalt)
die Anklage	die Verteidigung	Klage	die Verteidigung
			die Gegenklage
anklagen	verteidigen	klagen	verteidigen

*

Übung A: *Setzen Sie die Sätze als Infinitivsätze ein!*

1. Der Beamte bittet den Ausländer darum .... (*Der Ausländer füllt das Formular aus.*) — 2. Wir freuen uns darauf .... (*Wir können nächste Woche ins Theater gehen.*) — 3. Der Kranke hofft darauf .... (*Er wird bald wieder gesund.*) — 4. Es tut uns leid .... (*Wir haben dich gestern nicht am See gesehen.*) — 5. Ich bitte dich .... (*Du hilfst mir den schweren Koffer tragen.*) — 6. Ich habe nicht daran gedacht .... (*Ich werfe deine Briefe bei der Post ein.*) — 7. Mein Freund hat mich darum gebeten .... (*Ich lade auch seine Schwester ein.*) — 8. Es ist gelungen .... (*Man schießt Raketen in den Weltraum.*) — 9. Wir haben heute nur den Wunsch .... (*Wir gehen bald zu Bett.*) — 10. Der Herr verlangte .... (*Er wird zum Hotel gebracht.*)

Übung B: *Bilden Sie das Passiv!*

1. Man kann jetzt Raketen in den Weltraum schießen. — 2. Man wird die Raketenversuche weiter fortsetzen. — 3. Das Gericht verurteilte den Angeklagten zu drei Jahren Gefängnis. — 4. Man brachte den Verurteilten sofort wieder ins Gefängnis zurück. — 5. Man konnte den gestohlenen Wagen in der Nähe eines kleinen Dorfes wiederfinden. —

6. In diesem Jahr erwartet man wieder viele Touristen. — 7. Man hat auf die Ankunft des Ministers zwei Stunden gewartet. — 8. Man betont die meisten deutschen Wörter auf der ersten Silbe. — 9. Man muß eine lange Reise immer gut vorbereiten. — 10. Wir können für die Qualität dieser Ware nicht garantieren. — 11. Man jubelte den siegreichen Sportlern zu. — 12. Sie müssen dieses Formular unterschreiben. — 13. An der Grenze kontrollierte man unsere Pässe. — 14. Man dankte mir nicht für meine Hilfe. — 15. Gestern beschädigte ein Auto eine Straßenlaterne in der Ludwigstraße.

Übung C: *Erklären Sie die folgenden Wörter!*

1. Rechtsanwalt, Staatsanwalt, Richter, Gericht, Angeklagter — 2. Bergbahn, Gipfel, Gebirge, Bergsee, Bergsteiger — 3. Kurstadt, Camping-Platz, Pension, Hotel, Gasthaus — 4. Bäcker, Schneider, Frisör, Architekt, Bildhauer — 5. Radioapparat, Fernsehapparat, Telefon, Fernschreiber, Sender — 6. Schule, Universität, Berufsschule, Ausbildung, Abitur — 7. Schüler, Student, Praktikant, Lehrling, Werkstudent.

Übung D: *Bilden Sie mit folgenden Verben Sätze!*

1. kennen, erkennen, kennenlernen — 2. laden, einladen, vorladen — 3. sprechen, versprechen, besprechen — 4. treten, eintreten, vertreten — 5. suchen, aussuchen, versuchen — 6. bekanntmachen, verkünden, mitteilen — 7. stehen, verstehen, gestehen — 8. abfahren, vorbeifahren, erfahren.

Übung E: *Erzählen Sie*

1. über den Fremdenverkehr in Ihrem Land — 2. über eine Ferien- oder Urlaubsreise, die Sie gemacht haben — 3. über das Kulturleben Ihrer Stadt oder Ihres Landes — 4. über die Möglichkeiten, in Ihrem Land Sport zu treiben — 5. über eine Gerichtsverhandlung, von der Sie in der Zeitung gelesen haben.

NEUNTER ABSCHNITT

Geheim [1])

Wenn die Minister einer neuen Regierung zum erstenmal nach einer Wahl zu einer Sitzung zusammentreten, ist das Interesse des Volkes sehr groß. Vor allem aber interessiert sich die Presse für die Politik des neuen Kabinetts. Alle großen und wichtigen Zeitungen schicken ihre Berichterstatter in die Hauptstadt, weil sie erfahren wollen, wie die neuen Minister über die Zukunft des Landes denken und was sie dafür tun wollen. Die Minister haben es dann nicht leicht, auf die vielen Fragen der neugierigen Reporter zu antworten. Wenn diese die Minister genügend ausgefragt haben, eilen sie zum nächsten Fernsprecher oder Fernschreiber und melden ihrer Zeitung die letzten Nachrichten über die Politik der Regierung.

Vor zwei Wochen war das Parlament vom Volk neu gewählt worden. Die bisherige Oppositionspartei hatte in dieser Wahl gesiegt. Nun sollte sich die Politik der Vergangenheit vollständig ändern. — Als gestern die Minister zu ihrer ersten Sitzung zusammentraten, wurden sie schon vor dem Sitzungssaal von vielen Berichterstattern empfangen. Diese fragten die Minister, was in der kommenden Sitzung besprochen werde. Aber die Minister sagten nichts. Weil die Sitzung geheim war, durften die Reporter auch nicht in den Sitzungssaal, sondern mußten im Vorraum warten. Sie standen in kleinen Gruppen zusammen und sprachen über die gegenwärtige politische Lage, über die vergangene Regierung und über die zukünftige Politik. Jeder äußerte seine Meinung und seine Vermutungen, aber keiner konnte etwas Genaues sagen.

Nach drei Stunden war die Sitzung immer noch nicht zu Ende. Die Presseleute wurden immer ungeduldiger und nervöser. Jedesmal wenn jemand aus dem Sitzungssaal kam und etwas aus einem anderen Zimmer holte, liefen die Reporter zu ihm und versuchten, ihn auszufragen. Aber niemand sagte ihnen, was die Minister machten und was gerade besprochen werde. Doch endlich, nach vier Stunden, wurde die Tür zum Sitzungssaal geöffnet, und die Minister kamen heraus.

Die Bildreporter rissen sofort ihre Fotoapparate hoch, fotografierten und blitzten. Die anderen umringten die Minister und fragten und fragten... Als der letzte Minister, ein kleiner dicker Herr, aus dem Saal kam, erkannten zwei junge Reporter den Ministerpräsidenten,

---

[1]) Glossar, Abschnitt 19

eilten zu ihm und fragten ihn eifrig, ob er ihnen etwas erzählen könne. Er solle ihnen doch sagen, warum die Sitzung so lange gedauert habe. Man habe doch sicher etwas Wichtiges beschlossen. Als der Ministerpräsident diese Frage hörte, schien er ein wenig erstaunt, erwiderte dann aber lächelnd: „Das Ergebnis ist sicher besser, als Sie sich denken können. Aber können Sie schweigen, meine Herren?" — „Aber selbstverständlich, Herr Ministerpräsident!" versicherten die beiden schnell. „Ich auch, meine Herren!" sagte der Ministerpräsident, grüßte höflich und verließ das Haus.

Erklärungen und Wortschatz:

zusammentreten, a – e: zusammenkommen
das Kabinett, -e: die Regierung *(das Kabinett Adenauer)*
der Berichterstatter, -: der Reporter
ausfragen: alles fragen, was jemand beantworten kann
der Fernsprecher, -: das Telefon
der Fernschreiber, -: elektrisches Gerät zur Übertragung von schriftlichen Mitteilungen
äußern: sagen
besprechen: zusammen über ein Thema sprechen
der Bildreporter, -: der Fotoreporter
hochreißen: hastig, schnell hochnehmen
blitzen: mit einem Blitzlichtgerät Fotos machen
umringen: einen Ring um eine Person bilden
der Ministerpräsident, -en: der Premierminister, der Kanzler

* * *

Der Konjunktiv

Man unterscheidet **zwei Konjunktivformen, den Konjunktiv I und den Konjunktiv II.** Beide Konjunktivformen haben die g l e i c h e n Personalformen, d. h. die Personalendungen sind gleich: ich -e, du -est, er -e; wir -en, ihr -et, sie -en.

Der Konjunktiv I

Man bildet den Konjunktiv I vom Präsensstamm der Pluralformen (d. h. Präsens ohne Personalendungen: wir *sag*en – *sag;* wir *nehm*en – *nehm*) und hängt an den Präsensstamm die Personalendungen des Konjunktivs:

Präs.:	wir *sag*-en	wir *kauf*-en ... *ein*	wir *nehm*-en	wir *schlaf*-en ... ein
Konj.:	ich sag-e	ich kauf-e ... ein	ich nehm-e	ich schlaf-e ... ein
	du sag-*est*	du kauf-*est* ... ein	du *nehm*-est	du *schlaf*-est ... ein
	er sag-*e*	er kauf-*e* ... ein	er *nehm*-e	er *schlaf*-e ... ein
	wir sag-en	wir kauf-en ... ein	wir nehm-en	wir schlaf-en ... ein
	ihr sag-*et*	ihr kauf-*et* ... ein	ihr nehm-*et*	ihr schlaf-*et* ... ein
	sie sag-en	sie kauf-en ... ein	sie nehm-en	sie schlaf-en ... ein

Beachten Sie, daß das Präsens und der Konjunktiv I in der 1. Person Singular und Plural (ich, wir) und in der 3. Person Plural (sie, Sie) gleich sind. Wenn der Präsensstamm auf -n, -t oder -d endet, erkennt man den Konjunktiv I nur in der 3. Person Singular: er antwort-e, er bild-e, er rechn-e. **Die starken Verben ändern im Präsens (2. und 3. Person) den Stammvokal nicht.**
Konjunktiv I von sein: ich *sei*, du *seiest*, er *sei*, wir *seien*, ihr *seiet*, sie *seien*.

Übung 1: *Bilden Sie den Konjunktiv I!*

1. er liegt, er arbeitet, ihr fragt, du gehst, ihr kommt — 2. er antwortet, ihr lernt, ich bin, ihr übt, du beginnst — 3. er diktiert, du erklärst, er hat, sie hängt, ihr heißt — 4. sie macht, du schließt, ihr schreibt, wir sind, du hast — 5. ihr versteht, er zeigt, es kostet, du liest, er rechnet — 6. du fährst ... ab, er kommt ... an, er fährt, er hält, ihr nehmt — 7. er verläßt, sie begrüßt, du hilfst, ihr hofft, sie sind — 8. ihr habt, er ist, du kochst, er öffnet, es schadet — 9. er unterbricht, du studierst, ihr habt, er sieht, du ißt — 10. ihr seid, er bittet, ihr liebt, du bestellst, er trinkt.

*

Der Konjunktiv II

Prä- teritum:	wir *lernt*-en	wir *arbeitet*-en	wir *nahm*-en	wir *blieb*-en
Konjunk- tiv II:	ich lernt-e du lernt-est er lernt-e wir lernt-en ihr lernt-et sie lernt-en	ich arbeitet-e du arbeitet-est er arbeitet-e wir arbeitet-en ihr arbeitet-et sie arbeitet-en	ich *nähm-e* du *nähm-est* er *nähm-e* wir *nähm*-en ihr *nähm-et* sie *nähm*-en	ich blieb-*e* du blieb-*est* er blieb-*e* wir blieb-en ihr blieb-*et* sie blieb-en

Man bildet den Konjunktiv II vom Präteritumstamm der Pluralformen (d. h. Präteritum ohne Personalendungen: wir *sagt*-en — *sagt*; wir *antworteten* — *antwortet*; wir *schrieben* — *schrieb*) und hängt an den Präteritumstamm die Personalendungen des Konjunktivs. Der Stammvokal der starken Verben wird zum Umlaut: wir *fuhren* — *führ*-, wir *kamen* — *käm*-.
Beachten Sie, daß das Präteritum und der Konjunktiv II bei allen schwachen Verben vollkommen gleich sind! Bei den starken Verben, die keinen Umlaut bilden können, sind die 1. und 3. Person Plural im Präteritum und im Konjunktiv II gleich.
Einige Verben bilden den Konjunktiv II unregelmäßig:

Präteritum:	Konjunktiv II:	Präteritum:	Konjunktiv II:
wir kannten	wir kennten	wir standen	wir stünden
wir nannten	wir nennten	wir starben	wir stürben
wir sandten	wir sendeten	wir halfen	wir hülfen
		wir warfen	wir würfen

Schwache Verben, die im Präteritum den Stammvokal ändern, bilden den Konjunktiv II mit Umlaut. Ausnahmen: kennen, nennen, senden.

wir *brach*ten — wir brächten; wir *dach*ten — wir dächten

Übung 2: *Bilden Sie den Konjunktiv II! Einige Verben sind unregelmäßig!*

1. wir gehen, er kommt, ich bin, ich beginne, wir haben — 2. er heißt, sie schließen, ich schreibe, du verstehst (!), wir lesen — 3. ihr fahrt .... ab, du steigst .... ein, ihr findet, sie denkt, er steht (!) — 4. sie hält, ich lese, wir nehmen, ihr verlaßt, sie bietet .... an — 5. ihr gebt, du hilfst (!), ich sitze, ich unterbreche, sie vergeht — 6. er bittet, sie ißt, wir trinken, sie bleibt, er nimmt — 7. er ruft .... an, sie wirft .... ein (!), du sprichst, sie schließen .... auf, ich wasche — 8. sie zieht, es gefällt, du steigst .... aus, er hilft (!), wir finden — 9. sie läuft, ich fange .... an, ihr bringt, er unterhält sich — 10. ich weiß, du stehst .... auf (!), wir tun, ich werde, du bist, er hat. *

Der Ausdruck der Zeit beim Konjunktiv

Der Konjunktiv hat nur **zwei Formen zum Ausdruck der Zeit.**

Für die Gegenwart und Zukunft stehen die einfachen Formen des Konjunktivs I und II:

Gegenwart: ihr *lernet* jetzt Deutsch; Peter *gehe* heute in die Fabrik.
ich *lernte* jetzt Deutsch; ich *ginge* heute in die Fabrik.

Zukunft: ihr *lernet* nächstes Jahr Deutsch; Peter *gehe* morgen in die Fabrik.
ich *lernte* nächstes Jahr Deutsch; ich *ginge* morgen in die Fabrik.

Für **die Vergangenheit stehen die mit** *haben* **oder** *sein* **zusammengesetzten Formen.** Die Hilfsverben bilden die Konjunktivformen I und II:

ihr *habet* letztes Jahr Deutsch *gelernt*; Peter *sei* gestern in die Fabrik *gegangen;*
ich *hätte* letztes Jahr Deutsch *gelernt*; ich *wäre* gestern in die Fabrik *gegangen.*

Übung 3: *Bilden Sie den Konjunktiv I!*

1. ich bin gestern gefahren; er kaufte ein Buch; ihr habt gearbeitet — 2. du hattest geantwortet; ihr schriebt eine Postkarte; er fuhr heute ab — 3. du hast Medizin studiert; ich bin in Berlin gewesen; er war hier — 4. wir waren im Kino gewesen; er half mir; du bist gestern angekommen — 5. die Zeit verging schnell; sie ist schnell gelaufen; Karl wurde Ingenieur.

Übung 4: *Bilden Sie den Konjunktiv II!*

1. ich habe gestern gearbeitet; wir sind im Theater gewesen; wir kauften das Buch — 2. das Auto war hier vorbeigefahren; er hat hier gestanden; sie halfen mir — 3. gestern regnete es; ich hatte das Paket

geschickt; wir brauchten Geld — 4. sie hatten graue Mäntel an; er war betrunken; ich trug die Koffer — 5. der Mann beendete die Arbeit; wir hatten mit ihm telefoniert; er wurde Lehrer.

*

Gebrauch des Konjunktivs
Die indirekte Rede

Die indirekte Rede ist die Mitteilung der Aussage einer anderen Person. Man gebraucht dafür den Konjunktiv. **Man zeigt damit, daß man nicht seine eigene Meinung ausdrückt.**

Für die indirekte Rede gebraucht man den Konjunktiv I. Wenn Präsensform und Konjunktivform gleich sind, gebraucht man den Konjunktiv II.

Übung 5: *Konjugieren Sie in der indirekten Rede!*

Beispiel: ich habe kein Geld;

indirekte Rede: ich *hätte* kein Geld   wir *hätten* kein Geld
du *habest* kein Geld   ihr *habet* kein Geld
er *habe* kein Geld   sie *hätten* kein Geld

1. ich lerne jetzt Deutsch — 2. ich fahre morgen nach Haus — 3. ich komme jetzt — 4. ich bin jetzt hier — 5. ich schreibe morgen einen Brief — 6. ich esse jetzt Brot — 7. ich fahre gleich ab — 8. ich verstehe ihn nicht — 9. ich habe bald Geburtstag — 10. ich nehme jetzt das Geld — 11. ich lese jetzt ein Buch — 12. ich werfe den Ball — 13. ich weiß es jetzt nicht — 14. ich tue das morgen nicht — 15. ich bringe sie ihm morgen.

Übung 6: *Konjugieren Sie in der indirekten Rede!*

1. ich habe ihn neulich gesehen — 2. ich fuhr gestern fort — 3. ich hatte das nicht geglaubt — 4. ich bin gestern angekommen — 5. ich arbeitete letzten Sonntag — 6. ich wußte das gestern nicht — 7. ich wollte dieses Jahr kommen — 8. ich habe vorgestern den Herrn nicht treffen können — 9. ich ließ sie die Koffer tragen — 10. ich hatte nicht kommen dürfen — 11. ich mußte gestern nach Haus fahren.

*

Direkte Rede	**Indirekte Rede**
Karl schreibt (schrieb) mir:	Karl schreibt (schrieb) mir,
1. „Fritz *ist* jetzt nicht zu Haus."	daß Fritz jetzt nicht zu Haus *sei;* Fritz *sei* jetzt nicht zu Haus;
2. „Er *fährt* zu seinen Eltern nach Berlin, denn er *muß* mit seinem Vater sprechen."	er *fahre* zu seinen Eltern nach Berlin, denn er *müsse* mit seinem Vater sprechen.

3. „Fritz *kaufte* gestern seine Fahrkarte und *ist* heute um 10 Uhr *abgefahren*, nachdem er seinen Eltern ein Telegramm *geschickt hatte*."
„Er *konnte* gestern nicht ins Theater gehen, denn er *hat* die Koffer noch zum Bahnhof bringen *wollen*."

Fritz *habe* gestern seine Fahrkarte *gekauft* und *sei* heute um 10 Uhr *abgefahren*, nachdem er seinen Eltern ein Telegramm *geschickt habe*.
Er *habe* gestern nicht ins Theater gehen *können*, denn er *habe* die Koffer noch zum Bahnhof bringen *wollen*.

4. „Nächste Woche *kommt* Fritz wieder zurück und *wird* mich besuchen."
„Er *muß* mir dann von seiner Reise erzählen. Danach *wird* er vielleicht noch mit mir ins Theater gehen *können*."

Nächste Woche *komme* Fritz wieder zurück und *werde* ihn besuchen.
Er *müsse* ihm dann von seiner Reise erzählen. Danach *werde* er vielleicht noch mit ihm ins Theater gehen *können*.

1. Man beginnt Aussagesätze in der indirekten Rede **mit der Konjunktion** *daß*, wenn die indirekte Rede kurz ist. Oft behalten die Sätze in der indirekten Rede aber **die gleiche Form wie in der direkten Rede.**

	Handlung in der	Direkte Rede Hauptverb oder Modalverb steht im	Indirekte Rede Im Konjunktiv I (oder II) stehen
2.	**Gegenwart**	Präsens	Hauptverb oder Modalverb
3.	**Vergangen-heit**	Imperfekt Perfekt Plusquamperfekt	Hilfsverb (+ Partizip Perfekt oder Infinitiv des Modalverbs)
4.	**Zukunft**	Präsens Futur	Hauptverb oder Modalverb Hilfsverb (+ Infinitiv)

5. **Die P r o n o m e n richten sich nach der Person, die berichtet:**

Fritz sagt:

5. „Morgen fahre *ich* nach Berlin und besuche *meine* Eltern. Vorher will *ich dir mein* neues Auto zeigen."

6. „Gestern bin *ich* bei meinem Onkel gewesen. *Er* hatte *mich* eingeladen, weil *er* seinen Geburtstag *mit mir* feiern wollte. *Ich* schenkte *ihm* eine Kiste Zigarren, weil *er* gern raucht."

Fritz sagt,

daß *er* morgen nach Berlin fahre und *seine* Eltern besuche. *Er wolle mir* vorher *sein* neues Auto zeigen.

daß *er* gestern bei seinem Onkel gewesen sei. *Sein Onkel* habe *ihn* eingeladen, weil *er* mit *Fritz seinen* Geburtstag feiern wollte. *Fritz* habe *ihm* eine Kiste Zigarren **geschenkt, weil** *sein Onkel* gern rauche.

Manchmal muß man in der indirekten Rede **statt des Personalpronomens das Nomen verwenden.**

Übung 7: *Was hat er (sie) gesagt?*

1. Das Buch liegt auf dem Tisch. — 2. Mein Vater arbeitet in seinem Büro. — 3. Der Lehrer hat mich gefragt. — 4. Ich gehe mit meiner Schwester ins Kino. — 5. Heute kommen meine Eltern. — 6. Die Kinder lernen in der Schule lesen und schreiben. — 7. Ich war im letzten Jahr in Berlin. — 8. Fritz beginnt nächstes Jahr sein Studium. — 9. Der Lehrer diktierte uns viele Sätze. — 10. Ich habe einen neuen Mantel. — 11. Die Mäntel hängen in der Garderobe. — 12. Ich mache mit meinen Eltern einen Spaziergang. — 13. Die Läden schließen um 7 Uhr abends. — 14. Der Lehrer hat die Arbeiten der Schüler noch nicht verbessert. — 15. Im Frühling werden die Straßen repariert. — 16. Der freundliche Herr zeigte mir den Weg. — 17. Ich kann das Wort nicht buchstabieren. — 18. Inge muß abends pünktlich zu Haus sein. — 19. Der Ausländer kann kein Wort Deutsch sprechen. — 20. Ich darf den Brief nicht lesen. — 21. Du darfst mit uns einen Ausflug machen. — 22. Der Vater ließ seinem Sohn die Haare schneiden.

Fritz *fragte* den Beamten, *wann* der letzte Zug *abfahre*. — Er fragte, *ob* ich morgen kommen *könne*.

Auch **Fragesätze mit Fragepronomen und Entscheidungsfragen** (vgl. S. 78) können als Gliedsätze in der indirekten Rede im Konjunktiv stehen.

Übung 8: *Was hat er (sie) gefragt?*

1. Wieviel kostet der Wintermantel? — 2. Wann darf ich das Buch lesen? — 3. Um wieviel Uhr fahren die Züge nach Wien ab? — 4. Wann kam dein Vetter gestern hier an? — 5. Wohnt unser Lehrer in dieser Straße? — 6. Ist das Auto auf der Autobahn schnell gefahren? — 7. Warum lehnt der Gast die Zigarette ab? — 8. Was hat dir dein Freund angeboten? — 9. Kannst du mir den Bleistift geben? — 10. Wer hat Ihnen das gesagt? — 11. Halfen die Ärzte den Verletzten? — 12. Was tust du heute abend? — 13. Wo kann man in Deutschland Medizin studieren? — 14. Hatte der Lehrer den Unterricht unterbrechen müssen? — 15. Durften die Autos weiterfahren? — 16. Mußte die Straße asphaltiert werden? — 17. Wann werden die Läden morgens geöffnet? — 18. Hat dich Peter um das Buch gebeten? — 19. Sehen wir uns morgen wieder? — 20. Ließ der Lehrer gestern die Schüler ein Diktat schreiben?

*

Den Imperativ in der direkten Rede drückt man in der indirekten Rede **mit den Modalverben sollen** (für einen Wunsch) **und mögen** (für eine Bitte) aus.

Er sagt:	Er sagt,
„*Geh* jetzt nach Haus!"	daß du jetzt nach Haus gehen *sollest;*
„*Gehen Sie* jetzt nach Haus!"	daß Sie jetzt nach Haus gehen *sollten;*
„*Gib* mir bitte das Buch!"	daß du ihm das Buch geben *mögest.*

Übung 9: *Was sagte der Vater, die Mutter, der Herr und die Dame? Bilden Sie die indirekte Rede!*

1. *Der Vater sagt zu seinem Sohn:* „Lerne fleißig in der Schule!" „Mache deine Schulaufgaben regelmäßig!" „Komme heute abend nicht zu spät nach Haus!" „Hilf mir bitte bei der Arbeit!" „Bringe bitte diesen Brief zur Post!"

2. *Die Mutter sagt zu ihren Kindern:* „Macht keinen Lärm!" „Kommt zum Essen!" „Seid leise und weckt euren kleinen Bruder nicht auf!" „Bringt mir bitte ein Brot aus der Stadt mit!" „Geht zum Frisör und laßt euch die Haare schneiden!"

3. *Der Herr sagte zu mir:* „Zeigen Sie mir bitte den Weg zum Bahnhof!" „Helfen Sie mir bitte die Koffer tragen!" „Besuchen Sie mich bitte heute!" „Vergessen Sie Ihren Regenschirm nicht!" „Verkaufen Sie mir Ihr Auto!"

4. *Die Dame sagte zu dir (Ihnen):* „Öffne mir bitte die Tür!" „Lassen Sie mich bitte zuerst in den Bus einsteigen!" „Biete dem alten Herrn deinen Platz an!" „Hole mir bitte das Salz aus der Küche!" „Sei höflich!"

Deutschland nach dem Krieg [1])

Nach dem 2. Weltkrieg war Deutschland zunächst in vier Besatzungszonen geteilt worden: die amerikanische, die britische, die französische und die sowjetische Besatzungszone. Ebenso wurde auch die in der sowjetischen Besatzungszone liegende Stadt Berlin in vier Sektoren geteilt.

Am 7. September 1949 wurde aus den drei westlichen Zonen die *Bundesrepublik Deutschland* gebildet. Der erste deutsche Bundestag war am 14. August 1949 von der deutschen Bevölkerung der westlichen Besatzungszonen gewählt worden. Der Bundestag und die Delegierten der Landtage wählten den ersten Bundespräsidenten. Danach wurde vom Bundestag der Bundeskanzler auf vier Jahre gewählt. Der Bundeskanzler bildete dann die Bundesregierung, sie besteht aus dem Bundeskanzler und 20 Ministern.

Der *Bundestag* wird auf vier Jahre gewählt. Jeder Deutsche wird mit 21 Jahren wahlberechtigt. Mit 25 Jahren kann jeder, Mann oder Frau, zum Abgeordneten des Bundestages gewählt werden. Der Bundestag hat 521 Abgeordnete.

---

[1]) Glossar Abschnitt 19 E

Die Staatsorgane der Bundesrepublik Deutschland

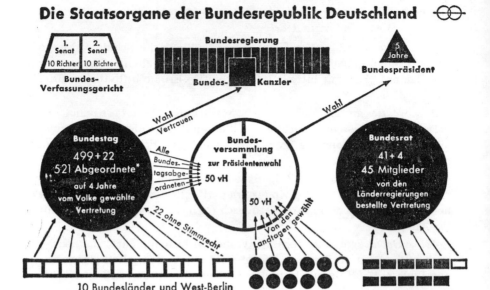

10 Bundesländer und West-Berlin

Landtage

Länderregierungen

*Nach der Bundestagswahl vom 17. 9. 1961

Durch den *Bundesrat* haben die Regierungen der zehn deutschen Länder Einfluß auf die Gesetzgebung und Verwaltung der Bundesrepublik.

Die Hauptstadt Deutschlands ist *Berlin.* Bonn wurde nur zum provisorischen Sitz der westdeutschen Bundesregierung gewählt.

In der sowjetischen Besatzungszone wurde am 7. Oktober 1949 ein eigener Staat gebildet; er nennt sich *Deutsche Demokratische Republik.*

*

Westdeutschland (55 Millionen Einwohner) besteht aus elf Bundesländern; diese besitzen ihre eigenen Volksvertretungen und ihre eigenen Regierungen:

Bevölkerung		Bevölkerung	
Baden-Württemberg . . .	7,1 Mill.	Niedersachsen	6,8 Mill.
Bayern	9,2 Mill.	Nordrhein-Westfalen . .	14,6 Mill.
Bremen	0,6 Mill.	Rheinland-Pfalz	3,2 Mill.
Hamburg	1,8 Mill.	Saarland	1,0 Mill.
Hessen	4,5 Mill.	Schleswig-Holstein . . .	2,3 Mill.

Berlin (beratend) . . . . 2,1 Mill.

Mitteldeutschland (16 Millionen Einwohner) wurde in 14 Bezirke eingeteilt: Schwerin, Rostock, Neubrandenburg, Potsdam, Frankfurt a. O., Kottbus, Magdeburg, Halle a. S., Leipzig, Dresden, Chemnitz, Gera, Erfurt und Suhl.

Bundesrepublik Deutschland	Regierungen der Länder
Bundespräsident	Ministerpräsident
Bundeskanzler	
Bundestag	Landtag
Bundesrat	

Die wichtigsten Ministerien   *Die wichtigsten Parteien*

Außenministerium	CDU/CSU	Christlich-Demokratische Union
Innenministerium		(außerhalb Bayerns)
Wirtschaftsministerium		Christlich-Soziale Union (Bayern)
Verteidigungsministerium	SPD	Sozialdemokratische Partei
Justizministerium		Deutschlands
Finanzministerium	FDP	Freie Demokratische Partei
Arbeitsministerium		
Verkehrsministerium		
Kultusministerium (nur bei den Ländern)		

Erklärungen und Wortschatz:

der Krieg, -e: militärische Auseinandersetzung *(Krieg führen); (kriegen:* bekommen, Umgangssprache)
die Besatzung, -en: Stationierung von Militär im feindlichen Land
der Bundesstaat, -en: ein Staat auf föderativer Grundlage
wahlberechtigt: das Recht haben zu wählen
der Abgeordnete, -n: der Volksvertreter im Parlament
der Bundestag: das Parlament der Bundesrepublik Deutschland und der Bundesrepublik Österreich
die Verfassung, -en: die Konstitution
der Bundeskanzler, -: der Ministerpräsident der Bundesrepublik Deutschland und der Bundesrepublik Österreich
der Landtag, -e: das Parlament eines Bundeslandes

*

Übung A: *Bilden Sie die indirekte Rede!*

1. Frau Krüger erzählte: „Herr Müller hat ein neues Haus gekauft. Es liegt in der Goethestraße. Es ist ein Zweifamilienhaus. In die Wohnung im Erdgeschoß wird Herr Müller einziehen, die Wohnung im ersten Stock bekommt sein Bruder." — 2. Die Zeitung meldete: „Gestern abend ist der Minister in unserer Stadt angekommen. Er ist von der Bevölkerung herzlich empfangen worden. Der Bürgermeister hat ihn zu einem Festessen eingeladen. Heute nimmt er an einer wichtigen Sitzung teil, und morgen früh wird er wieder abreisen." — 3. Der Fremde fragte den Schutzmann: „Bitte, wo ist die Post? Ist der Weg dorthin weit? Wann wird die Post geschlossen?" — 4. Der Student fragte bei der Universität: „Wann beginnt das Semester? Ist es möglich, an den Vorlesungen als Gasthörer teilzunehmen? Welche Papiere

braucht man zur Anmeldung?" — 5. Der Vater sagte zu Inge: „Komme heute pünktlich nach Haus! Vergiß das Geburtstagsgeschenk für Mutter nicht!" — 6. Der Richter sagte zum Zeugen: „Bitte, treten Sie vor! Berichten Sie alles ganz genau!" — 7. Frau Müller schrieb dem Lehrer: „Bitte, entschuldigen Sie meinen Sohn! Er war letzte Woche krank. Er hatte Grippe. Darum konnte er nicht in die Schule kommen." — 8. In der Abendzeitung stand: „Bei dem Verkehrsunfall wurden drei Personen verletzt. Ein Fahrer brachte sie sofort ins Krankenhaus. Sie konnten alle gerettet werden. Der schuldige Lastwagenfahrer, der unverletzt blieb, wurde verhaftet."

Übung B: *Setzen Sie den folgenden Brief in die indirekte Rede!*

Robert Berger schrieb seinen Eltern: „Jetzt bin ich zwei Wochen in München. Ich habe mit meinem Freund Hans ein Zimmer bei Familie Krüger. Morgens kann ich mit dem Fahrrad zur Universität fahren. Der Weg, der durch einen Park führt, ist sehr schön. Hans kommt immer zu Fuß in die Universität. Die Vorlesungen sind sehr interessant, und ich kann fast alles verstehen, was die Professoren sagen. Nach den Vorlesungen gehen Hans und ich zusammen zum Essen in ein Gasthaus, das ganz in der Nähe liegt. Dort gibt es gutes und nicht zu teures Essen. Danach machen wir meistens einen kleinen Spaziergang. Aber leider ist die Mittagspause sehr kurz; denn die Vorlesungen fangen schon um 2 Uhr wieder an. Am Abend arbeite ich oft zu Haus, manchmal gehe ich auch ins Kino. Es gibt hier (!) auch billige Theatervorstellungen für Studenten. Einmal war ich schon in der Oper; es hat mir sehr gut gefallen."

Übung C: *Setzen Sie den folgenden Text in die indirekte Rede und achten Sie auf die Zeiten!*

Eine junge Dame erzählte ihrer Freundin: „Letzte Woche kam ich von einer Italienreise zurück. In meinem Gepäck wollte ich ein Kilogramm Kaffee über die Grenze schmuggeln. Alle Reisenden im Abteil warteten auf die Zollkontrolle. Ein dicker Herr riet mir, den Kaffee in der Hutschachtel zu verstecken, weil ihn dort niemand suchen würde. Der Zollbeamte kam und sagte sofort: ‚In diesem Abteil riecht es nach Kaffee.' Und er fragte die Reisenden: ‚Wer von Ihnen hat Kaffee zu verzollen?' Da tat der dicke Herr etwas, was ich nicht verstand. Er sagte: ‚Die junge Dame hat Kaffee in ihrer Hutschachtel.' Ich mußte natürlich Zoll bezahlen. Alle Reisenden im Abteil waren zornig über den dicken Herrn. Als der Zug die Grenze passiert hatte, erklärte er

Schule und
Universität

Physikunterricht in der Schule

Studenten im Hörsaal

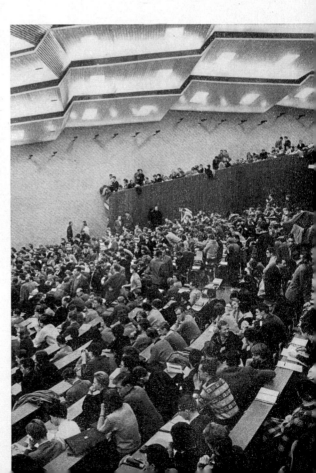

Universität Hamburg;
Auditorium Maximum

Im Industriegebiet

Im Duisburger Industrieviertel

Kokerei in Gelsenkirchen

Vor der Zeche Sachsen bei Hamm

mir, warum er mich verraten habe. Er selbst habe nämlich einen ganzen Koffer voll Kaffee im Gepäcknetz. Deshalb roch es so nach Kaffee. Aber als der Zollbeamte meinen Kaffee gefunden hatte, suchte er nicht weiter. So brachte der Dicke seinen Kaffee zollfrei über die Grenze. Zum Abschied hat er mir 5 Pfund davon geschenkt. Heute muß ich über diese Geschichte lachen."

Übung D: *Erklären Sie folgende Wörter und Begriffe!*

1. Monarchie, Republik, Demokratie, Diktatur — 2. Parlament, Abgeordneter, Partei, Regierung, Opposition — 3. Ministerpräsident, Staatspräsident, Minister, Verfassung, Gesetz — 4. Wahl, Wahlrecht, Stimme, Stimmzettel, Wahlurne — 5. Presse, Berichterstatter, Bildberichter (Bildreporter), Interview, Nachrichten.

* * *

ZEHNTER ABSCHNITT

Der zerstreute General[1])

Langsam stieg die schwere viermotorige Maschine, die den Flugplatz gerade verlassen hatte, in die Luft. Das Flugzeug machte einen Rundflug über dem Platz und flog dann mit direktem Kurs in Richtung Küste. In dem Flugzeug saß General Thomson, der ein begeisterter Flieger war und deshalb die Maschine auch selbst flog. Er befand sich auf dem Weg zu einem Seeflughafen, dessen Kommandeur ihn eingeladen hatte, den Flughafen zu besichtigen. Gleichzeitig sollte er dort auch einen neuen Flugzeugtyp kennenlernen.

Nach mehrstündigem Flug sah der General die große Hafenstadt vor sich, an deren Rand sich der Flugplatz befand. Wenige Minuten später war er über dem Flugplatz, auf dem er landen wollte. Sofort traf er alle Vorbereitungen zur Landung und setzte seine Maschine sicher auf das Rollfeld auf. Als er aus seiner Maschine ausstieg, wartete bereits der Wagen, mit dem er zum Seeflughafen gebracht werden sollte.

---

[1]) gesprochen auf Schallplatte II; Glossar Abschnitt 20

In schneller Fahrt erreichte der General den Seeflughafen, wo der Kommandeur ihn herzlich begrüßte. Danach machten die beiden Offiziere einen Rundgang durch alle Anlagen, wobei der Kommandeur dem General alles zeigte und ihm alle Einzelheiten genau erklärte.

Schließlich kamen sie zu einem Seeflugzeug, das gerade startbereit war. Der General bat den Kommandeur, diese Maschine einmal selbst fliegen zu dürfen. Dieser war einverstanden. Die Offiziere stiegen in die Maschine. Thomson setzte sich ans Steuer und startete mit dem Flugzeug. Alles ging gut. Nach mehreren Rundflügen über der Stadt flog der General tiefer und bereitete die Maschine zur Landung vor. Als der Kommandeur sah, daß der General mit dem Seeflugzeug auf dem Rollfeld des Flugplatzes landen wollte, sagte er schnell: „Verzeihung, Herr General! Es ist wohl besser, wenn wir auf dem Wasser niedergehen!" — „Aber natürlich, Herr Oberst!" erwiderte der General erschrocken, „ich habe ganz vergessen, daß ich in einem Seeflugzeug sitze." Dann riß er die Maschine noch einmal hoch, flog zum Seeflughafen hinüber und machte auf dem Wasser eine tadellose Landung. Zum Schluß gab er dem Kommandeur die Hand und sagte: „Ich danke Ihnen sehr, daß Sie mich rechtzeitig gewarnt haben. Sie haben ein großes Unglück verhütet!" Mit diesen Worten öffnete er die Tür und stieg aus — ins Wasser.

Erklärungen und Wortschatz:

zerstreut: mit seinen Gedanken abwesend *(die Zerstreutheit)*
viermotorig: mit vier Motoren
gerade: in diesem Augenblick
die Maschine, -n: (hier:) das Flugzeug
der Seeflughafen, ⸚: Start- und Landeplatz für Seeflugzeuge (Wasserflugzeuge)
der Kommandeur, -e: der Befehlshaber einer militärischen Formation *(der Kommandant, -en:* der Führer eines Schiffes oder eines Flugzeuges)
das Rollfeld: der Teil eines Flugplatzes, auf dem die Flugzeuge niedergehen
der Rundgang: ein Gang zur Besichtigung einer Stadt oder eines Gebäudes
die Anlagen (Plur.): die Gebäude mit allen technischen Installationen *(Fabrikanlagen, Bahnhofsanlagen, Flugplatzanlagen)*
das Steuer: Vorrichtung zum Lenken eines Fahrzeugs oder Flugzeugs *(die Steuer, -n:* die Abgaben an den Staat)
es geht gut: es verläuft ordnungsgemäß
hochreißen, i – i: (hier:) in der Luft schnell nach oben ziehen
tadellos: ohne Fehler
verhüten: vorsorglich vermeiden

* * *

Die Relativpronomen d e s s e n und d e r e n

Kennst du den *Mann, der* das Haus gekauft hat?	Subjekt: *Der Mann* hat das Haus gekauft.
Hier wohnt der *Mann, den* wir gestern gesehen haben.	Objekt: Wir haben *den Mann* gestern gesehen.
Ist das der *Mann, dem* du das Geld gegeben hast.	Objekt: Du hast *dem Mann* das Geld gegeben.

Relativsätze sind Attributsätze; sie stehen als Attribute bei Nomen. Die Form des Relativpronomens zeigt, welche Satzgliedfunktion das übergeordnete Nomen im Relativsatz hat.

Ich kenne den *Herrn, dessen Sohn* in Ihrer Firma arbeitet.	Attribut: Der Sohn *des Herrn* arbeitet in Ihrer Firma.
Ich wohne in dem *Haus, dessen Besitzerin* gestern gestorben ist.	Attribut: Die Besitzerin *des Hauses* ist gestern gestorben.
Siehst du die *Frau, deren Kinder* in unsere Schule gehen?	Attribut: Die Kinder *der Frau* gehen in unsere Schule.
Die *Leute, deren* Fahrräder dort stehen, arbeiten in dieser Fabrik.	Attribut: Die Fahrräder *der Leute* stehen dort.
Hier ist der *Herr,* m i t *dessen Auto* ich gefahren bin.	Attribut: Ich bin m i t d e m Auto *des Herrn* gefahren.
Wohnt hier die *Frau,* m i t *deren Tochter* Inge in Köln studiert hat?	Attribut: Inge hat m i t der Tochter *der Frau* in Köln studiert.
Kennst du das *Land,* ü b e r *dessen Bewohner* der Lehrer heute gesprochen hat?	Attribut: Der Lehrer hat heute ü b e r die Bewohner *des Landes* gesprochen.

Wenn **das Nomen,** zu dem der Relativsatz gehört (s. S. 29), **im Relativsatz nicht Satzglied, sondern Genitivattribut ist,** erhält das Relativpronomen die Genitivform. Es steht vor dem Nomen, zu dem das Genitivattribut gehört. **Das Nomen verliert seinen Artikel.**

> **Singular:** maskulin *dessen*, neutral *dessen*, feminin *deren*,
> **Plural:** *deren*

Übung 1: *Bilden Sie Relativsätze!*

1. Wir besuchen heute den Arzt. (Ich habe dir das Haus des Arztes gestern gezeigt. — 2. Kennst du die Leute? (Die Koffer der Leute stehen hier.) — 3. Wissen Sie, wohin der Mann vorhin gegangen ist? (Der Mantel des Mannes hängt noch in der Garderobe.) — 4. Wie alt ist der

Professor? (Wir feiern den Geburtstag des Professors.) — 5. Ich suche ein Zimmer für einen englischen Studenten. (Der Student kommt morgen, und der Bruder des Studenten war im letzten Jahr bei mir.) — 6. Die junge Dame kommt von der Zollstelle zurück. (Der Beamte hat das Gepäck der Dame kontrolliert.) — 7. Ich habe gestern einen Herrn auf der Straße getroffen. (Ich hatte mit dem Bruder des Herrn in München studiert.) — 8. Diese Stadt ist sehr alt. (Die Straßen der Stadt sind sehr eng.) — 9. Der Schüler ist sehr intelligent. (Wir haben über die Arbeiten des Schülers gesprochen.) — 10. Mein Freund besucht mich heute. (Ich habe lange Jahre bei den Eltern des Freundes gewohnt.)

*

Ich kenne den *Herrn, dessen Sohn* in Ihrer Firma arbeitet.	Attribut: *Sein Sohn* arbeitet in Ihrer Firma.
Wohnt hier die *Frau, mit deren Tochter* Inge in Köln studiert hat?	Attribut: Inge hat *mit ihrer Tochter* in Köln studiert.

In dem Satz, der zu einem Relativsatz werden soll, kann das Genitivattribut auch durch ein **Possessivpronomen** ausgedrückt sein.

Übung 2: *Bilden Sie Relativsätze!*

1. Ich suche eine Wohnung. (Ihr Preis soll nicht zu hoch sein.) — 2. Herr Braun ist ein Beamter. (Jeder ist mit seiner Arbeit zufrieden.) — 3. Mein Freund Fritz hat mir einen Brief geschrieben. (Ich wohne jetzt in seinem Zimmer.) — 4. Der Minister gab den Reportern nur eine kurze Antwort. (Er liebte ihre neugierigen Fragen nicht.) — 5. Robert dankt seinen Eltern. (Er hat ihr Paket erhalten.)

> Er ist *in Berlin* geboren. Seine Eltern lebten zehn Jahre *dort*.
> Er ist *in Berlin* geboren, *wo* seine Eltern zehn Jahre lebten.

Ergänzt ein Relativsatz **eine Ortsangabe,** so steht *wo* als Relativpronomen.

Übung 3: *Bilden Sie Relativsätze!*

1. Ich habe Fritz auf der Post gesehen. (Er holte *dort* einen Brief ab.) — 2. Meine Bekannten fahren nach Helgoland. (Ich bin im vergangenen Jahr *dort* gewesen.) — 3. Endlich kam das Taxi zum Lenbachplatz. (Ich hatte lange *dort* gewartet.) — 4. Wir sind im Stadion. (*Dort* finden heute internationale Wettkämpfe statt.) — 5. Die Dame versteckt den Kaffee in ihrer Hutschachtel. (Hoffentlich findet ihn der Beamte *dort* nicht.)

*

wegen: weil – deshalb

Ich bleibe heute *wegen des schlechten Wetters* zu Haus.
Das Geschäft ist *wegen Krankheit des Besitzers* geschlossen.
Wegen meiner vielen Arbeit war es mir nicht möglich zu kommen.

Ein Satzglied, das die Präposition *wegen* einleitet, gibt den **Grund des Geschehens** an. Man nennt dieses Satzglied *Kausalangabe*. (Frage: *warum?, weshalb?*)

Ich bleibe heute zu Haus, *weil das Wetter schlecht ist.*
Das Geschäft ist geschlossen, *weil der Besitzer krank ist (krank geworden ist).*
Es war mir nicht möglich zu kommen, *weil ich viel Arbeit hatte (weil ich viel arbeiten mußte).*

Wenn die Kausalangabe ein eignes Prädikat erhält, entsteht ein Gliedsatz. Er hat die gleiche Funktion im Satz wie das Satzglied. (Frage: *warum?, weshalb?*) Die Funktion zeigt die Konjunktion *weil.*

Das Wetter ist schlecht; *deshalb* bleibe ich zu Haus.
Der Besitzer des Geschäfts ist krank; *deshalb* ist es geschlossen.
Ich hatte viel Arbeit; *deshalb* war es mir nicht möglich zu kommen.

Als Kausalangabe vertritt *deshalb* **den vorhergehenden Satz.** Statt *deshalb* kann auch *deswegen* oder *darum* stehen.

Übung 4: *Bilden Sie Gliedsätze mit „weil"!*

1. Dieser Film interessiert mich nicht; deshalb gehe ich heute nicht ins Kino. – 2. Wir wollen in Deutschland studieren; deshalb lernen wir Deutsch. – 3. Der Vater von Peter wartet zu Haus; deshalb muß Peter jetzt nach Haus gehen. – 4. Ich will mir einen neuen Anzug kaufen; deshalb habe ich meinen Vater um Geld gebeten. – 5. Der Schüler hat im letzten Jahr schlecht gearbeitet; deshalb muß er die Klasse wiederholen. – 6. Der vergangene Winter war sehr kalt; deshalb haben wir viele Kohlen gebraucht. – 7. Mein Vater will den Lehrer sprechen; deshalb ist er heute in die Schule gegangen. – 8. Wir müssen noch viel arbeiten; deshalb können wir heute nicht spazieren gehen. – 9. Heute kann man ein interessantes Fußballspiel sehen; deshalb sitzt die ganze Familie Müller vor dem Fernsehapparat. – 10. Mein Großvater kann schlecht sehen; deshalb trägt er eine Brille.

Übung 5: *Bilden Sie Sätze mit „deshalb", „darum" oder „deswegen"!*

1. Wir sind gestern zu Haus geblieben, weil wir Besuch bekommen haben. – 2. Peter studiert Medizin, weil er Arzt werden will. – 3. Ich fahre nach Griechenland, weil ich mich für die klassische Kunst interessiere. – 4. Die Frau macht Licht, weil es schon zu dunkel ist. –

5. Der Mann sitzt im Gefängnis, weil er gestohlen hat. — 6. Die Ernte ist in diesem Jahr sehr gut gewesen, weil das Wetter im Frühling und Sommer günstig war. — 7. Wir haben Herrn Müller zu Haus nicht getroffen, weil er fortgegangen war. — 8. Ich will dem Kind Schokolade schenken, weil es sehr höflich zu mir war. — 9. Inge muß jetzt gehen, weil ihre Eltern sie erwarten. — 10. Wir haben kein Geld mehr, weil wir gerade von einer Reise zurückgekommen sind.

trotz: obwohl — trotzdem

> Wir gehen heute *trotz des schlechten Wetters* spazieren.
> *Trotz seines großen Fleißes* hat Karl keine gute Prüfung gemacht.
> *Trotz der Hilfe seines reichen Onkels* hatte der junge Mann in seinem Beruf keinen Erfolg.

Ein Satzglied hinter der Präposition *trotz* **gibt einen Umstand an, der ein anderes Geschehen erwarten läßt, als im Satz beschrieben wird** (konzessiv).

> Wir gehen heute spazieren, *obwohl das Wetter schlecht ist.*
> Karl hat keine gute Prüfung gemacht, *obwohl er immer sehr fleißig gewesen war.*
> Der junge Mann hatte in seinem Beruf keinen Erfolg, *obwohl ihm sein reicher Onkel immer geholfen hatte.*

Wenn dieses konzessive Satzglied zum Gliedsatz erweitert ist, steht die Konjunktion *obwohl.* Statt *obwohl* können auch die Konjunktionen *obschon, obgleich* stehen.

> Das Wetter ist heute schlecht; *trotzdem* gehen wir ein wenig spazieren.
> Karl ist immer sehr fleißig gewesen; *trotzdem* hat er keine gute Prüfung gemacht.
> Dem jungen Mann wurde immer von seinem reichen Onkel geholfen; *trotzdem hatte er in seinem Beruf keinen Erfolg.*

Das Konjunktionaladverb *trotzdem* **vertritt den vorhergehenden Satz.** Statt *trotzdem* können auch *aber* oder *dennoch* stehen.

Übung 6: *Bilden Sie Gliedsätze mit „obwohl"!*

1. Dieser Mann ist sehr reich; trotzdem ist er nicht glücklich. — 2. Ich habe nur wenig Geld; trotzdem bin ich zufrieden. — 3. Der Schüler hatte von früh bis spät gearbeitet; trotzdem hat er die Prüfung nicht bestanden. — 4. Ich habe viele Jahre Deutsch gelernt; trotzdem kann ich es noch nicht fließend sprechen. — 5. Du hast mir versprochen, pünktlich zu sein; trotzdem bist du wieder zu spät gekommen. — 6. Er wußte, daß das Auto nicht schnell fahren konnte; trotzdem hat er es gekauft. — 7. Mein Bruder hatte sich warm angezogen; trotzdem hat er sich erkältet. — 8. Die Reporter haben vier Stunden auf den Minister gewartet; trotzdem erfuhren sie nichts von ihm. — 9. Der Vater hatte

seinem Sohn geraten, Medizin zu studieren; trotzdem studierte er Maschinenbau. — 10. Die Hausaufgabe war sehr leicht; trotzdem haben die Schüler viele Fehler gemacht.

Übung 7: *Bilden Sie Sätze mit „trotzdem!"*

1. Obwohl mein Freund wenig Geld hat, geht er jeden Abend in ein Café. — 2. Obwohl die Dame ihren Kaffee gut versteckt hatte, fand ihn der Zollbeamte sofort. — 3. Der junge Mann rauchte jeden Tag 20 Zigaretten, obwohl der Arzt ihm das Rauchen verboten hatte. — 4. Obwohl das Wetter schlecht war, kam das Flugzeug pünktlich auf dem Flughafen an. — 5. Obwohl Fritz nicht viel Geld verdient, hat er im letzten Jahr über 500 Mark gespart. — 6. Obwohl ich meinen Freund dringend gebeten hatte, mir zu helfen, hat er mir auf meine Briefe nicht geantwortet. — 7. Der Verletzte wurde gerettet, obwohl man schon alle Hoffnung verloren hatte. — 8. Der Kaufmann hat das Geschäftshaus gekauft, obwohl man ihm geraten hatte, es nicht zu kaufen, weil es schon so alt war. — 9. Die Bank hat Herrn Meier einen Kredit gegeben, obwohl er keine Sicherheiten bieten konnte. — 10. Obwohl das Buch sehr schlecht ist, kaufen es die Leute immer wieder.

*

Unbestimmte Pronomen

In Österreich spricht *man* Deutsch. — In diesem Gasthaus ißt *man* gut. — Dieses Haus hat *man* verkauft.

m a n bezeichnet eine unbestimmte Person oder Personengruppe. Es ist nur Subjekt und hat keine Deklinationsformen und keinen Plural.

Dort kommt *einer* — Wo? Ich sehe *keinen*. Hast du die Sportler gesehen? Ja, ich habe gestern *welche* gesehen. (Nein, ich habe *keine* gesehen.)

e i n e r (negativ: *keiner***) bezeichnet eine unbekannte Person.** Wenn man eine unbekannte weibliche Person bezeichnen will, gebraucht man die Femininform *eine* (negativ: *keine*). Die Pluralform ist *welche* (negativ: *keine*).

Die Deklination ist unvollständig: Im Singular gibt es keinen Genitiv, und im Plural gibt es nur den Nominativ und Akkusativ.

	Singular		Plural
	m a s k u l i n	f e m i n i n	
Nom.	*einer (keiner)*	*eine (keine)*	*welche (keine)*
Akk.	*einen (keinen)*	*eine (keine)*	*welche (keine)*
Dat.	*einem (keinem)*	*einer (keiner)*	– –
Gen.	– –	– –	– –

Dort kommt *jemand!* Kennst du den (die)? – Ich wollte dich gestern besuchen, aber *niemand* war bei dir zu Haus. – Hast du gestern *jemanden*
getroffen? – Nein, ich habe gestern *niemanden* getroffen, und ich habe
auch mit *niemandem* gesprochen.

**jemand (negativ: *niemand*) bezeichnet eine bestimmte, aber unbekannte Per-
son oder Personengruppe.** Die Deklination: Nom. *jemand*, Akk. *jemand(en)*,
Dat. *jemand(em)*, Gen. *jemands*. Die negative Form *niemand* hat die gleichen
Deklinationsendungen. Beim Akkusativ und Dativ kann man auf die Deklinationsendungen verzichten. Der Genitiv ist sehr selten; er steht als Attribut
vor den Nomen.

Ich habe *einen jenen (jedermann)* nach dem Weg gefragt. — Herr Meier
lebt allein; er spricht nur mit *wenigen.* Wir haben nicht *alle* getroffen,
die wir treffen wollten.

**j e d e r m a n n bezeichnet wie j e d e r die einzelnen Personen einer be-
stimmten Gruppe, in der keiner eine Ausnahme bildet.** *jedermann* hat keine
Deklinationsformen mit Ausnahme des attributiven Genetivs *(jedermanns).* Die
Deklination von *jeder:*

	mask.	femn.	mask.	femn.
Nom.	*jeder*	*jede*	*ein jeder*	*eine jede*
Akk.	*jeden*	*jede*	*einen jeden*	*eine jede*
Dat.	*jedem*	*jeder*	*einem jeden*	*einer jeden*
Gen.	–	–	*eines jeden*	*einer jeden*

alle, viele, wenige, einige bezeichnen Personen im Plural. Man dekliniert sie:

Nom.	*alle*	*viele*	*wenige*	*einige*
Akk.	*alle*	*viele*	*wenige*	*einige*
Dat.	*allen*	*vielen*	*wenigen*	*einigen*
Gen.	*aller*	*vieler*	*weniger*	*einiger*

Übung 8: *Ergänzen Sie die Endungen!*

1. Peter ist unhöflich; er grüßt ein- nicht und gibt ein- beim Abschied
nicht die Hand. — 2. In unserem Dorf geht sonntags jedermann (ein-
jed-) in die Kirche. — 3. Arbeit ist nicht jedermann- Sache. — 4. Auf der
Straße steht ein- und wartet. — 5. Soeben hat man wieder jemand-
(ein-) ins Krankenhaus gebracht. — 6. Wo ist Hans? Er steht auf der
Straße und spricht mit ein-. — 7. Auf dem Platz spielen welche- Fußball. — 8. Hast du jemand- im Garten gesehen? — Nein, niemand-. —
9. Wir trinken auf die Gesundheit all-. — 10. Ist schon jemand- gekommen? Ja, alle- sind schon gekommen. – 11. Sind Sie schon mit

alle- bekannt? — 12. Er ist ein guter Mensch; er hilft alle-. — 13. Ich glaube kein-. — 14. In Deutschland muß jed- in die Schule gehen. — 15. Wir haben in dieser Stadt schon mit viel- gesprochen.

Übung 9: *Bilden Sie die Pluralformen!*

1. Auf der Straße steht einer und diskutiert mit dem Polizisten. — 2. Ich habe nachts keinen auf der Straße gesehen. — 3. In dem Café sitzt einer und spricht über Politik. — 4. Dort steht jemand auf der Straße und singt. — 5. Ich sehe keinen, aber ich höre ihn. — 6. Kann mir jemand bei dieser schweren Arbeit helfen?

*

Ich habe *nichts* verstanden. — Peter ist mit *nichts* zufrieden. — Schenken Sie dem Mann *etwas*. — Er will *alles* oder *nichts*. — Man muß mit *wenigem* zufrieden sein können. — Du wirst *vieles* nicht verstehen, sicherlich aber *einiges*.

etwas (negativ *nichts*) alles, weniges, vieles, einiges bezieht sich auf Sachen und Begriffe und ist immer Singular. *etwas* und *nichts* haben keine Deklinationsformen, die übrigen haben außer der Nominativ- und Akkusativform eine Dativform.

Übung 10: *Ergänzen Sie die Endungen!*

1. Nicht- ist unmöglich. — 2. Der junge Mann will mit nicht- ein Geschäft beginnen. — 3. Wir sind mit all- sehr zufrieden. — 4. In diesem Land muß sich noch einig- ändern, wenn das Volk mit all- zufrieden sein soll. — 5. Er hat beim Glücksspiel all- verloren. — 6. Das alte Auto ist nicht- mehr wert. — 7. Er hat mir nicht- zum Geburtstag geschenkt. — 8. Wir haben an viel- Interesse. — 9. Ich muß leider einig- kritisieren, denn ich bin mit einig- nicht zufrieden. — 10. Die Kinder müssen in der Schule viel- lernen.

*

Die Wörterbücher[1]

Wenn Sie einen Text in Ihrer Muttersprache oder in einer Fremdsprache lesen, finden Sie manchmal Wörter, die Sie nicht verstehen oder deren Bedeutung Ihnen nicht ganz klar ist. In diesem Fall schlagen Sie das Wort in einem Wörterbuch nach.

Ein Wörterbuch ist ein Verzeichnis, in dem man den Wortschatz einer Sprache in alphabetischer Ordnung findet. Die Wörter werden

---

[1] Glossar Abschnitt 20 E

darin entweder in eine andere Sprache übersetzt, dann ist es ein zweisprachiges Wörterbuch, oder sie werden durch andere Wörter der gleichen Sprache erklärt, dann ist es ein einsprachiges Wörterbuch.

Ein zweisprachiges Wörterbuch zu benutzen, macht keine großen Schwierigkeiten, denn Sie finden die Übersetzung des Wortes, dessen Bedeutung Sie suchen, neben dem Stichwort. Diese Wörterbücher sind aber nicht immer sehr zuverlässig, was jedoch kein Fehler der Verfasser ist. Der Grund liegt vielmehr darin, daß zwei verschiedene Sprachen für einen Gegenstand oder Begriff häufig mehrere Wörter benutzen, deren Bedeutung nicht genau gleich ist. Diese verschiedenen Wörter für einen Gegenstand oder Begriff nennt man Synonyme. Wenn Sie einmal bei einem Stichwort nachschlagen, werden Sie überrascht sein, hinter dem Stichwort Übersetzungen in Ihrer Sprache zu finden, die verschiedene Bedeutungen haben. Jetzt ist es schwierig, die richtige Übersetzung zu finden. Dazu brauchen Sie nicht nur gute Kenntnisse in der Fremdsprache, sondern auch in Ihrer Muttersprache.

Schwieriger ist die Benutzung eines einsprachigen Wörterbuchs. Hier müssen Sie die Sprache schon gut beherrschen, wenn Sie die feinen Unterschiede der gleichartigen Wörter verstehen wollen, mit denen ein Stichwort erklärt ist. Am besten ist es, wenn Sie noch die Bedeutungen der Wörter nachprüfen, mit denen das Stichwort erklärt wird. Schreiben Sie dann die Wörter auf, die Sie gefunden haben; so werden Sie Ihren Wortschatz schnell vergrößern können.

die Bedeutung	= der Sinn, den ein Wort hat
die Fremdsprache	= die Sprache, die ein anderes Volk spricht
die Muttersprache	= die Sprache, die man von der Mutter zuerst gelernt hat
das Stichwort	= das Wort, das erklärt wird das Wort, das in einer Unterhaltung besonders wichtig ist
das Synonym	= ein Wort, das eine gleiche oder ähnliche Bedeutung wie ein anderes Wort hat
der Verfasser	= die Person, die ein Buch (einen Aufsatz) geschrieben hat
der Wortschatz	= alle Wörter, die eine Sprache oder ein Mensch besitzt
das Wörterbuch	= ein Verzeichnis des Wortschatzes, das nach dem Abc geordnet ist

Übung A: *Bilden Sie Relativsätze!*

1. Der Angeklagte gestand den Diebstahl. (Er hatte zuerst hartnäckig geleugnet.) — 2. Wir fahren mit unseren Bekannten an die See. (Im Reisebüro hat man unseren Bekannten eine Reise an die See

empfohlen.) — 3. Wann soll das Flugzeug starten? (Sie fliegen mit dem Flugzeug.) — 4. Es gibt viele arme Menschen. (Man muß ihnen helfen.) — 5. Die Straße war sehr dunkel. (Das Auto wurde in der Straße gestohlen.) — 6. Ich werde meine Ferien in Venedig verbringen. (Ich freue mich schon auf die Ferien.) — 7. Das Gebirge soll sehr schön sein. (Wir fahren ins Gebirge.) — 8. Der Eilzug fährt nicht nach Frankfurt. (Er ist gerade vom Bahnsteig 11 abgefahren.) — 9. Das Buch ist interessant. (Ich lese es jetzt.) — 10. Ich habe mich über Ihren Brief sehr gefreut. (Ich habe ihn gestern bekommen.)

Übung B: *Bilden Sie Fragen mit „welch-?" oder „was für ein-?"!*

1. Wir haben im letzten Jahr eine schöne Reise gemacht. — 2. Wir sind mit dem modernsten Autobus gefahren. — 3. Altmodische Anzüge trage ich nicht gern. — 4. Ich habe Peter mit einem freundlichen alten Herrn sprechen sehen. — 5. Ich möchte einen kleinen Tisch und zwei bequeme Sessel kaufen. — 6. Herr Müller sucht ein kleines möbliertes Zimmer. — 7. Die neuen Minister treten zu einer Sitzung zusammen. — 8. Ich spreche nicht gern mit dummen Menschen. — 9. Viele gute Sportler sind zu den Wettkämpfen gekommen. — 10. Der Dame ist eine schwarze Handtasche gestohlen worden.

Übung C: *Bilden Sie das Passiv!*

1. Das Parlament wählte gestern den neuen Ministerpräsidenten. — 2. Man brachte gestern im Rundfunk eine Übertragung von der Wahl des neuen Ministerpräsidenten. — 3. Das Gericht verurteilte den Angeklagten zu 3 Jahren Gefängnis. — 4. Man gab den Start der nächsten Verkehrsmaschine durch Lautsprecher bekannt. — 5. Ein erfahrener Flugkapitän fliegt diese moderne Düsenmaschine. — 6. Vor dem Start müssen die Mechaniker die Motoren einer jeden Maschine genauestens prüfen. — 7. Man hat den Roman vom Deutschen ins Englische übersetzt. — 8. In diesem Satz hat man ein Wort nicht richtig übersetzt. — 9. Der Lehrer erklärt uns alle neuen Wörter auf Deutsch. — 10. Bei Prüfungen darf man keine Wörterbücher benutzen.

Übung D: *Bilden Sie die indirekte Rede!*

1. Der Flugkapitän sagte: „Wir befinden uns in sechstausend Meter Höhe über den Alpen und fliegen jetzt mit direktem Kurs auf München." — 2. Die Zeitungen meldeten: „Gestern nachmittag ereignete sich in der Innenstadt ein Verkehrsunfall, der großen Sachschaden

verursachte. Personen sind glücklicherweise nicht verletzt worden." —
3. Der Angeklagte sagte: „Ich habe das Auto nicht gestohlen. Ich bin
unschuldig." — 4. Wir bekamen im Reisebüro die Auskunft: „Am
15. Juni fährt eine Reisegesellschaft mit einem Sonderzug an die Nordsee. Es sind noch Plätze frei. Wenn Sie an dieser Reise teilnehmen
wollen, können Sie dafür noch Karten haben." — 5. Der Lehrer sagt:
„Öffnen Sie nach dem Unterricht die Fenster! Wenn die nächste Unter-
richtsstunde beginnt, können Sie sie wieder schließen."

* * *

ELFTER ABSCHNITT

Das Traumbuch und das Scheckbuch[1])

Schon seit mehr als zehn Jahren hatte eine Köchin bei einer reichen
Kaufmannsfamilie treu gedient. Sie hieß Marie und stammte vom
Land. Nachdem sie nun lange Jahre in der Familie fleißig gearbeitet
hatte, bekam sie eines Tages einen dreimonatigen Urlaub, den sie in
ihrer Heimat verbrachte. Marie gehörte schon fast zur Familie; darum
wurde beschlossen, sie bei ihrer Rückkehr mit einer Überraschung zu
empfangen.

Als die Familie einmal bei Tisch zusammensaß, machte die Hausfrau
den Vorschlag: „Wenn Marie wieder zurückkommt, wollen wir ihr
eine besondere Überraschung bereiten. Deshalb schlage ich vor, daß
wir ihr Zimmer neu einrichten, während sie noch auf Urlaub ist. In
ihrem Zimmer stehen wirklich recht alte und schlechte Möbel." Der
Vorschlag wurde freudig angenommen, und man machte sich an die
Arbeit. Das Zimmer der Köchin wurde frisch tapeziert und mit neuen
Möbeln eingerichtet. Sogar ein Teppich wurde in das Zimmer gelegt,
und die Fenster bekamen neue Gardinen, obwohl die alten noch gar
nicht so schlecht waren.

Nach drei Monaten kam Marie vom Urlaub wieder zurück. Als sie
ihr Zimmer betrat, blieb sie einen Augenblick wie erstarrt stehen, lief
dann aufgeregt zum Bett, riß die Decken und Laken heraus und schrie:
„Wo ist denn meine Matratze?"

In der alten Matratze hatte die Köchin ihr ganzes Geld, das sie in
mehr als zehn Jahren gespart hatte, eingenäht — 2000 Mark! Die Hausfrau versuchte Marie zu trösten: „Vielleicht hat der Altwarenhändler,

---

[1]) gesprochen auf Schallplatte III; Glossar Abschnitt 21

dem wir die Matratze verkauft haben, sie noch nicht weiterverkauft."
Man fuhr sofort zum Altwarenhändler, obwohl es schon spät am
Abend war. Zum Glück stand die Matratze noch in seinem Laden. Als
sie zu Haus aufgetrennt wurde, fand man wirklich das Geld in der
Matratze.

Am anderen Tag sagte der Kaufmann zu seiner Köchin: „Schämen
Sie sich, Marie. Heutzutage hebt man sein Geld nicht in einer Matratze
auf. Wozu gibt es Banken? Wir gehen sofort zusammen auf eine Bank
und richten ein Konto für Sie ein!"

Der Kaufmann ging mit seiner Köchin zur Bank und stellte sie dem
Bankdirektor vor. Er erzählte ihm die Geschichte mit der Matratze.
Der Direktor lachte laut und übergab der
Köchin dann ein neues Scheckbuch.

Wenige Monate danach kam eine Wirt-
schaftskrise über das Land, und viele Banken machten bankerott. Darunter war auch
die Bank, deren Direktor damals so gelacht
hatte. Sogar der Kaufmann hatte sein ganzes
Vermögen verloren. Was sollte man nun
der Köchin sagen? – Sie wurde gerufen, und
der Hausherr gab ihr die traurige Nachricht.
Die Hausfrau weinte, und auch dem Kaufmann standen die Tränen in den Augen.

„Sehen Sie, liebe Marie", sagte er zögernd, „ich habe großes Unglück
gehabt. Ich möchte Ihnen gerne Ihre 2000 Mark zurückzahlen, die Sie
durch meine Schuld verloren haben, aber ich kann es jetzt nicht.
Trotzdem verspreche ich Ihnen, die Summe in monatlichen Raten zu
50 Mark abzuzahlen . . ."

Marie hatte den aufgeregten Kaufmann ruhig angehört. Dann sagte
sie: „Machen Sie sich bitte keine Sorgen! Nachdem ich mein Geld
auf der Bank eingezahlt hatte, war ich sehr unruhig und hatte in der
Nacht einen bösen Traum. Ich träumte von einem großen Wolf, der
sich auf mich stürzte und mich fressen wollte. – Am anderen Morgen
schlug ich in meinem Traumbuch nach und las, daß ich in Gefahr war,
mein Geld zu verlieren. So ging ich, nachdem ich auf dem Markt meine
Einkäufe gemacht hatte, sofort auf die Bank und holte mein Geld wieder ab, obwohl Sie mir kurz vorher einen anderen Rat gegeben hatten.
Meine 2000 Mark sind längst wieder in der Matratze. Deshalb habe ich
jetzt noch mein Geld!"

Sprichwörter

Wer nicht hören will, muß fühlen.

Wer zuerst kommt, mahlt zuerst.

Wer zuletzt lacht, lacht am besten.

Wer andern eine Grube gräbt, fällt selbst hinein.

Wer lügt, der stiehlt.

Wer nicht kommt [1]) zur rechten Zeit, der muß nehmen, was übrigbleibt.

Glücklich ist, wer vergißt, was nicht mehr zu ändern ist.

Es ist nicht alles Gold, was glänzt.

Was ich nicht weiß, macht mich nicht heiß.

Iß, was gar ist, trink, was klar ist, sprich, was wahr ist!

Wem nicht zu raten ist, dem ist nicht zu helfen.

Was Hänschen nicht lernt, lernt Hans nimmermehr.

Was dich nicht brennt, das blase nicht.

Was du heute kannst [1]) besorgen, das verschiebe nicht auf morgen!

Erklärungen und Wortschatz

das Traumbuch: ein Buch, in dem die Bedeutung der Träume erklärt wird

tapezieren: die Zimmerwände mit *Tapeten (die Tapete, -n)* bekleben

einrichten: Möbel in ein Zimmer stellen *(die Zimmereinrichtung, die Schlafzimmereinrichtung)*

die Gardine, -n: ein feiner Stoff, der vor den Fensterscheiben hängt *(der Vorhang, -e:* dicker Stoff, der das Fenster umrahmt und vor das Fenster gezogen werden kann)

die Matratze, -n: die Polster eines Bettes

das Laken, -: die weiße Decke, auf der man liegt

die Decke, -n: die *Bettdecke,* mit der man sich zudeckt *(Tischdecke; Zimmerdecke:* der obere Teil des Zimmers; *das Verdeck, -e:* der obere Teil eines Wagen)

der Altwarenhändler, -: ein Händler, der mit gebrauchten Sachen handelt

heutzutage: in der heutigen Zeit

aufheben: verwahren, aufbewahren

das Vermögen: der Besitz an Geld und Sachen

fressen, – a – e –: Tiere fressen, Menschen essen

mahlen: man mahlt Kaffee; der Müller mahlt das Korn zu Mehl *(mahlen, mahlte, gemahlen)*

die Grube, -n: ein tiefes Loch

es macht mich nicht heiß: es regt mich nicht auf, es ist mir gleichgültig

gar: fertig gekocht

etwas besorgen: etwas tun

*

[1]) Die Wortstellung im Nebensatz ist wegen des Reims verändert.

um ... zu – damit

Peter ist nach Deutschland gefahren, *um* dort Deutsch *zu lernen.*
Herr Müller hat eine goldene Uhr gekauft, *um* sie seiner Frau zum Geburtstag *zu schenken.*

Die Präposition *um* **vor einem Infinitivsatz drückt aus, daß die Infinitivhandlung das Ziel, der Zweck oder die Absicht der Haupthandlung ist (final).**
Das Subjekt der Haupthandlung ist auch Subjekt der Infinitivhandlung.
Man fragt: *Zu welchem Zweck?, wozu?* oder auch *warum?, weshalb?.*
Zu welchem Zweck ist Peter nach Deutschland gefahren?

Mein Vater hat mir Geld geschickt, *damit ich* mir einen neuen Anzug kaufen kann.
Die Eltern schicken ihre Kinder in die Schule, *damit sie* fremde Sprachen lernen.

Wenn die Subjekte der beiden Handlungen nicht gleich sind, bildet man einen Gliedsatz mit der Konjunktion *damit.* Man nennt diese Gliedsätze Finalsätze.

Zu welchem Zweck hat dir dein Vater Geld geschickt? — Ich *soll* mir einen Anzug *kaufen....., damit* ich mir einen Anzug *kaufe.*

In den finalen Infinitivsätzen und Gliedsätzen stehen **keine Modalverben mit finaler Bedeutung;** das sind die Modalverben, die eine Absicht oder einen Zweck ausdrücken können (z. B. *wollen, sollen, mögen*).

Übung 1: *Bilden Sie Finalsätze!* um .... zu *oder damit?*

1. Ich bin nach Deutschland gekommen. Ich will Deutsch lernen. —
2. Meine Eltern haben mir Geld geschickt. Ich soll mir einen Anzug kaufen. — 3. Die Kellnerin ging in die Küche. Sie wollte mir mein Essen holen. — 4. Ich habe an meinen Vater geschrieben. Er soll mich nächste Woche besuchen. — 5. Richard geht zu Herrn Müller. Er will ihm zum Geburtstag gratulieren. — 6. Ich stelle Sie morgen meiner Frau vor. Sie soll Sie einmal kennenlernen. — 7. Peter hat sich mit Inge verabredet. Er will mit ihr einen interessanten Film ansehen. — 8. Herr Robertson schreibt an Herrn Bergmeier. Herr Bergmeier soll ihm für die Ferien ein Zimmer in Neustadt besorgen. — 9. Die junge Dame hat ihren Kaffee versteckt. Der Zollbeamte soll ihn nicht finden. — 10. Der Student geht auf das Einwohnermeldeamt. Er will sich dort anmelden. — 11. Wir schalten das Radio ein. Wir wollen den Sportbericht hören. — 12. Der Kommandeur hat den General eingeladen. Der General soll den neuen Flugplatz besichtigen. — 13. Ich gehe morgen zum Schneider. Ich will mir einen neuen Anzug machen lassen. — 14. Der Wirt schickt seine Frau in die Küche. Sie soll dort für den Gast einen Kaffee kochen. —
15. Ziehe einen Mantel an! Du sollst dich nicht erkälten.

Übung 2: *Antworten Sie auf folgende Fragen!*

1. Warum schreibst du deinem Vater? (*Er soll mir Geld schicken.*) — 2. Warum fährt er so schnell? (*Er will pünktlich im Büro sein.*) — 3. Wozu ziehst du dir einen Mantel an? (*Ich will mich nicht erkälten.*) — 4. Warum geht sie jetzt zu ihrer Kusine? (*Sie will ihr heute das Buch zurückbringen.*) — 5. Warum fuhr der Lastwagen nach links? (*Er wollte den beiden Fußgängern ausweichen.*) — 6. Warum fahrt ihr morgen nach Haus? (*Wir wollen unsere Eltern wiedersehen.*) — 7. Weshalb nimmst du jetzt ein Taxi? (*Ich will nicht zu spät auf dem Bahnhof sein.*) — 8. Warum schicken die Zeitungen ihre Reporter ins Ministerium? (*Sie sollen ihren Zeitungen die neuesten Nachrichten über die Politik der neuen Regierung melden.*) — 9. Warum kommen Sie zum Unterricht? (*Wir wollen Deutsch lernen.*) — 10. Warum schauen Sie vor dem Überqueren einer Straße nach links und rechts? (*Ich will nicht überfahren werden.*) — 11. Warum schicken die Eltern ihre Kinder in die Schule? (*Sie sollen lesen, schreiben und rechnen lernen.*) — 12. Weshalb besitzen wir einen Paß? (*Wir können ins Ausland fahren.*) — 13. Warum geht er in das Geschäft? (*Er kauft ein neues Hemd und einen Schlips.*) — 14. Warum arbeitete dieser Mann Tag und Nacht? (*Seine Familie hat genug zu essen.*) — 15. Weshalb schickst du deinen Eltern Geld? (*Die Eltern sollen ohne Sorge leben.*) — 16. Warum haben Sie ein Taxi genommen? (*Ich wollte den Zug noch erreichen.*) — 17. Warum gibt der Arzt dem Kranken Tabletten? (*Der Kranke kann schlafen.*) — 18. Warum heizen wir das Zimmer? (*Es soll warm werden.*) — 19. Warum kommst du zu mir? (*Ich will mit dir sprechen.*) — 20. Warum trägst du das Geld auf die Bank? (*Es soll Zinsen bringen.*) — 21. Warum schließen wir das Haus zu? (*Kein Einbrecher soll ins Haus kommen.*)

*

Die Relativpronomen *wer* und *was*

Wer den ganzen Tag arbeitet, *der* ist abends sehr müde.
Wer mir hilft, *dem* helfe ich auch.
Was dieser Geschäftsmann verkauft, *das* ist teuer.

Ein Relativsatz kann auch von einer Person oder Sache abhängen, die nicht genannt wird, weil sie unbekannt ist oder weil man an keine bestimmte Person oder Sache denkt. Man gebraucht dann bei Personen das Relativpronomen *wer* mit seinen Deklinationsformen und bei Sachen das Relativpronomen *was*. Der Relativsatz steht v o r den Demonstrativpronomen *der, das die.*

Wer den ganzen Tag arbeitet, ist abends sehr müde.
Was dieser Mann verkauft, ist teuer.

Wenn Relativpronomen und Demonstrativpronomen die gleiche Deklinationsform haben, verzichtet man oft auf das Demonstrativpronomen.

Frühstück im Flugzeug

Landung Boeing 707

Abflug

Straßencafé in Schwabing (München)

Kurfürstendamm (Berlin)

Modenschau auf
Schloß Mainau
(Bodensee)

Übung 3: *Ergänzen Sie die fehlenden Relativpronomen und Demonstrativpronomen!*

1. .... gut ist, ist nicht immer billig. — 2. .... an einer Auslandsreise teilnehmen will, ... muß einen Paß haben. — 3. .... seine Arbeit beendet hat, ... kann nach Haus gehen. — 4. .... über 21 Jahre alt ist, ist volljährig. — 5. .... jünger als 21 Jahre ist, ist minderjährig. — 6. .... nicht regelmäßig zum Unterricht kommt, ... lernt nichts. — 7. .... schön ist, gefällt allen Leuten. — 8. .... er sagt, ist richtig. — 9. .... krank ist, ... soll zum Arzt gehen. — 10. .... meine Frage richtig beantwortet, ... gebe ich das Bild. — 11. .... in der Stadt wohnt, ... fährt im Urlaub gern aufs Land. — 12. .... auf dem Land wohnt, kommt sonntags gern in die Stadt. — 13. .... wir hier morgen zuerst sehen, ... gratulieren wir. — 14. .... ich nicht weiß, macht mich nicht heiß (beunruhigt mich nicht).

15. ....schwarz ist, ist nicht weiß.
.... kalt ist, ist nicht heiß.
.... klug ist, ist nicht dumm.
.... spricht, ist nicht stumm.

16. .... nicht groß ist, ... ist klein.
.... nicht ja sagt, ... sagt nein.
.... nicht langsam geht, geht schnell.
.... nicht dunkel ist, ist hell.

*

Sagte dir Hans etwas, *was* uns interessiert?
In diesem Geschäft gibt es *nichts, was* ich kaufen möchte.
War es *das, was* du uns sagen wolltest?

Das Relativpronomen **w a s verbindet auch Attributsätze mit unbestimmten Pronomen,** die sich auf Sachen beziehen, und mit dem Demonstrativpronomen *das.*

Übung 4: *Bilden Sie Relativsätze!*

1. Weißt du etwas? (Es interessiert mich.) — 2. Hast du alles erzählt? (Du hast es erlebt.) — 3. Der Mann tat nichts. (Es schadete anderen Leuten.) — 4. Peter sagt alles. (Er denkt es.) — 5. Es war nichts Gutes. (Er hat es getan.) — 6. Es ist das Beste. (Du kannst es tun.) — 7. Er berichtete alles. (Es interessierte uns.) — 8. Wir lernten vieles. (Wir können es in unserem Beruf gut gebrauchen.)

*

Attribute bei unbestimmten Pronomen

Das Kind spricht mit *jemand Fremdem.* Wir haben im Theater *niemand Bekanntes* getroffen. — Weißt du *nichts Neues?* Ich muß dir *etwas Wichtiges* erzählen. Er kann *nichts Unmögliches* tun. — Dieser Mann hat *viel Gutes* getan. Sie hat *mehr Dummes* als *Kluges* geredet.

Wenn **Adjektive als Attribute zu unbestimmten Pronomen treten,** stehen sie **hinter den Pronomen,** und man **schreibt sie groß.** Die attributiven Adjektive erhalten die Endungen der **Artikeldeklination** (Ausnahme: Gen. Singular maskulin und neutral - *en*). Die unbestimmten Pronomen *jemand, niemand, etwas, nichts* werden nicht dekliniert. Nach *jemand* und *niemand* steht auch für Personen die neutrale Form (vgl. S. 25).

Wir wünschen Ihnen *alles Gute.* – In dem Brief steht *einiges Wichtige.* – Ihr habt uns mit *vielem Schönen* Freude gemacht.

Wenn die unbestimmten Pronomen dekliniert werden, folgen die Adjektive der „bestimmten" **Adjektivdeklination** (Adjektivdeklination nach dem bestimmten Artikel).

Übung 5: *Setzen Sie die Adjektive richtig ein!*

1. Peter hat uns nichts erzählt. (neu) – 2. Habt ihr von vielem gesprochen? (interessant) – 3. Die Kinder wollen etwas essen. (gut) – 4. Der Arzt hat alle besucht. (krank) – 5. Er hat aber nicht mit allen gesprochen. (krank) – 6. Ich habe jemanden gesehen. (bekannt) – 7. Wir mußten über vieles sprechen. (wichtig) – 8. Der alte Mann hat in seinem Leben wenig erlebt. (schön) – 9. Er hat seiner Mutter etwas geschenkt. (kostbar) – 10. Habt ihr von etwas gehört? (wichtig) – 11. Wir haben nichts gehört. (neu) – 12. Das Kind redet vieles. (dumm) – 13. Meine Mutter will heute etwas kochen. (gut) – 14. Du kannst von ihm nichts verlangen. (unmöglich)

*

Attributsätze

Peter hat mir meine *Frage, ob er bei uns zufrieden sei,* nicht beantwortet.
Wir haben keine *Hoffnung, daß Peter die Prüfung bestehen wird.*
Die Schüler äußerten den *Wunsch, daß am Samstag der Unterricht ausfallen möge.*

Außer den Relativsätzen können auch **andere Attributsätze** ein Nomen näher erklären. Dies sind die **Sätze, die mit Konjunktionen** *(daß, ob)* **oder mit Fragewörtern eingeleitet werden.** Sie erklären Nomen, die ein Geschehen oder einen Zustand beschreiben, z. B. *Glaube, Hoffnung, Sorge, Freude, Bestimmung* usw.

Wir haben die *Absicht, nächstes Jahr nach Schweden zu reisen.*
Mein Wunsch, ein Auto zu besitzen, erfüllte sich sehr schnell.

Wenn das Subjekt im Satz genannt wird, stehen Infinitive oder Infinitivsätze als Attribute.

Ich habe dem armen Mann *das Geld* gegeben, *das ich gestern gefunden habe.*
Der Vater hat *die Hoffnung* aufgegeben, *daß sein Sohn das Examen besteht.*
Ich habe keine *Mühe* gehabt, *die fremde Sprache zu lernen.*

aber: Peter hat das Haus seines *Vaters, der letztes Jahr gestorben ist,* verkauft.
Attributsätze stehen unmittelbar hinter dem Nomen, von dem sie abhängen. Wenn dieses Nomen vor dem zweiten Prädikatsteil steht und selbst kein Attribut ist, folgt der Attributsatz hinter dem zweiten Prädikatsteil.

Übung 6: *Setzen Sie die Sätze als Attributsätze richtig ein!*

1. Ich wende mich an Sie mit der Bitte. *(Helfen Sie mir bei meinen Arbeiten!)* — 2. Die Mutter hatte nur noch den Wunsch. *(Hoffentlich wird mein Kind bald wieder gesund!)* — 3. Die Bestimmungen sind erleichtert worden. *(Ausländer brauchen in Deutschland ein Visum.)* — 4. Ich bin nie auf die Idee gekommen. *(Robert will nach Afrika reisen.)* — 5. Hast du schon einmal den Gedanken gehabt? *(Ich reise nach Afrika.)* — 6. Wir haben gute Aussichten. *(Wir finden eine Arbeit.)* — 7. Der Angeklagte widerrief das Geständnis. *(Ich habe das Auto gestohlen.)* — 8. Geben Sie dem Herrn die Erlaubnis. *(Besichtigen Sie die Fabrik.)* — 9. Der Geschäftsmann hat kein Interesse gezeigt. *(Er kauft das Haus.)* — 10. Welche Möglichkeiten habt ihr? *(Ihr findet in dieser Stadt ein billiges Zimmer.)* — 11. Haben Sie Fähigkeiten. *(Sie verhandeln mit ausländischen Geschäftsleuten.)* — 12. Habt ihr noch Hoffnung? *(Die Politiker einigen sich.)* — 13. Hast du noch Aussichten? *(Du bekommst ein Stipendium für das nächste Semester.)* — 14. Den Beweis brachte eine alte Frau. *(Der Mann hatte das Geld gestohlen.)* — 15. Haben Sie Interesse? *(Sie gehen heute abend ins Theater.)* — 16. Seine Freude war groß. *(Er sieht seine Eltern bald wieder.)*

*

Der Ausdruck der Zeit

Folgende Wortarten und Konstruktionen können in einem Satz die Zeit angeben, in der ein Geschehen abläuft oder ein Zustand vorhanden ist:
Adverb:
> Wir gehen *heute* ins Kino. Peter kommt *oft* zu uns. Wir haben *lange* gewartet.

Nomen im Akkusativ: zum Ausdruck eines Zeitraums oder sich wiederholender Zeitpunkte:
> Ich habe *einen Monat* in diesem Hotel gewohnt. Warten Sie bitte *einen Augenblick!* Ich sehe Hans *jeden Tag.*

Nomen im Genitiv: zum Ausdruck eines nicht genau bestimmten Zeitpunkts:
> *Eines Tages* werde ich Erfolg haben. *Eines Nachts (!)* kam ein schweres Gewitter über unsere Stadt.

Nomen mit Präposition:
> *Im Mai* haben wir Urlaub. *Am frühen Morgen* singen die Vögel in unserem Garten. *Um 8 Uhr* gehen wir ins Büro. *Bei unserer Ankunft* regnete es.

Nebensatz (Gliedsatz oder Attributsatz):

Als wir nach Salzburg kamen, regnete es. *Wenn wir nach Haus kamen,* warteten unsere Eltern schon auf uns. *Nachdem der Zug abgefahren war,* gingen wir wieder nach Haus.

*

Die Angabe des Maßes

Die Straße ist *einen Kilometer lang.* Diese Wand ist *einen Viertel Meter dick.* Der Sack war *einen Zentner schwer.* Das alte Auto ist *diesen hohen Preis* nicht *wert.*

Maßangaben des Raumes, des Gewichts und des Wertes stehen im Akkusativ, wenn sie Adjektive ergänzen wie *alt, breit, dick, groß, hoch, lang, schwer, tief, weit, wert* und andere.

Übung 7: *Setzen Sie die Zeit- und Maßangaben richtig ein!*

1. Wir sind zu Fuß gegangen. (*ein Kilometer*) — 2. Ich kann den Korb nicht tragen; er ist schwer. (*ein Viertel Zentner*) — 3. Der Tisch ist lang, breit und hoch. (*ein Meter vierzig, ein Meter, dreiviertel Meter*) — 4. Wir sind schon in Deutschland. (*ein Monat*) — 5. Es ist schon spät, wir dürfen warten (*kein Augenblick*) — 6. Es ist nicht gut, daß Sie den Unterricht besuchen; Sie müssen kommen. (*nur jeder zweite Tag, jeder Tag*) — 7. Die Schuhnummer 38 ist kürzer als die Schuhnummer 39. (*ein Zentimeter.*) — 8. Wir warten auf ihn; er kommt bestimmt. (*jeder Augenblick*) — 9. Ich möchte frei haben. (*ein halber Tag*) — 10. Das Kind ist alt. (*zwei Monate und ein Tag*) — 11. Hans ist älter als Karl, aber er ist kleiner. (*ein Monat, ein ganzer Kopf*) — 12. Er streicht die Butter dick auf sein Brot. (*ein halber Zentimeter*) — 13. Ich kann dieses Hemd nicht anziehen; der Kragen ist zu eng. (*ein Zentimeter*) — 14. Diese alten Sachen sind wert. (*kein Pfennig*) — 15. Ich bin groß. (*ein Meter achtzig*). Wie groß sind Sie?

* * *

Auf der Bank[1])

Kunde: Kann ich bei Ihnen ein Konto eröffnen?

Beamter: Gern. Was für ein Konto wünschen Sie, ein Sparkonto oder ein Girokonto?

Kunde: Was für ein Unterschied ist zwischen einem Sparkonto und einem Girokonto? Ich verstehe nicht viel von diesen Dingen.

Beamter: Wenn Sie ein Sparkonto eröffnen, dann erhalten Sie von uns ein Sparbuch, auf das wir Ihre Einzahlungen bei uns und unsere Auszahlungen an Sie eintragen.

---

[1]) Glossar Abschnitt 21 E

Kunde: Kann ich von dem Sparkonto auch jederzeit wieder Geld abheben?

Beamter: Das können Sie natürlich. Allerdings können Sie monatlich nicht mehr als tausend Mark abheben. Wenn Sie mehr Geld haben wollen, müssen Sie den Geldbetrag ein Vierteljahr vorher kündigen. Das ist auch der Fall, wenn Sie später einmal Ihr Konto bei uns wieder auflösen wollen.

Kunde: Und das Girokonto?

Beamter: Wenn Sie ein Girokonto eröffnen, können Sie jederzeit Geld einzahlen oder auf Ihr Konto überweisen lassen; Sie können auch über Ihr gesamtes Guthaben ohne Kündigung verfügen. Sie können ebenfalls Geld von Ihrem Konto auf ein anderes Konto überweisen lassen. Sie bekommen von uns auch ein Scheckbuch und können bargeldlos mit Schecks bezahlen.

Kunde: Ich glaube, daß man bei einem Girokonto mehr Vorteile hat.

Beamter: Das kann man nicht sagen. Es kommt darauf an, zu welchem Zweck Sie das Konto eröffnen wollen. Wenn Sie Geld sparen wollen, dann rate ich Ihnen zu einem Sparkonto. Auf Sparguthaben bekommen Sie 3 Prozent Zinsen. Wenn Sie aber oft Geldüberweisungen empfangen und Zahlungsaufträge geben, dann ist ein Girokonto günstiger. Allerdings geben wir dann nur 1 Prozent Zinsen.

Kunde: Danke sehr für die freundliche Auskunft. Ich entscheide mich für ein Girokonto.

Beamter: Gut, ich gebe Ihnen hier die Formulare, die sie ausfüllen müssen. Dann bekommen Sie ihre Kontonummer, und die Angelegenheit ist erledigt.

Meyer & Co.
Privatbank   **Tagesauszug**

Letzter Kontostand			Konto-Nr.	Wir haben heute auf Ihr Konto gebucht				Heutiger Kontostand		
Soll	DM	Haben		Datum	Text	Belastung	Gutschrift	Soll	DM	Haben
	12 427,75		12743	14. 4.		951,20				
				Auftrag 14. 4.	bar		500,00			11 976,55

Erklärungen und Wortschatz:

sparen: Geld für einen späteren Gebrauch zurücklegen
Geld abheben: Geld von seinem Bankkonto holen
kündigen: die Auflösung eines Vertrags bekanntgeben
überweisen, -ie – ie: Geld auf ein anderes Konto senden
das Guthaben, -: die Geldsumme, die man auf einem Bankkonto hat
der Tagesauszug, _u_e: Bankformular, das den täglichen Kontostand zeigt
das Soll: (kaufmännisch) die Schuld — *das Haben:* (kaufmännisch) das Guthaben
buchen: in die kaufmännischen Bücher eintragen *(die Buchführung; der Buchhalter)*
die Belastung, -en: die Geldschuld, die vom eigenen Konto abgezogen wird
die Gutschrift, -en: die Geldüberweisung, die auf das eigne Konto eingetragen
wird *(gutschreiben)*

*

Übung A: *Bilden Sie die indirekte Rede! Achten Sie auf die Personen!*

1. Die Hausfrau sagte: „Wenn Marie wieder zurückkommt, wollen
wir ihr eine besondere Überraschung bereiten. Ich schlage vor, daß
wir ihr Zimmer neu einrichten, während sie noch auf Urlaub ist. In
ihrem Zimmer stehen wirklich recht alte und schlechte Möbel." — 2. Sie
sagte: „Vielleicht hat der Altwarenhändler, dem wir die Matratze verkauft haben, sie noch nicht weiterverkauft." — 3. Der Kaufmann sagte
zu seiner Köchin: „Schämen Sie sich, Marie! Heutzutage hebt man sein
Geld nicht in einer Matratze auf. Wozu gibt es denn Banken? Wir
gehen sofort zusammen auf eine Bank und richten ein Konto für Sie
ein." — 4. Der Kaufmann sagte: „Ich will Ihnen gerne Ihre 2000 Mark
zurückzahlen, die Sie durch meine Schuld verloren haben, aber ich
kann es jetzt nicht. Trotzdem verspreche ich Ihnen, die Summe in
monatlichen Raten zu 50 Mark abzuzahlen." — 5. Marie sagte: „Machen
Sie sich keine Sorgen! Nachdem ich mein Geld auf der Bank eingezahlt
hatte, war ich sehr unruhig und hatte in der Nacht einen bösen
Traum." — 6. Marie erzählte weiter: „Ich träumte von einem großen
Wolf, der sich auf mich stürzte und mich fressen wollte. Am andern
Morgen schlug ich in meinem Traumbuch nach und las, daß ich in
Gefahr war, mein Geld zu verlieren. So ging ich, nachdem ich auf dem
Markt meine Einkäufe gemacht hatte, sofort auf die Bank und holte
mein Geld wieder ab, obwohl Sie mir kurz vorher einen anderen Rat
gegeben hatten. Meine 2000 Mark sind längst wieder in der Matratze.
Deshalb habe ich noch mein Geld."

Übung B: *Bilden Sie das Passiv!*

1. Man wählt das Parlament auf vier Jahre. — 2. Wir richten das
Zimmer neu ein. — 3. Die Familie nahm den Vorschlag freudig an. —

4. Auf der Bank trägt man die Einzahlungen und Auszahlungen ins Sparbuch ein. — 5. Heute hat man 500 Mark auf Ihr Konto eingezahlt. — 6. Man kann diesen Satz nicht wörtlich ins Deutsche übersetzen. — 7. Im Museum darf man nicht fotografieren. — 8. Man muß dem Verletzten sofort helfen. — 9. Man hat gestern nicht mehr über Politik gesprochen. — 10. Man weicht einer unbequemen Sache gern aus.

Übung C: *Setzen Sie die Attribute richtig ein!*

1. Das Haus gehört einer Kaufmannsfamilie. *(dort hinten am Wald; reich; die Familie wohnt schon seit vielen Jahren hier)* — 2. Der Abgeordnete sprach gestern vor Zuhörern über die Ziele. *(das Parlament, zahlreich, seine Partei)* — 3. Der Mann zahlt das Motorrad in Raten ab. *(jung; er hat das Motorrad in der letzten Woche gekauft; monatlich)* — 4. Das Wetter hat den Bauern Schaden verursacht. *(trocken, in den letzten Wochen, hiesig, groß)* — 5. Die Raketenversuche haben Ergebnisse für die Weltraumfahrt gebracht. *(letzt, wichtig, künftig)* — 6. Das Flugzeug kann morgen seinen Flug fortsetzen. *(die Luftverkehrsgesellschaft; das Flugzeug konnte wegen eines Maschinendefekts nicht starten; nach Südamerika)* — 7. Haben Sie jemand getroffen, als Sie gestern mit Ihrem Bruder auf dem Sportplatz waren? *(bekannt; jünger; in der Nähe des Stadtparks)* — 8. In der Zeitung haben wir über die Ankunft gelesen. *(gestrig; der Minister; der Bürgermeister und die Stadtverordneten haben ihn auf dem Bahnhof feierlich empfangen)* — 9. Hast du den Besitzer kennengelernt? *(früher; unser Grundstück; wir haben neulich von ihm gesprochen)* — 10. Für den Mann hat es nichts gegeben. *(jung; es interessierte ihn nicht)*

Übung D: *Antworten Sie auf die Fragen (um .... zu; damit)!*

1. Warum stehen so viele Menschen vor dem Bahnhof? *(Sie wollen den Minister feierlich empfangen.)* — 2. Wozu bringst du dein Geld auf die Bank? *(Ich will es sparen.)* — 3. Warum schließen die Bankbeamten das Geld in einen Tresor ein? *(Es soll nicht gestohlen werden.)* — 4. Warum übersetzt du den Text schriftlich? *(Ich will ihn besser verstehen.)* — 5. Warum geht der Mann so schnell? *(Er will den Zug, der in fünf Minuten abfährt, noch erreichen.)* — 6. Warum tritt morgen das Parlament zusammen? *(Es will ein neues Gesetz beraten.)* — 7. Warum liest du immer so viele Zeitungen? *(Ich will mich regelmäßig über die politischen Ereignisse informieren.)* — 8. Warum ißt die Frau so wenig? *(Sie will nicht dick werden.)* — 9. Warum muß man sich vor dem Sonnenbaden einölen? *(Man*

will keinen Sonnenbrand bekommen.) — 10. Warum schließt ihr abends euer Haus zu? (*Es sollen keine Einbrecher oder Diebe ins Haus kommen.*)

Übung E: *Bilden Sie mit jedem Verb einen Satz!*

1. eröffnen, einzahlen, auszahlen, kündigen, überweisen — 2. füllen, ausfüllen, fangen, empfangen, bekommen — 3. buchen, lösen, schließen, beschließen, zuschließen — 4. heben, aufheben, richten, einrichten, berichten — 5. bestellen, vorstellen, stellen, nachschlagen, aufschlagen — 6. beobachten, ansehen, sehen, beachten, schauen.

Übung F: *Erklären Sie die Wörter!*

1. Sparkonto, Scheck, Guthaben, Zins, Prozent — 2. Matratze, Laken, Bettdecke, Bettvorleger, Kopfkissen — 3. Muttersprache, Vaterland, Dialekt, Fremdsprache, Ausland — 4. Hafenstadt, Flughafen, Landstraße, Wasserstraße, Binnenhafen — 5. Gebirgsdorf, Fischerdorf, Dorfbewohner, Bauer, Bauernhof.

Übung G:

1. *Nennen Sie die Teile, aus denen ein Haus besteht!* — 2. *Nennen Sie die Dinge, die für eine Großstadt typisch sind!* — 3. *Welche Verkehrsmittel kennen Sie?* — 4. *Welche Verwandtschaftsnamen wissen Sie?* — 5. *Welche Landschaftsformen gibt es, und welche typischen Dinge finden Sie dort?* — 6. *Was finden Sie alles in einem Bahnhof?* — 7. *Was für staatliche Institutionen kennen Sie?* — 8. *Welche Berufe kennen Sie, und was tun die Menschen, die in diesen Berufen arbeiten?* — 9. *Was für Nachrichtenmittel gibt es, und was ist typisch für sie?* — 10. *Nennen Sie deutsche Maße und Gewichte und erklären Sie diese!*

ZWÖLFTER ABSCHNITT

Die kluge Ehefrau [1])

Als Herr Hofmann das Haus verlassen wollte, um den Frühzug zu erreichen, brachte ihm seine Frau einen Brief. „Vergiß nicht, diesen Brief einzuwerfen, wenn du in der Stadt bist, damit Tante Ida ihn morgen noch bekommt! Dieser Brief ist sehr wichtig!" sagte sie.

Aber Herr Hofmann vergaß den Brief doch. Als er in der Stadt aus dem Zug stieg und sich beeilte, um pünktlich ins Büro zu kommen, hatte er den Brief noch in der Tasche. Er wollte gerade den Bahnhof verlassen, da klopfte ihm ein Herr auf die Schulter. „Denken Sie an den Brief!" sagte der Unbekannte. Herr Hofmann eilte zum nächsten Briefkasten, um den Brief einzuwerfen. Aber unterwegs rief wieder ein Fremder hinter ihm her: „Vergessen Sie nicht, Ihren Brief einzuwerfen!"

Als er den Brief eingeworfen hatte, verließ er rasch den Bahnhof. „Haben Sie schon an Ihren Brief gedacht?" rief nach einigen Minuten eine freundliche Dame. Herr Hofmann wunderte sich sehr darüber und fragte die Dame: „Mein Gott, woher wissen alle Leute, daß ich einen Brief einwerfen soll? Ich habe ihn doch schon lange eingeworfen." Da lachte die Dame und sagte: „Dann kann ich Ihnen auch den Zettel abmachen, der an Ihrem Mantel steckt." — Auf dem Zettel war geschrieben: „Sagen Sie bitte meinem Mann, daß er einen Brief einwerfen soll!"

Der Letzte

Im Hamburger Hafen steht der Dampfer Hamburg-Helgoland schon unter Dampf. Die Passagiere gehen auf Deck spazieren, um die Vorbereitungen zur Abfahrt zu beobachten. Da bemerken einige von ihnen in der Ferne einen Radfahrer, der mit größter Anstrengung auf den Dampfer zufährt, um ihn noch zu erreichen.

Aber seine Aussichten sind sehr gering, denn die Matrosen fassen schon die Laufstege, um sie an Bord zu ziehen. Viele Wetten werden unter den Passagieren abgeschlossen, und alle sind gespannt: Wird

---

[1]) gesprochen auf Schallplatte III; Glossar Abschnitt 22 A

er es noch schaffen? Wird er das Schiff noch rechtzeitig erreichen? Man hört aufgeregte Rufe wie: „Schneller!" „Er schafft es niemals!" „Ach, ich habe meine Wette verloren!" „Er kommt doch noch rechtzeitig an!" „Noch schneller!" „Bravo! Bravo!"

Genau in der letzten Sekunde rast der Radfahrer heran, springt den Steg hinauf, steht an Bord und ruft: „Abfahren!"

Es war der Kapitän des Schiffes.

Erklärungen und Wortschatz:

der Frühzug, ⸗e: der Zug, der morgens früh abfährt
doch: (hier:) trotz des Rates seiner Frau
unter Dampf stehen: zur Abfahrt bereit sein (Schiff, Lokomotive); *der Dampf* (meist vom Wasser), *die Dämpfe* (Plur. meist chemisch), *der Rauch* (vom Feuer)
der Passagier, -e: der Fahrgast eines Schiffes oder eines Flugzeugs
das Deck, -s: das Oberteil eines Schiffes
der Laufsteg, -e: der Weg, über dem die Passagiere auf das Schiff kommen
schaffen: (hier:) erreichen

*

Gliedsätze ohne Konjunktion *wenn*

Kommst du morgen wieder nicht pünktlich, fahre ich ohne dich. – Wollen Sie jetzt noch den Zug erreichen, dann müssen Sie ein Taxi nehmen. – Habt ihr eure Arbeit morgen nicht beendet, so müßt ihr zu Haus bleiben.

Bedingungssätze, die mit der Konjunktion *wenn* eingeleitet werden, können auch auf die Konjunktion verzichten, wenn sie am Satzanfang stehen. Die Personalform steht dann am Beginn des Gliedsatzes. Der Inhalt des Bedingungssatzes wird meist noch mit *dann* oder *so* zusammengefaßt.

Übung 1: *Bilden Sie Bedingungssätze ohne „wenn"!*

1. Wenn du gut Deutsch sprechen willst, mußt du die Grammatik gut lernen. – 2. Wenn Peter in der Schule nicht gut lernt, kann er die Prüfung sicher nicht bestehen. – 3. Wenn Inge nicht in fünf Minuten kommt, gehe ich allein ins Kino. – 4. Wenn mein Freund nicht mit mir an die See fahren will, bleibe ich zu Haus. – 5. Wenn Herr Robertson kein Zimmer in Neustadt finden kann, muß er in Köln bleiben. – 6. Wenn das Zimmer kein fließendes Wasser hat, miete ich es nicht. – 7. Wenn alle Autofahrer immer die Verkehrszeichen beachten, er-

eignen sich keine Verkehrsunfälle mehr. — 8. Wenn Sie im Kaufhaus Müller & Co. kaufen, werden Sie es nicht bereuen. — 9. Wenn ein Schüler nicht regelmäßig in den Unterricht kommt, lernt er nichts. — 10. Wenn mich meine Zimmerwirtin morgens pünktlich weckt, kann ich auch meinen Zug erreichen. — 11. Wenn Sie über die Grenze gehen wollen, müssen Sie den Kaffee verzollen, den Sie bei sich haben. — 12. Wenn Sie mir mein Geld nicht in der nächsten Woche schicken, gehe ich zum Rechtsanwalt und verklage Sie.

*

Die Konjunktion je ... desto

Je länger ich in Deutschland bin, *desto* besser kann ich Deutsch sprechen.
Je näher wir der Küste kommen, *desto* kühler wird der Wind.
Je lauter er mich anschrie, *um so* höflicher wurde ich zu ihm.
Je bessere Arbeit er leistet, einen *desto* höheren Lohn bekommt er.

Die zweiteilige Konjunktion *je ... desto (um so)* drückt aus, daß **das Geschehen nach desto (um so) so ist, wie man es nach dem Inhalt des Gliedsatzes mit der Konjunktion je erwartet.** Der Komparativ steht hinter den Konjunktionen.

Übung 2: *Bilden Sie Vergleichssätze mit „je .... desto (um so)"!*

1. Wir fliegen hoch, und die Luft wird kalt. — 2. Ich arbeite lange und werde müde. — 3. Du arbeitest gut und bekommst viel Geld. — 4. Viele Menschen nehmen an dieser Reise teil, und die Fahrtkosten werden billig. — 5. Der Wein liegt lange und wird gut. — 6. Ich höre die Musik oft, und sie gefällt mir gut. — 7. Viele Leute suchen möblierte Zimmer, und die Zimmer werden teuer. — 8. Sie ißt viel und wird dick. — 9. Der Redner schrie laut, und die Leute verstanden wenig. — 10. Du lernst viel und wirst großen Erfolg haben. — 11. Wir fuhren weit ins Gebirge hinein und sahen hohe Berge. — 12. Es regnet im Frühjahr lange, und die Bauern werden eine gute Ernte haben.

*

Das Genitivattribut (Zusammenfassung)

der Besitzer *des Hauses*, die Ankunft *des Zuges*, die Straßen *der Stadt*; die Erfindung *des Ingenieurs*, die Entdeckung *der Röntgenstrahlen*
Das Genitivattribut steht gewöhnlich hinter dem übergeordneten Nomen.

die Entdeckung *Amerikas*, die Hauptstadt *Deutschlands*, die Geschichte *Europas*; die Könige *des alten Englands*
Namen stehen ohne Artikel, wenn das Genitivattribut kein eignes Attribut besitzt.

Richards Vater, *Müllers* Wohnung, *Peter Breuers* Auto; *Vaters* Zimmer, *Mutters* Hut, *Onkels* Garten, *Tantes* Kleid;
Deutschlands Hauptstadt, *Amerikas* Entdeckung, *Berlins* Bürgermeister

Personennamen, Länder- und Städtenamen usw. stehen meistens im Genitiv vor dem übergeordneten Nomen. **Das übergeordnete Nomen verliert seinen Artikel.** Die Familienbezeichnungen *Vater, Mutter, Onkel* und *Tante* stehen für die Namen. Man kann sie so nur gebrauchen, wenn man zu eigenen Familienangehörigen spricht, sonst sagt man: das Zimmer *seines Vaters,* der Hut *seiner Mutter* usw.

> die Hauptstadt *von Deutschland,* der Bekannte *von Karl,* das Haus *von Herrn Müller,* der Bürgermeister *von Berlin*

Bei Namen kann man statt des Genitivattributs auch ein Präpositional-Attribut mit *von* gebrauchen.

> Hier sind Arbeiten *von Schülern.* Die Konstruktion *von Motoren* ist in den letzten Jahrzehnten weit fortgeschritten. Er spricht über den Bau *von Straßen.*

Wenn man die Genitivform nicht erkennen kann, muß man immer das Präpositional-Attribut gebrauchen. Vergleichen Sie!

> die Arbeiten *eines Schülers*   — die Arbeiten *von Schülern*
> die Arbeiten *eines guten Schülers* — die Arbeiten *guter Schüler*

Übung 3: *Setzen Sie die kursiv gedruckten Wörter in den Plural!*

1. Die Größe eines *Kontinents;* der Bau eines *Hauses;* der Kauf eines *neuen Anzugs;* die Arbeit eines *Tages;* die Bildung *einer Verbform.* — 2. Die Bewohner einer *Stadt* sind nicht immer reicher als die Bewohner eines *Dorfes.* — 3. Die Arbeit eines *Schülers* kann nicht so gut sein wie die Arbeit eines *Professors.* — 4. Die Freundschaft eines *guten Menschen* ist mehr wert als die Freundschaft eines *reichen Menschen.* — 5. Die Einrichtung eines *Zimmers* ist teuer. — 6. Das Überqueren einer *Straße* ist oft sehr gefährlich. — 7. Das Wort eines *Mannes* ist mehr wert als das Wort eines *Kindes.* — 8. Nicht immer freut man sich über den Besuch eines *Bekannten.* — 9. Das Leben eines *Blinden* ist immer schwer. — 10. Das Erlernen einer *Fremdsprache* ist sehr nützlich. — 11. Die genaue Ankunft des *Zuges* ist noch unbestimmt. — 12. Oft verstehen die Kinder die Sorgen des *Vaters* nicht.

⁑

Wessen Auto steht dort? Das ist *Roberts* Auto (*das* Auto Roberts). *Deutschlands* Hauptstadt (*die* Hauptstadt Deutschlands) ist Berlin. Der Mann, *dessen Sohn* (*der* Sohn des Mannes) dort steht, ist Hotelportier. Das Mädchen, *mit dessen Mutter* (*mit der* Mutter des Mädchens) der Lehrer soeben gesprochen hat, ist sehr fleißig.

Steht das **Genitivattribut vor dem Nomen, so verliert das übergeordnete Nomen seinen Artikel.**

Wessen brauner Hut hängt dort? Das ist Karls *brauner Hut.* Deutschlands *längster Fluß* ist der Rhein. *Mit* wessen *neuem Fahrrad* bist du gefahren? Ich bin *mit* Peters *neuem Fahrrad* gefahren. Der Mann, *dessen kleiner Sohn* dort steht, ist Hotelportier. Das Mädchen, *mit* dessen *hübscher* Mutter der Lehrer soeben gesprochen hat, ist sehr fleißig. Hast du die Frau gesehen, *für* deren *kleine* Tochter wir Schokolade gekauft haben?

Die **Adjektive,** die bei den Nomen mit Genitivattributen stehen, **folgen der Artikeldeklination der Adjektive,** wenn die Genitivattribute v o r dem Nomen stehen. Die Artikeldeklination der Adjektive zeigt die Funktion des Nomens, das wegen seines Genitivattributs seinen Artikel verloren hat.

Übung 4: *Setzen Sie die Attribute zu den kursiv gedruckten Nomen!*

1. Wessen *Mantel* ist das? *(grau)* — 2. Hier ist Roberts *Fahrrad (neu)* — 3. Die Zugspitze ist Deutschlands *Berg. (höchst)* — 4. Der Rhein ist der *Fluß* Deutschlands. *(längst)* — 5. Inges *Hut* gefällt mir nicht. *(neu)* — 6. Heute hält der *Künstler* einen Vortrag. *(Die schönsten Werke des Künstlers werden jetzt im Museum gezeigt.)* — 7. Mit wessen *Wagen* bist du gestern gefahren? *(rot)* — 8. Ich bin mit dem *Wagen* meines Freundes Hans gefahren. *(neu)* — 9. Ich habe auch schon in dem *Wagen* von Hans gesessen. *(neu)* — 10. Habt ihr schon Professor Hubers *Haus* gesehen? *(neu)* — 11. Ich bin nur einmal in Professor Hubers *Haus* gewesen *(alt)* — 12. Kennen Sie die *Frau?* *(Der älteste Sohn der Frau spielt in unserer Fußballmannschaft mit.)* — 13. Wo steht das *Auto?* *(Das linke Hinterrad des Autos muß repariert werden.)* — 14. Heute treffen wir *Müllers.* *(In dem hübschen Haus von Müllers haben wir eine Woche gewohnt?)* — 15. Wir wollen nach *Bayern* fahren. *(In der schönen Hauptstadt von Bayern hat mein Vater studiert.)*

*

Wortbildung

Die **Nachsilbe** *-heit* **oder** *-keit* **bildet feminine Nomen aus Adjektiven und Partizipien.** Diese Nomen bezeichnen einen Zustand oder eine Eigenschaft. *-keit* steht immer hinter den Nachsilben *-bar, -ig, -lich, -sam* und meist nach *-el* und *-er.*

Übung 5: *Bilden Sie aus den folgenden Adjektiven Nomen! Bilden Sie einen Satz mit diesem Nomen!*

1. freundlich, möglich, dankbar, verständlich, ehrlich — 2. klug, frei, freundlich, gemütlich, höflich — 3. zufrieden, natürlich, pünktlich, richtig, wirklich — 4. sicher, ordentlich, traurig, zuverlässig, zerstreut — 5. vergangen, öffentlich, unmöglich, möglich, berühmt — 6. wahrscheinlich, unbeständig, wahrscheinlich, selbstverständlich, gesamt — 7. gültig, blind, taub, ähnlich, schön, sauber — 8. vorzüglich, ergeben, verschieden, gleich, gründlich — 9. höflich, zufrieden, pünktlich, herzlich, regelmäßig, eitel.

warm — Wärm*e*; lieben — Lieb*e*

Die Endung *-e* bildet feminine Nomen aus Adjektiven und Verben. Die Nomen bezeichnen abstrakte Begriffe. Die Stammvokale der Adjektive bilden, wenn möglich, den Umlaut.

Übung 6: *Bilden Sie aus den folgenden Adjektiven und Verben Nomen und bilden Sie mit diesen Nomen Sätze! Kursive Buchstaben bilden den Umlaut.*

1. l*a*ng, w*a*rm, k*a*lt, tief, g*u*t — 2. weit, dick, fern, fremd, früh — 3. gro*ß*, k*u*rz, leer, n*a*h, n*a*ß — 4. rot, ho*ch* (!), fragen, st*a*rk, eilen — 5. glauben, ruhen, reisen, streng, rund — 6. sorgen, dicht, anklagen, h*a*rt, mild — 7. strafen, aussagen, treu, wetten, kühl.

Rechn*u*ng (Rechnung*en*); Prüf*u*ng (Prüfung*en*); Begegn*u*ng (Begegnung*en*)
Die Endung *-ung* bildet feminine Nomen aus Verben. Pluralendung: *-en*.

Übung 7: *Bilden Sie aus folgenden Nomen wieder die Verben zurück. Bilden Sie mit diesen Nomen Sätze!*

1. Achtung, Erzählung, Rechnung, Heilung, Übung — 2. Erkältung, Regierung, Landung, Begrüßung, Vorlesung — 3. Einladung, Wanderung, Übernachtung, Verbindung, Bewegung — 4. Benutzung, Empfehlung, Entschuldigung, Enttäuschung, Erklärung — 5. Kreuzung, Öffnung, Anweisung, Sitzung, Unterbrechung — 6. Änderung, Verbesserung, Verletzung, Vorstellung, Heizung — 7. Wiederholung, Entfernung, Sendung, Ausbildung, Bestimmung — 8. Entscheidung, Erholung, Vorbereitung, Sammlung, Entwicklung.

* * *

„Made in Germany" [1])

Der Wohlstand eines Landes hängt hauptsächlich von seiner Wirtschaft und von seinem Handel ab. Wenn ein Land eine gesunde Volkswirtschaft hat, hebt sich der Lebensstandard des Volkes, und alle Menschen sind zufrieden.

Nach dem letzten Krieg befand sich Deutschland in einer hoffnungslosen Lage, denn seine Industrie war zerstört und das Volk in größter Not. Um das Land vor dem Untergang zu retten, mußte sich die Regierung vor allem bemühen, die Wirtschaft wieder in Gang zu bringen.

---

[1]) Glossar Abschnitt 22 E

Nach langen Jahren der Arbeit und nicht ohne die Hilfe des Auslandes war es möglich, die zerstörten Industrien wieder aufzubauen und neue Handelsverbindungen mit dem Ausland zu finden.

Deutschland ist als Industrieland auf den Handel angewiesen, denn die Industrie braucht Rohstoffe, die eingeführt werden müssen, und einen Absatzmarkt für ihre Erzeugnisse, damit sie wieder neue Rohstoffe einkaufen kann.

Von den wichtigen Rohstoffen kommen Kohle und Eisen in Deutschland selbst vor. Im Ruhrgebiet und in Sachsen befinden sich viele Bergwerke und Kohlengruben. Die Bergleute holen die Kohle und das Eisenerz aus der Erde, und Tausende von Arbeitern verarbeiten diese Rohstoffe in riesigen Industrieanlagen. Stahl wird produziert, und aus der Kohle werden neue Grundstoffe für die chemische Industrie gewonnen.

Die chemische Industrie erzeugt vor allem Medikamente, Anilinfarben, Kunststoffe und Kunstfasern (z. B. Perlon). Die Maschinenfabriken stellen Maschinen aller Art her, von der kleinsten Rechenmaschine bis zur größten Dampflokomotive. Sie bauen landwirtschaftliche Maschinen, Druckerpressen, Textilmaschinen und vieles andere. Die Stadt Solingen im Ruhrgebiet ist durch ihre Stahlwaren und Werkzeuge berühmt geworden. Nicht zuletzt sind in der Welt auch die vielen optischen Instrumente bekannt, die in Deutschland hergestellt werden, besonders Fotoapparate, Ferngläser und Mikroskope. Die Glasindustrie liefert Glaswaren für den Haushalt und für wissenschaftliche Laboratorien.

Weitere wichtige Industrien sind die Porzellanindustrie, die Lederwarenindustrie, die Uhrenindustrie und vor allem auch die Spielwarenindustrie. Diese unterscheidet sich von den übrigen Industriezweigen vor allem dadurch, daß ihre Erzeugnisse nicht in großen Fabriken, sondern meist in Heimarbeit hergestellt werden, d. h. die Arbeiter arbeiten in ihren kleinen Werkstätten zu Haus, und es ist nicht selten, daß ihnen ihre ganze Familie dabei hilft.

Heute führt Deutschland seine Erzeugnisse wieder in alle Welt aus und kann von den Ländern, die diese Erzeugnisse kaufen, wieder neue Rohstoffe einkaufen. So sorgt ein dauernder Kreislauf der Waren dafür, daß freundschaftliche Handelsbeziehungen mit dem Ausland bestehen bleiben. Das Zeichen „Made in Germany" ist wieder ein Zeichen für gute Qualität.

Erklärungen und Wortschatz:

der Wohlstand: die Prosperität
in Gang bringen: beleben
der Rohstoff, -e: Ausgangsmaterial für die Industrieproduktion, noch nicht verarbeitetes Material
der Absatzmarkt, ̈e: der Platz, an dem Erzeugnisse verkauft werden können
das Erzeugnis, -se: das Produkt
vorkommen: vorhanden sein
die Kohlengrube, -n: Kohlenbergwerk
riesig: sehr groß *(der Riese, -n)*
der Grundstoff, -e: chemischer Ausgangsstoff
das Medikament, -e: Arznei
der Kunststoff, -e: synthetischer Werkstoff

Übung A: *Bilden Sie mit folgenden Verben Sätze!*

1. zahlen, bezahlen, abzahlen, anzahlen, zählen — 2. hören, zuhören, anhören, gehören, horchen — 3. heben, aufheben, tragen, eintragen, einschreiben — 4. richten, einrichten, urteilen, bestrafen, verurteilen — 5. essen, fressen, lachen, lächeln, weinen — 6. geben, aufgeben, übergeben, zugeben, leugnen — 7. abheben, abholen, holen, bringen, verbringen — 8. hängen, abhängen, führen, einführen, ausführen — 9. stehen, bestehen, verstehen, aufstehen, stehen bleiben — 9. stellen, herstellen, vorstellen, ausstellen, anstellen — 10. sorgen, besorgen, setzen, aufsetzen, herabsetzen.

Übung B: *Erklären Sie die folgenden Wörter! Nennen Sie die Artikel und die Pluralformen!*

1. Ehefrau, Passagier, Radfahrer, Fahrrad, Ratschlag — 2. Erzeugnis, Heimindustrie, Rechenmaschine, Fernschreiber, Fernsehgerät — 3. Altwarenhändler, Handelsvertrag, Kaufmann, Straßenhändler, Marktfrau — 4. Fernglas, Mikroskop, Brille, Fernrohr, Lupe — 5. Küchenmaschine, Waschmaschine, Staubsauger, Kühlschrank, Elektroherd — 6. Tonbandgerät, Rechenmaschine, Diktiergerät, Plattenspieler, Schallplatte — 7. Spielzeug, Sportartikel, Kosmetik, Arznei, Gift — 8. Gehsteig, Fahrweg, Landstraße, Autobahn, Eisenbahn.

Übung C: *Bilden Sie die indirekte Rede!*

1. Frau Hofmann sagte zu ihrem Mann: „Vergiß nicht, diesen Brief einzuwerfen!" — 2. Sie sagte weiter: „Dieser Brief ist sehr wichtig. Tante Ida muß ihn morgen noch bekommen." — 3. Ein Unbekannter sagte zu Herrn Hofmann: „Denken Sie an Ihren Brief!" — 4. Eine Dame fragte ihn: „Haben Sie schon Ihren Brief eingeworfen?" — 5. Herr Hof-

Bauern-
häuser

*Vierlande
bei Hamburg:
das Hufnerhaus
Rieck*

*Dorfstraße
in Franken*

*Oberbayerisches
Bauernhaus
in Lenggries*

Bernau im Chiemgau

Hochstaufen im Nebel

Winter im Gebirge

Skiläufer (Bayer. Alpen)

Skilift auf dem Roßfeld

mann dachte: „Woher wissen alle Leute, daß ich meinen Brief noch nicht eingeworfen habe?" — 6. Wir haben in der Zeitung gelesen: „Gestern stießen auf der Hauptstraße zwei Autos zusammen. Der Fahrer des einen Wagens wurde leicht verletzt. Der Fahrer des anderen Wagens blieb unverletzt. Der Sachschaden war nur gering. Beide Wagen konnten ihre Fahrt fortsetzen, nachdem die Polizei den Unfall aufgenommen hatte."

Übung D: *Erzählen Sie die folgenden Nachrichten weiter!*
(sollen oder indirekte Rede)

1. Die Bundesrepublik Deutschland hat mit dem westafrikanischen Staat Togo ein wichtiges Handelsabkommen geschlossen. — 2. Die Handelsverbindungen mit den europäischen Staaten nehmen ständig zu. — 3. Die „Lufthansa" wird im nächsten Jahr ihren Flugverkehr nach Südamerika erweitern. — 4. Die Bergarbeiter einiger Bergwerke im Ruhrgebiet haben mit einem Streik gedroht, wenn ihre Forderungen nach höheren Löhnen nicht erfüllt werden. — 5. Die Buchproduktion der deutschen Verlage hat sich gegenüber dem Vorjahr um 10 % erhöht. — 6. Auf der Strecke Salzburg—München werden im kommenden Sommer von der Bundesbahn moderne Schnelltriebwagen in Dienst gestellt. — 7. Die Stadtverwaltung von München hofft, daß das Verkehrsproblem in der Innenstadt gelöst ist, wenn der größte Teil des Verkehrs unter die Erde verlegt worden ist. — 8. Am vergangenen Sonntag ist eine wichtige Autobahnbrücke zwischen Hamburg und Hannover dem Verkehr übergeben worden. — 9. Die Aktienkurse der Automobilindustrie haben auf der Frankfurter Börse eine leicht fallende Tendenz gezeigt. — 10. In Zukunft wird die Energieerzeugung durch Atomkraftwerke eine immer größer werdende Rolle spielen.

Übung E: *Bilden Sie Passivsätze!*

1. Man erinnerte Herrn Hofmann dauernd an seinen Brief. — 2. Wie oft leert man diesen Briefkasten am Tage? — 3. Man bereitete die Abfahrt des Schiffes vor. — 4. Man bat die Passagiere, an Bord zu gehen. — 5. Man gewinnt aus Kohle viele wichtige Grundstoffe für die chemische Industrie. — 6. Deutschland exportiert jährlich für viele Millionen Mark optische Instrumente. — 7. Viele bekannte deutsche Firmen errichten im Ausland große Industriewerke. — 8. Hat man mir das Geld auf mein Konto überwiesen? — 9. Vor Abfahrt des Zuges muß man die Wagentüren schließen. — 10. In der Stadt darf man nur 50 Stundenkilometer fahren.

DREIZEHNTER ABSCHNITT

Der Wetterprophet [1])

Eine Filmgesellschaft plante einmal einen Film, der in der wundervollen Gebirgslandschaft der Alpen spielen sollte. Die Innenaufnahmen für diesen Film waren bereits im Filmatelier gedreht worden, und der Regisseur hatte nur noch die Außenaufnahmen zu machen. Er fuhr deshalb mit seinem Aufnahmestab und mit den Darstellern in ein kleines Dorf, das weitab von den Verkehrswegen in den Bergen lag.

Man begann sofort nach der Ankunft mit den Aufnahmen. Da aber die Herstellung eines Filmes immer sehr teuer ist, mußte die Arbeit möglichst schnell beendet werden. Nun sind Außenaufnahmen immer viel schwieriger als Atelieraufnahmen, weil man sehr vom Wetter abhängig ist.

Unser Regisseur hatte aber viel Glück, denn er fand in dem Dorf einen steinalten, wetterkundigen Mann, dessen Wettervoraussagen sehr zuverlässig waren. Wenn er zu diesem Alten ging, um ihn nach seiner Meinung über das Wetter zu fragen, wunderte sich der Regisseur immer darüber, daß der Alte niemals nach den Wolken schaute.

Eines Tages war es dem Regisseur besonders wichtig, daß das Wetter richtig vorausgesagt wurde. Er ging deshalb am Abend wieder zum Haus des Alten, weil er am nächsten Morgen die Aufnahmen möglichst früh beginnen wollte. Er sah den Alten vor seinem Haus sitzen und ruhig seine Pfeife rauchen. Da fragte er ihn: „Nun, Alter, was meinst du? Wird das Wetter morgen gut, oder wird es regnen? Ich hoffe nicht, denn morgen sind die wichtigsten Aufnahmen meines Films zu machen." Doch der Alte antwortete nicht, blieb ruhig auf der Bank sitzen und rauchte seine Pfeife weiter. „Nun, was ist los? So antworte doch!" rief der Regisseur verzweifelt, „du weißt doch, daß deine Voraussagen für mich wichtig sind!" „Mein Radio ist kaputt", sagte der Alte und rauchte ruhig weiter.

Erklärungen und Wortschatz:

spielen: der Film (das Theaterstück) spielt in Amerika, im 17. Jahrhundert
drehen: einen Film drehen: einen Film machen
der Stab, _ɪ_ e: alle Mitarbeiter, die einem Leiter zur Verfügung stehen
der Aufnahmestab: die Mitarbeiter, die ein Regisseur bei seinen Filmaufnahmen hat — *der Darsteller, -:* der Schauspieler
weitab: weit entfernt — *die Herstellung, -en:* die Produktion — *steinalt:* sehr alt

---

[1]) Glossar Abschnitt 23

Der Ausdruck der Nicht-Wirklichkeit (Irrealität)

real	irreal
Peter geht zum Direktor.	Ich *ginge* (an seiner Stelle) nicht zum Direktor.
Peter geht nicht zum Direktor.	Ich *ginge* (an seiner Stelle) zum Direktor.
Herr Müller kauft dieses Auto.	Ich *würde* (an seiner Stelle) dieses Auto nicht *kaufen.*
Du hast dieses Buch gekauft. ⎫ Du kauftest dieses Buch. ⎭	Ich *hätte* (an deiner Stelle) das Buch nicht *gekauft.*
Karl ist in dieses teure Café gegangen Karl ging in dieses teure Café.	Ich *wäre* (an seiner Stelle) nicht in dieses teure Café *gegangen.*

Wenn man **von einem Geschehen spricht, das nicht eintritt oder eingetreten ist, gebraucht man den Konjunktiv II.** Man nennt dieses Geschehen irreal, weil es nicht wirklich ist, sondern nur in Gedanken vorgestellt wird.

Wenn aber die Verbformen Präteritum und Konjunktiv II gleich sind (z. B. bei allen schwachen Verben und bei den starken Verben, die keinen Umlaut haben und in der 1. und 3. Person Plural stehen: *wir gingen, sie gingen*), gebraucht man den **Konjunktiv II von werden und den Infinitiv des Verbs:** *wir würden ... lernen, wir würden ... gehen* usw.

Die Vergangenheit bildet man mit dem Konjunktiv II der Hilfsverben *haben* oder *sein* und dem Partizip Perfekt.

Übung 1: *Täten Sie folgende Handlungen auch? Hätten sie folgende Handlungen auch getan?*

1. Peter hat seinem Freund geholfen. — 2. Herr Breuer studiert Philosophie. — 3. Wir trinken nur Wasser. — 4. Die Bauern arbeiten bei schlechtem Wetter auf dem Feld. — 5. Dieser junge Mann geht nicht regelmäßig in den Unterricht. — 6. Die Frau hat ihr Geld verloren. — 7. Der Schüler lernt nicht für seine Prüfung. — 8. Er ist nicht mit diesem alten Auto gefahren. — 9. Die Frau ist in den falschen Zug eingestiegen. — 10. Die junge Dame hat Kaffee geschmuggelt. — 11. Ihr seid im letzten Jahr nicht an die See gefahren. — 12. Fritz geht immer im Regen spazieren. — 13. Frau Breuer hat einen roten Hut gekauft. — 14. Dieser Mann hat mein Auto beschädigt. — 15. Er hat nicht für das schöne Geschenk gedankt. — 16. Mein Freund steht jeden Morgen um 5 Uhr auf. — 17. Er geht regelmäßig abends um 9 Uhr ins Bett. — 18. Sie hat in diesen kalten Tagen keinen Mantel angezogen. — 19. Der unhöfliche

Mensch entschuldigt sich nicht bei der Dame. — 20. Wir freuen uns nicht auf die Ferien. — 21. Er schläft immer bei offenem Fenster. — 22. Der Mann hat mir das Geld nicht zurückgegeben. — 23. Peter räumt sein Zimmer nicht auf. — 24. Fritz lädt seine Freunde zu seinem Geburtstag ein. — 25. Herr Braun hat das Geschenk abgelehnt.

Wenn ich genug Geld *hätte, führe* ich jetzt nach Amerika.
(oder:) *Hätte* ich genug Geld, *führe* ich jetzt nach Amerika (vgl. S. 38).
Wenn mein Freund morgen *käme, gingen* wir zusammen ins Kino.
Käme morgen mein Freund, *gingen* wir zusammen ins Kino.
Wenn mir mein Vater Geld *geschickt hätte, hätte* ich mir einen neuen Anzug *kaufen können.*
Hätte mir mein Vater Geld *geschickt, hätte* ich . . .
Wenn mich Peter *besuchte, würden* wir zum Schwimmen *gehen.*
Wenn Fritz regelmäßig seine Aufgaben *machte, würde* er besser *lernen.*

Oft verbinden sich diese Aussagen irrealer Geschehen mit ebenso irrealen Bedingungen. Beachten Sie, daß man in den Bedingungssätzen die Konstruktion mit *werden* im Konjunktiv II *(würde)* nicht gebrauchen darf. Viele Deutsche gebrauchen in der Umgangssprache diese Konstruktion trotzdem!

Wenn sein Vater mehr Geld *hätte, studierte* Peter Medizin; statt:
. . . , *würde* Peter Medizin *studieren.*

Beachten Sie! Wenn man eine Konjunktivform in den beiden Sätzen deutlich erkennt, braucht man für das andere Verb keine Ersatzform!

Übung 2: *Bilden Sie Sätze nach folgendem Beispiel:*
Heute regnet es. Ich bleibe zu Haus. *Wenn es heute nicht regnete, bliebe ich nicht zu Haus.*

1. Ich habe das Geld nicht. Ich kann es dir nicht geben. — 2. Karl ist zu Haus. Seine Wohnungstür ist offen. — 3. Das Wetter ist schön. Wir gehen spazieren. — 4. Es gibt keinen Krieg. Die Menschen sind glücklich und zufrieden. — 5. Der Fußgänger ist nicht vorsichtig gewesen. Er ist überfahren worden. — 6. Ich habe meinen Direktor erkannt. Ich habe ihn sofort gegrüßt. — 7. Ich bin nicht reich. Ich mache keine Weltreise. — 8. Es ist kalt. Ich ziehe den dicken Wintermantel an. — 8. Der alte Mann ist sehr krank. Er liegt im Krankenhaus. — 9. Der Student ist fleißig gewesen. Er hat seine Prüfung bestanden. — 10. Robert hat Deutsch gelernt. Er kann die deutschen Touristen verstehen und kann sich mit ihnen unterhalten. — 11. Das Zimmer hat viel Sonne. Es gefällt mir. — 12. Ich habe deinen Onkel nicht gekannt. Ich habe ihn auch nicht besucht. — 13. Das Auto war zu teuer. Herr Müller hat es nicht gekauft. — 14. Der Autofahrer war betrunken. Er konnte nicht sicher fahren und hat einen Unfall verursacht. — 15. Die alte Frau hat ihre

Brille nicht bei sich. Sie kann diesen Brief nicht lesen. — 16. Wir müssen diese Grammatikübungen machen. Wir können jetzt bei diesem schönen Wetter keinen Spaziergang machen. — 17. Du mußt heute fortfahren. Wir können nicht zusammen zum Schwimmen gehen. — 18. Sie lesen keine Zeitungen. Sie sind nicht über die letzten Nachrichten aus der Politik informiert. — 19. Das Wetter ist in Deutschland unbeständig. Viele Deutsche fahren im Sommer nach dem Süden. — 10. Ich habe meinen Schlüssel nicht vergessen. Wir können in das Haus gehen.

Übung 3: *Bilden Sie Sätze, die irreale Geschehen beschreiben, und konjugieren Sie die Verben!*

Beispiel: ich nehme das Geld   ich gehe ins Kino

ich nähme das Geld   *ich ginge ins Kino*
du nähmest das Geld   *du gingest ins Kino*
er nähme das Geld   *er ginge ins Kino*
wir nähmen das Geld   *wir würden ins Kino gehen*
ihr nähmet das Geld   *ihr ginget ins Kino*
sie nähmen das Geld   *sie würden ins Kino gehen*

ich lerne Deutsch

ich würde Deutsch lernen
du würdest Deutsch lernen
er würde Deutsch lernen
wir würden Deutsch lernen
ihr würdet Deutsch lernen
sie würden Deutsch lernen

1. ich lese dieses Buch nicht — 2. ich bringe den Brief zur Post — 3. ich mache jetzt einen Spaziergang — 4. ich kann den bulgarischen Brief lesen — 5, ich verlasse diese Stadt — 6. ich habe in diesem Hotel gewohnt — 7. ich stieg in das Auto ein — 8. ich schreibe den Brief nicht — 9. ich koche Kaffee — 10. ich rauchte keine Zigaretten — 11. ich unterbreche euer Gespräch nicht — 12. ich bleibe an der gefährlichen Stelle nicht stehen — 13. ich esse diese Pilze nicht — 14. ich gratuliere ihm morgen — 15. ich rief den Arzt an.

*

haben ... zu + Infinitiv; sein ... zu + Infinitiv

1. Die Schüler *haben* viel *zu lernen.* Ich *habe* zu dieser Angelegenheit nichts mehr *zu sagen.*
2. Das Gesicht dieses Menschen *ist* nicht *zu vergessen.* Dieses Material *ist* für unsere Arbeit gut *zu gebrauchen.*

haben und der Infinitiv mit zu drückt aus, daß eine Handlung notwendig oder möglich ist. Das Subjekt nennt den Täter dieser Handlung und ist demnach **a k t i v.** sein und der Infinitiv mit zu steht im gleichen Sinn, doch wird hier der Täter der Handlung nicht genannt. Das Subjekt ist **p a s s i v.** Vergleichen Sie:

Die Schüler *haben* viel *zu lernen.* — Die Schüler *müssen* viel *lernen.*
Diese Arbeit *ist zu machen.* — Die Arbeit *muß gemacht werden.* — Man *muß* die Arbeit *machen.*

Übung 4: *Bilden Sie Infinitivsätze mit „haben" oder „sein"!*

1. Man kann die Schrift nicht lesen. — 2. Du mußt heute abend pünktlich um 9 Uhr zu Haus sein. — 3. Was kannst du darauf antworten? — 4. Der Richter sagte zum Angeklagten: „Auf meine Frage müssen Sie antworten." — 5. Während der Fahrt müssen die Wagentüren geschlossen bleiben. — 6. Das kann man nicht glauben. — 7. Diese Regel kann leicht gelernt werden. — 8. Man kann ihn nicht verstehen. — 9. Die Studenten müssen an der Universität viel lernen. — 10. Wir müssen heute noch viel arbeiten. — 11. Da kann man nichts machen. *(Präs., Prät., Perf.)* — 12. Das Schweigen des Angeklagten konnte man nicht verstehen. — 13. Viele Sätze einer fremden Sprache können nicht wörtlich übersetzt werden. — 14. Wenn es dunkel ist, kann man nichts sehen. — 15. Jeder Mensch muß seine Pflicht tun. — 16. Man kann diesen Namen nicht vergessen. — 17. Man kann dieses Buch empfehlen. — 18. Die Kinder müssen schweigen, wenn die Eltern sprechen. — 19. Der Mann muß diese Arbeit machen. — 20. Das Material muß gut geprüft werden.

*

ohne ... zu; ohne daß

Das Flugzeug flog von Frankfurt nach New York, *ohne eine Zwischenlandung zu machen.* — Die Kinder gingen auf den Sportplatz, *ohne vorher ihre Aufgaben gemacht zu haben.* — Der Fremde trat ins Zimmer, *ohne daß ihn jemand bemerkt hatte.*

Nach ohne wird eine Nebenhandlung beschrieben, die nicht eintritt oder eingetreten ist. Man gebraucht *ohne ... zu* und den Infinitiv, wenn die Nebenhandlung das gleiche Subjekt hat wie die Haupthandlung. Hat die Nebenhandlung ein eignes Subjekt, gebraucht man *ohne daß.* Vgl. *um ... zu* und *damit,* Seite 124.

Übung 5: *Bilden Sie Sätze mit „ohne .... zu" oder „ohne daß"! Achten Sie auf die Zeitformen!*

1. Der Schüler kam in die Klasse. *(Er grüßte nicht.)* — 2. Peter hat mein Fahrrad benutzt. *(Ich habe es ihm vorher nicht erlaubt.)* — 3. Er verließ

— 151 —

das Zimmer. (*Die Leute haben ihn nicht beachtet.*) — 4. Das Radio spielt. (*Niemand (!) hört der Musik zu.*) — 5. Der alte Mann ging über die Straße. (*Er achtete nicht auf den Verkehr.*) — 6. Der Dummkopf kritisiert das Buch. (*Er hat den Inhalt richtig verstanden.*) — 7. Man kann nicht in Deutschland studieren. (*Man hat vorher kein Deutsch gelernt.*) — 8. Verlassen Sie Ihr Haus nicht. (*Sie schließen die Haustür nicht zu.*) — 9. Fotografieren Sie niemanden. (*Er hat Ihnen vorher nicht die Erlaubnis dazu gegeben.*) — 10. Er ist eingeschlafen. (*Er hat das Licht ausgemacht.*)

*

Präpositionen

auf... zu gibt die Richtung an: Wir gehen *auf* das Haus *zu*. Er kam *auf* mich *zu*.

von... aus bezeichnet den Ausgangspunkt: Ich fahre *von* Hamburg *aus* nach Amerika. *Von* hier *aus* kannst du den Berg besser sehen.

von... an (ab) bezeichnet den Beginn: *Von* heute *an* wollen wir fleißiger sein. *Von* hier *an* wird die Straße neu asphaltiert. *Von* jetzt *ab* schreibe ich dir jede Woche.

Der von den Präpositionen abhängige Begriff steht zwischen ihnen.

bis steht mit einer anderen Präposition zusammen und bezeichnet die lokale oder temporale Grenze: Er arbeitet *bis in* die Nacht. Gehen Sie *bis zur* Straßenecke. Wir fahren *bis nach* Köln. Wir waren *bis um* 6 Uhr in der Schule. Man kann *bis auf* den Meeresgrund sehen.

bis auf bezeichnet auch die Ausnahme: Gestern sind alle Schüler *bis auf* einen gekommen. Ich habe mein ganzes Geld *bis auf* zehn Mark ausgegeben.

*

Wortbildung

Die Nachsilbe -ig bildet aus vielen Wortarten Adjektive. Nomen, die auf *-e* enden, verlieren diese Endung: Fleiß — fleiß*ig*; Freude — freud*ig*.

Merken Sie! heute — heut*ig*; gestern — gestr*ig*; morgen — morg*ig*; hier — hies*ig*.

Die Nachsilbe -lich bildet ebenfalls aus vielen Wortarten Adjektive: Freund — freund*lich*; kurz — kürz*lich*.

Übung 6: *Bilden Sie Adjektive mit der Nachsilbe -ig! Bilden Sie einen Beispielsatz! (kursiv gedruckte Buchstaben bilden den Umlaut)*

1. Berg, Ecke, Eile, Fleisch, Salz — 2. Schmutz, Schuld, Zeit, G*u*nst, Luft — 3. Not, Ruhe, Spaß, Zorn, Riese — 4. Neugier, Gegenw*a*rt, Z*u*kunft, sofort, bald — 5. Vorsicht, ein Monat, Geist, Heil — 6. L*a*st, Verd*a*cht, Seide, Wolle, Trotz — 7. Wolke, Geduld, Ungeduld, Gelenk, Blume — 8. Milch, dort, Kunde, M*a*ß, Falte.

Übung 7: *Bilden Sie Adjektive mit der Nachsilbe -lich! Bilden Sie einen Beispielsatz! (kursiv gedruckte Buchstaben bilden den Umlaut)*

1. Herz, Schmerz, Freund, Ehre, Kind — 2. Mann, Tag, Herr, Sache, Mensch — 3. Staat, Haus, Kunst, Punkt, Heim — 4. Wort, Nacht, Natur, Amt, Polizei — 5. Ort, Herbst, Winter, Sommer, Angst — 6. Land, Schrift, Mund, Liebe, Bauer — 7. Gefahr, Geschäft, Bild, Frage, Frau — 8. Jahr, Stunde, Monat, Mutter, Vater — 9. Grund, Glück, Seite, Strafe, Sport — 10. Hauptsache, Welt, Christ, Gott, krank — 11. lang, rund, schwach, süß, reich — 12. alt, grün, weiß, rot, sicher — 13. klein, neu, kurz, falsch, zart.

*

Müllers haben eine zweijähri*ge* Tochter. — Unsere Zeitung kommt täg*lich*.

Adjektive, die eine Zeit angeben, bezeichnen mit der Nachsilbe *-lich* die zeitliche Wiederkehr; die Adjektive mit der Nachsilbe *-ig* bezeichnen einen Zeitraum.

Merken Sie: Woche — einwöch*ig*, wöchen*tlich*.

Übung 8: *Bilden Sie die richtige Adjektivform!*

1. Der Forscher ist von einer dreijähr- Reise zurückgekommen. — 2. Gestern starb der langjähr- Direktor der Maschinenfabrik. — 3. Zweimal wöch- kommt die Putzfrau in unser Haus. — 4. Nehmen Sie diese Medizin dreimal täg-. — 5. Morgen fahren wir auf einen vierwöch- Urlaub. — 6. Stünd- fährt von hier ein Zug nach München. — 7. Nach einer zweistünd- Fahrt kommen Sie in Köln an. — 8. Die Zeitung bringt die täg- Nachrichten. — 9. Nach einem einmonat- Aufenthalt im Krankenhaus wurde er wieder geheilt entlassen. — 10. Täg- warte ich auf eine Nachricht von ihm. — 11. Die Ärzte treffen sich jähr- einmal, um zu konferieren. — 12. Der Bauer hat gestern ein zweijähr- Pferd gekauft. — 13. In einem sechsstünd- Flug können Sie von Frankfurt aus Amerika erreichen. — 14. Der sechsjähr- Sohn unseres Freundes muß schon täg- in die Schule gehen. — 15. Die Zeitung unseres Ortes kommt nur viermal wöch-.

* * *

Der Wetterdienst [1]

Der Wetterdienst sagt die wahrscheinliche Entwicklung des Wetters auf eine bestimmte Zeit voraus. Die Wettervorhersage beruht auf Wetterbeobachtungen, die auf einem möglichst ausgedehnten Gebiet

---

[1] Glossar Abschnitt 23 E

gemacht werden. Die telegrafische Übermittlung der Beobachtungen ist zwischenstaatlich geregelt. Der Funkwetterdienst tauscht die Wettermeldungen zwischen den Erdteilen aus.

Aus den täglichen Beobachtungen zahlreicher Beobachtungsstationen entsteht die Wetterkarte, die den Wetterzustand eines bestimmten Augenblicks nach Luftdruck, Temperatur, Niederschlag, Bewölkung, Luftbewegung usw. enthält. Außerdem bringt sie den Wetterbericht und die Vorhersage.

Ein Wetterbericht

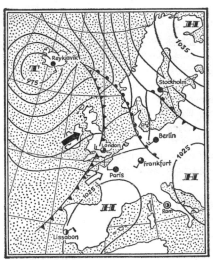

Der Wetterbericht vom Wetteramt Frankfurt am Main für den 9. April 1962, 1 Uhr

Übersicht: Das über Island liegende Tiefdruckgebiet beeinflußt weiterhin das Wetter Mitteleuropas und wird hauptsächlich in Norddeutschland unbeständiges Wetter verursachen. Das Hochdruckgebiet, dessen Kern über den Pyrenäen liegt, wandert nur zögernd ostwärts.

Vorhersage: Am Samstag und Sonntag in Norddeutschland verhältnismäßig kühles und regnerisches Wetter; in den mittleren und südlicheren Teilen des Bundesgebietes zeitweise freundlicheres, aber auch nicht beständiges Wetter. Mäßig warm. Höchsttemperaturen um 15 Grad. Westliche Winde.

Weitere Aussichten: Noch keine beständige Wetterlage.

Zur Wetterkarte

Wetterkundliche Zeichen

Bewölkung		
◉ Sonnenschein	◑ bewölkt (³/₄ bedeckt)	⊠ Schneedecke
○ wolkenlos (klar)	● ganz bedeckt	▲ Hagel
◐ heiter (¹/₄ bedeckt)	**Niederschläge**	⌓ Tau
◑ halbbedeckt	•od.⦷ Regen	⊔ Reif
	✳ Schnee	V Rauhreif

∞	Glatteis	**Fronten**	
∞	Dunst	▲▲▲	Kaltfront
≡	Nebel	▲▲▲	Warmfront
Wind			
◎	Windstille	**Erscheinungen**	
O-	Stärke 1	𝕂	Gewitter
O⌐	Stärke 2	⌒	Regenbogen

Erklärungen und Wortschatz:

die Übermittlung: von *übermitteln:* weitergeben
zwischenstaatlich: international
der Funkwetterdienst: der Wetterdienst, der durch Funk organisiert wird
der Erdteil, -e: der Kontinent
der Niederschlag, ⸚e: Regen, Schnee, Hagel usw.
das Wetteramt, ⸚er: die amtliche Stelle, die Wetterberichte herausgibt
das Tiefdruckgebiet, -e: das Gebiet, in dem niedriger Luftdruck herrscht *(das Hochdruckgebiet)*
der Kern: (hier:) der Mittelpunkt
regnerisch: zu Regen neigend

*

Übung A: *Erzählen Sie, was Sie täten oder was wäre, wenn folgende Tatsachen anders wären!*

Beispiel: Jetzt regnet es. — *Wenn es jetzt nicht regnete, ginge ich spazieren.*

1. Jetzt ist Unterricht. — 2. Ihr Freund braucht Ihre Hilfe nicht. — 3. Sie haben Ihre Schulaufgaben nicht gut gelernt. — 4. Sie haben jetzt keine Ferien. — 5. Sie sind morgen nicht zu Haus. — 6. Sie haben kein Auto. — 7. Sie bekommen heute keinen Besuch. — 8. Sie können Ihr Leben nicht noch einmal beginnen. — 9. Sie haben Ihr Geld nicht verloren. — 10. Es gibt Zeitungen. — 11. Es gibt Kinos und Fernsehen. — 12. Sie rauchen Zigaretten. — 13. Es gibt auf der Welt viele Sprachen. — 14. Wir leben jetzt im 20. Jahrhundert.

Übung B: *Hätten Sie das folgende auch getan?*

1. Peter hat von seinem Vater Geld bekommen und hat sich 20 teure Krawatten dafür gekauft. — 2. Mein Freund ist gestern bei diesem schönen Wetter den ganzen Tag zu Haus geblieben und hat gearbeitet. — 3. Jetzt liegt der Autofahrer wochenlang im Krankenhaus, weil er mit seinem Wagen so unvorsichtig und schnell gefahren ist. — 4. Gestern

ist der Schüler durch die Prüfung gefallen, weil er im Unterricht dauernd gefehlt hat und dadurch nichts lernte. — 5. Inge hat von ihrer Freundin ein Geschenk bekommen und hat sich nicht dafür bedankt.

Übung C: *Erzählen Sie das folgende weiter! (Indirekte Rede)*

1. Gestern wurde auf dem Münchener Filmgelände „Geiselgasteig" mit den Dreharbeiten zu dem neuen Film „Der Ernst des Lebens" begonnen. Die männliche Hauptrolle hat der junge Nachwuchsschauspieler Otto Schmitz erhalten. — 2. Nach dem letzten Wetterbericht soll das sommerlich schöne Wetter weiterhin erhalten bleiben. Lediglich eine schwache Gewitterfront wandert langsam vom Ostatlantik kommend nordostwärts, wird aber das Wetter in Süddeutschland nicht beeinflussen. — 3. In der letzten Woche haben starke Regenfälle im osteuropäischen Raum schweren Schaden verursacht. Vielfach sind die Flüsse über die Ufer getreten und haben weite Gebiete unter Wasser gesetzt. Mehrere Ortschaften mußten vorübergehend evakuiert werden. — 4. Durch den gestrigen Wettersturz sind drei Bergsteiger, die die Watzmann-Ostwand besteigen wollten, in Bergnot geraten. Mehrere Hubschrauber versuchten heute den ganzen Tag vergebens, die Bergsteiger in der Wand ausfindig zu machen. Eine Gruppe von Männern der Bergwacht wollen morgen früh versuchen, den Bergsteigern nachzuklettern, um ihnen Hilfe zu bringen.

Übung D: *Bilden Sie das Passiv!*

1. Der Wetterbericht meldete für morgen eine Änderung der Wetterlage. — 2. Man rechnet mit anhaltenden Regenfällen in den nächsten Tagen. — 3. Bei der Wirtschaftskonferenz in der letzten Woche schloß man wichtige Handelsverträge mit befreundeten Nationen ab. — 4. Man senkte auch die Zolltarife und erleichterte damit den Handelsverkehr zwischen den Staaten. — 5. Einige inländische Firmen haben in einem Schreiben an das Finanzministerium gegen die Senkung der Zolltarife protestiert. — 6. In den heutigen Rundfunknachrichten gab man bekannt, daß man im nächsten Jahr mit dem Bau eines neuen, moderneren Atomreaktors beginnt.

Übung E: *Erzählen Sie den Inhalt eines Films, den Sie gesehen haben!*

Übung F: *Schreiben Sie einen genauen Wetterbericht des gestrigen Tages!*

Übung G: *Schreiben Sie einen Bericht über die Industrie ihres Landes!*

VIERZEHNTER ABSCHNITT

Durchgefallen [1])

In Berlin lebte einmal ein berühmter Medizinprofessor, der bei seinen Studenten sehr gefürchtet war. Hörten sie, daß er der Vorsitzende der nächsten Prüfungskommission werden sollte, dann war stets große Aufregung, denn dieser Professor prüfte immer sehr streng. Er war dafür bekannt, daß er die schwierigsten Fragen stellte und oft einen Kandidaten durchfallen ließ, wenn dieser nicht die Antwort gab, die der Professor zu hören wünschte. Hatte aber ein Kandidat bei ihm eine Prüfung bestanden, brauchte er sich um seine Zukunft keine Sorgen zu machen, denn kein Arzt konnte eine bessere Empfehlung haben als die, von diesem Professor geprüft worden zu sein.

Der Professor hielt wieder einmal eine Prüfung ab. Der Kandidat saß vor der Prüfungskommission und schaute etwas ängstlich und nervös den Professor an, der ihm seine kurzen, aber schwierigen Fragen stellte. Zuerst ließ sich der Professor von dem Kandidaten eine bestimmte Krankheit beschreiben. Als der Kandidat die Symptome der Krankheit richtig genannt hatte, fragte der Professor nach dem Heilmittel für diese Krankheit. Es wurde ihm die richtige Antwort genannt. „Gut", sagte der Professor, „und wieviel geben Sie dem Patienten davon?" — „Einen Eßlöffel voll, Herr Professor", war die Antwort.

Als der Kandidat vor der Tür des Prüfungszimmers warten mußte, während der Ausschuß sich über seine Leistungen beriet, fiel ihm ein, daß er sich geirrt hatte: ein Eßlöffel voll war ja viel zu viel! Aufgeregt öffnete er die Tür des Prüfungszimmers und rief: „Herr Professor! Ich habe mich geirrt! Ein Eßlöffel voll ist zu viel für den Kranken. Er darf nur fünf Tropfen bekommen!" — „Es tut mir leid", sagte der Professor kurz, „der Patient ist schon gestorben."

Der Irrtum

In einer Physikprüfung sagte ein Lehrer zu einem Schüler: „Bitte, nenne mir die Eigenschaften der Kälte und der Wärme!" Der Schüler

---

[1]) gesprochen auf Schallplatte Nr. 3; Glossar Abschnitt 24

überlegte nicht lange und erwiderte rasch: „Wärme dehnt die Körper
aus, und Kälte zieht sie zusammen." — „Gut", sagte der Lehrer, „gib
mir einige Beispiele für die Richtigkeit dieses Satzes!" Der Junge antwortete ebenso schnell: „Im Winter ist es kalt, dann sind die Tage
kurz, und im Sommer ist es warm, dann sind die Tage lang."

Erklärungen und Wortschatz:

der Kandidat, -en: ein Bewerber für eine Prüfung
abhalten: eine Prüfung abhalten (der Professor hält die Prüfung ab; der Kandidat macht die Prüfung)
beschreiben: erklären:
der Ausschuß, ..u (ss)e: die Kommission — *überlegen:* nachdenken
erwidern: antworten — *sich ausdehnen; sich zusammenziehen*

*

Der Vergleich mit einem irrealen Geschehen

Robert spricht Deutsch wie ein Deut-scher.	Robert spricht Deutsch, *als ob* er ein Deutscher *wäre.* (..., *als wäre er* ein Deutscher.)
Er tat wie jemand, der etwas von der Sache versteht.	Er tat, *als wenn* er etwas von der Sache *verstünde.* (..., *als verstünde* er etwas von der Sache.)

Wenn man **ein Geschehen mit einem anderen Geschehen vergleicht, das
nicht wirklich stattfindet,** sondern nur in der Vorstellung existiert, gebraucht
man die Konjunktion *als ob (als wenn)* mit dem Konjunktiv II (Gliedsatzform)
oder nur *als* mit anschließendem Prädikat.

Übung 1: *Bilden Sie Vergleichssätze mit „als ob" („als wenn" oder „als")!*
1. Dieser Mann lebt *wie ein Millionär.* — 2. Der Student spricht *wie ein
Professor.* — 3. Der Junge redet mit mir *wie mit seinem Freund.* — 4. Das
Brot ist hart *wie Stein.* — 5. Der Arbeiter arbeitet *wie eine Maschine.* —
6. Der Mann schreibt so langsam *wie ein Kind.* — 7. Heute haben wir
ein Wetter *wie im Hochsommer.* — 8. Meine Zimmerwirtin kümmert sich
um mich *wie meine Mutter.* — 9. Ich fühle mich hier so zufrieden *wie zu
Haus.* — 10. Du sprichst so schnell *wie ein Sportreporter.*

*

Der Ausdruck eines Wunsches

Käme doch jetzt mein Vater! Brächte er doch das Geld mit!

Man wünscht, daß ein Geschehen oder ein Zustand in der Gegenwart oder
Zukunft eintritt; aber man zweifelt daran, obwohl dieses Geschehen oder
dieser Zustand wirklich eintreten könnte. **Zum Ausdruck dieses Wunsches gebraucht man den Konjunktiv II** und das Adverb *doch.* Der Satz steht in seiner
Grundform.

Wenn doch jetzt mein Vater *käme! Wenn* er *doch* das Geld *mitbrächte!*
Diese Wunschsätze kann auch die Konjunktion *wenn* einleiten. Dann tritt die Personalform ans Ende des Satzes.

Hätte ich *doch* dieses schlechte Auto nicht *gekauft!*
Wenn ich *doch* dieses schlechte Auto nicht *gekauft hätte!*
Wären wir *nur* mit einem früheren Zug *gefahren!*
Wenn wir *nur* mit einem früheren Zug *gefahren wären!*

Wenn man **in der Vergangenheit ein anderes Geschehen oder einen anderen Zustand wünscht** als das Geschehen oder den Zustand, der tatsächlich eingetreten ist, gebraucht man die **Vergangenheitsformen des Konjunktivs II** und das Adverb *doch* oder *nur*. Dies ist der Ausdruck eines Wunsches, der nicht mehr erfüllt werden kann. Der Satz steht in der Grundform oder wird mit der Konjunktion *wenn* eingeleitet.

Übung 2: *Bilden Sie Wunschsätze!*

Beispiel: Mein Vater kommt nicht. — *Käme* er *doch!*
Ich bin zu spät gekommen. — *Wäre ich nur nicht zu spät gekommen!*

1. Mein Freund ist nicht gesund. — 2. Wir haben keine Zeit. — 3. Ich habe mein Buch vergessen. — 4. Peter hat nicht auf mich gewartet. — 5. Der Junge arbeitet nicht fleißig. — 6. Du warst gestern nicht bei uns. — 7. Inge hat mich nicht gefragt. — 8. Der Mann hat kein Geld und kann keine Kur machen. — 9. Der Kellner bringt das Essen nicht. — 10. Die Zeit vergeht langsam. — 11. Der Weg ist weit. — 12. Der Weg war immer sehr schlecht. — 13. Ich habe das vorher nicht gewußt. — 14. Der Autofahrer hat die Verkehrszeichen nicht beachtet. — 15. Meine Prüfung ist nicht vorüber.

Übung 3: *Bilden Sie Wunschsätze!*

Beispiel: Warum bin ich nicht reich? *Wäre ich doch reich!*
Warum habe ich in der Schule nicht gelernt? *Hätte ich doch in der Schule gelernt!*

1. Warum bin ich gestern so spät ins Bett gegangen? — 2. Warum kann ich jetzt keine schöne Reise machen? — 3. Warum habe ich damals nicht an die Firma geschrieben? — 4. Warum muß ich den ganzen Tag so viel arbeiten? — 5. Warum habe ich nicht auf deinen Rat gehört? — 6. Warum bin ich heute so spät in die Schule gekommen? — 7. Warum bin ich so schnell mit dem Auto gefahren? — 8. Warum habe ich mein Geld verloren? — 9. Warum hat der Junge das Geld gestohlen? — 10. Warum könnt ihr nicht ruhig sein? — 11. Warum sind wir gestern

nicht zu Haus geblieben? — 12. Warum will mir mein Freund nicht helfen? — 13. Warum gibt ihm Karl das Geld zurück? — 14. Warum müssen wir hier im Regen stehen? — 15. Warum habe ich diesem Mann das Geld geliehen?

*

Rektion der Adjektive

Jetzt ist der Kaufmann *sein Geld los,* weil er dem unehrlichen Menschen vertraut hat. — Ich bin *Ihnen* sehr *dankbar.* — Der Mann ist *des Diebstahls verdächtig.* — Seid ihr *mit der Arbeit fertig?*

Adjektive, die als Satzglieder bei den Verben *sein, werden, bleiben* und anderen stehen, **können Objekte verlangen** wie die Verben. Vergleichen Sie:

Er *half seinem Freund.* — Er war *seinem Freund behilflich.*
Sie *sorgte* sich *um die Kinder.* — Sie war *um die Kinder besorgt.*

Oft verlangen aber die Adjektive **eine andere Objektform als die** entsprechenden **Verben:**

Er *kennt den Herrn.* — Er ist *mit dem Herrn bekannt.*
Sie *liebt ihn.* — Sie ist *in ihn verliebt.*

Einige Adjektive können **verschiedene Objektformen** haben:

Die Arbeit ist nicht *der (die) Mühe wert.* — Ich bin *ihm unbequem.* Die Sitze in diesem Wagen sind *für die Reisenden unbequem.*

Beachten Sie, daß sich mit der Form der Objekte oft auch der Inhalt des Satzes ändern kann.

Adjektive, die als Satzglied den **Akkusativ** verlangen:
gewohnt, los, müde, quitt, satt (auch Gen.)

Adjektive, die als Satzglied den **Dativ** verlangen:
ähnlich, angenehm (auch: *für*), *ärgerlich* (auch: *für*), *behilflich, bekannt, bequem* (auch: *für*), *beschwerlich* (auch: *für*), *dankbar* (auch: *gegen, für*), *erwünscht, freundlich* (auch: *gegen*), *fremd, gefährlich* (auch: *für*), *gleich, günstig* (auch: *für*), *lästig* (auch: *für*), *leicht* (auch: *für*), *leid, lieb, möglich* (auch *für*), *nahe* (auch: *bei*), *nötig* (auch: *für*), *notwendig* (auch: *für*), *nützlich* (auch: *für*), *recht, schädlich* (auch: *für*), *schwer* (auch: *für*), *treu, überlegen, verbunden, verhaßt, verwandt* (auch: *mit*), *vorteilhaft* (auch: *für*), *willkommen* usw. usw.

Adjektive, die als Satzglied den **Genitiv** verlangen:
fähig (auch: *zu*), *habhaft, mächtig, müde, schuldig* (auch Akk.), *sicher, überdrüssig* (auch Akk.), *wert* (auch Akk.) usw.

Adjektive, die als Satzglied eine **Präposition** verlangen:
arm an D, aufmerksam auf A, begierig nach (auch: *auf* A), *bekannt mit, besorgt um, bewandert in D, blaß vor D, ehrgeizig nach, eifersüchtig auf A, empfindlich gegen, fähig zu, fertig mit, frei von, freundlich gegen, froh*

über A, gleichgültig gegen, glücklich über A, neugierig auf A, sicher vor D, stolz auf A, streng gegen, traurig über A, überzeugt von, verliebt in A, verschieden von, voll von, zufrieden mit usw. usw.

Übung 4: *Bilden Sie die richtigen Objektformen!*

1. Inge sieht (ihre Mutter) sehr ähnlich. — 2. Ich bin (dies schwere Arbeit) nicht gewohnt. — 3. Wir sind (sein guter Wille) überzeugt. — 4. War der Lehrer (eure Arbeit) zufrieden? — 5. Der Mann ist (jede schlechte Tat) fähig. — 6. Peter war (sein Freund) jederzeit behilflich. — 7. Dieser Roman ist (ich) nicht bekannt. — 8. Seid ihr (Herr Müller) verwandt? — 9. Wir bleiben (ihr) immer verbunden. — 10. Der Ausländer ist (die deutsche Sprache) nicht mächtig. — 11. Die Polizei wurde (der Einbrecher) habhaft. — 12. Ist (du) mein Besuch recht? — 13. Die Kinder sind (jedermann) freundlich. — 14. Sind wir (ihr) willkommen? — 15. Er machte mich (die Schwierigkeiten) aufmerksam. — 16. Ihr seid (ich) immer freundlich. — 17. Sie ist (ihre Schwester) eifersüchtig. — 18. Peter ist (sein Erfolg) stolz. — 19. Jetzt sind wir endlich (dieser unsympathischer Mensch) los. — 20. Das Geld ist (Diebe) sicher. — 21. Meine Wohnung liegt nahe (der Bahnhof). — 12. Es ist (mein Freund) unmöglich, morgen zu kommen.

*

Euer Land ist reich an Ölvorkommen. — Der Verteidiger war *von der Unschuld des Angeklagten überzeugt.* — Wir waren *mit deinem Vater* gut *bekannt.* Wir waren gut *bekannt mit deinem Vater.*

Die Stellung der **Präpositional-Objekte,** die von Adjektiven abhängen, sind oft verschieden. Einige Adjektive können diese Objekte vor oder hinter sich haben. Andere haben sie vorzugsweise vor sich und wieder andere hinter sich. Die **Objekte stehen** meistens **hinter**

arm an D, aufmerksam auf A, blaß vor D, böse auf A, fertig zu, froh über A, reich an D, stolz auf A, verschieden von usw.

Die **Objekte stehen** meistens **vor**

fähig zu, überzeugt von, verliebt in A, usw.

Die **Objekte können vor oder hinter** den folgenden Adjektiven **stehen:**

bekannt mit, eifersüchtig auf A, fertig mit, freundlich gegen, glücklich über A, nachlässig in D, neidisch auf A, zufrieden mit usw.

Übung 5: *Setzen Sie die Objekte richtig ein!*

1. Wir sind überzeugt. *(seine Ehrlichkeit)* — 2. Peter ist böse. *(ich)* — 3. Der Schüler ist nachlässig. *(seine Arbeit)* — 4. Wir sind fertig. *(die Abfahrt)* — 5. Er ist freundlich. *(jeder Mensch)* — 6. Der alte Mann ist nicht fähig. *(diese schwere Arbeit)* — 7. Inge ist verliebt. *(Peter)* — 8. Der

*Sitzung des Land-
tags Rheinland-
Pfalz in Mainz*

*Das Bundeshaus
in Bonn*

Neues Stadttheater in Münster/Westfalen

Staatstheater Stuttgart

Theater

Szene aus „Don Giovanni"

Junge war blaß. (*Schreck*) — 9. Das Kind war glücklich. (*das schöne Geschenk*) — 10. Seid ihr fertig? (*eure Arbeit*) — 11. Bist du böse? (*mein Freund*) — 12. Der Vater war sehr stolz. (*sein Sohn*) — 13. Unser Land ist arm. (*Mineralschätze*) — 14. Wird sind überzeugt. (*seine guten Deutschkenntnisse*) — 15. Er ist zufrieden. (*die Arbeit der Schüler*)

*

Der Krankenbesuch[1])

Der Hausarzt:

Wie geht es Ihnen, Herr Börner? Fühlen Sie sich jetzt besser? Lassen Sie mich einmal Ihren Puls fühlen! — Ah, er schlägt nicht mehr so schnell, dann haben Sie auch nicht mehr so viel Temperatur? Stecken Sie einmal das Thermometer in Ihre Achselhöhle! Machen Sie Ihren Mund auf! — Hm, die Zunge ist noch etwas belegt. So, jetzt wollen wir mal sehen, wieviel Temperatur Sie noch haben: 38,1 (achtunddreißig eins).

Also etwas Fieber haben Sie noch. Nun richten Sie sich bitte auf und machen Sie sich oben frei! Ich will Ihre Lungen abhorchen, ob noch alles in Ordnung ist. Atmen Sie tief! Noch einmal und noch einmal! Gut! Die Grippe haben Sie bald überstanden. Einige Tage müssen Sie aber noch im Bett bleiben und oft schwitzen; decken Sie sich dabei aber immer fest zu, damit Sie keine Lungenentzündung bekommen. Ich verschreibe Ihnen noch etwas. — Hier ist das Rezept. Die einen Tabletten nehmen Sie dreimal täglich möglichst nach dem Essen. Sie sollen das Fieber herunterdrücken. Die anderen Tabletten nehmen Sie stündlich. Aber schlucken Sie sie nicht hinunter, sondern behalten Sie sie im Mund und lutschen Sie sie. — Sie haben hinten im Hals noch eine starke Rötung. — Sie kommt von einer Infektion. Wahrscheinlich haben Sie sich angesteckt. — Gurgeln Sie auch immer noch regelmäßig mit übermangansaurem Kali? Das desinfiziert und schützt Sie vor weiterer Ansteckung. — Leiden Sie noch an Kopfschmerzen? Nicht? — So, jetzt muß ich aber wieder gehen. Meine Sprechstunde beginnt gleich, und mein Wartezimmer ist sicher voll von Patienten. Auf Wiedersehen und gute Besserung! Ich komme morgen noch einmal vorbei und sehe nach Ihnen. In einer Woche fehlt Ihnen sicher nichts mehr.

---

[1]) Glossar Abschnitt 24 E

11 Deutsche Sprachlehre 2

Aus einem einsprachigen Wörterbuch:

die **Ansteckung,** *-/en,* Übertragen von Krankheitskeimen, Infektion
das **Fieber,** *s/-,* krankhafte Steigerung der Körpertemperatur
die **Grippe,** *-/-n,* Katarrhfieber, Influenza
gurgeln, *(habe gegurgelt) mit,* den Hals spülen
die **Infektion,** *-/-en,* Ansteckung, Übertragung von Krankheitskeimen
die **Lungenentzündung,** *-/en,* schwere Erkältung der Atmungsorgane
lutschen, *(habe gelutscht) etwas, daran,* in den Mund stecken und daran saugen
der **Puls,** *-es/-e,* der fühlbare Schlag der Schlagadern
das **Rezept,** *-es/-e,* 1. schriftliche Arzneiverordnung, 2. Kochvorschrift
schwitzen, *(habe geschwitzt),* Schweiß absondern, *die Wände schwitzen:* Wasser
tritt aus den Wänden
die **Tablette,** *-/-en,* Täfelchen, gepreßte Arzneimasse
das **Thermometer,** *-s/-,* Wärmemesser

Übung A: *Bilden Sie die indirekte Rede!*

1. Im letzten Staatsexamen haben alle Kandidaten die Prüfung bestanden. — 2. Professor Müller prüfte einen Studenten eine halbe Stunde lang. — 3. Er ist dafür bekannt, daß er die Kandidaten immer lange prüft. — 4. Der Professor sagte zu dem Kandidaten: „Nennen Sie mir die Symptome folgender Krankheiten!" — 5. Gestern wurde ein Schwerverletzter ins Krankenhaus eingeliefert. — 6. Der Patient mußte sofort operiert werden. — 7. Die Operation ist gut verlaufen. — Man hofft, daß man den Patienten in einigen Wochen wieder aus dem Krankenhaus entlassen kann. — 8. Die Unfallversicherung wird die Kosten für den Krankenhausaufenthalt des Patienten tragen. — 9. Der Herr fragte mich: „Wie hoch sind die monatlichen Beiträge Ihrer Krankenversicherung?" — 10. Er bat mich: „Geben Sie mir bitte die Adresse Ihrer Krankenversicherung! Ich möchte dorthin schreiben und die Versicherung bitten, mir einen Vertreter zu schicken, der mir die näheren Bedingungen für den Abschluß einer Krankenversicherung mitteilen kann. Ich bin sehr daran interessiert, für mich und meine Familie eine Versicherung abzuschließen.

Übung B: *Sagen Sie, was geschähe oder geschehen wäre, wenn folgende Tatsachen nicht einträten oder eingetreten wären.*

1. Der Kandidat hat die Prüfung nicht bestanden. Er konnte viele wichtige Fragen nicht beantworten. — 2. Der Kranke braucht die Krankenhauskosten nicht zu bezahlen. Er hat rechtzeitig eine Krankenversicherung abgeschlossen. — 3. Ich kann heute nicht mit euch zum Schwimmen fahren. Ich muß mich für die Prüfung in der nächsten

Woche vorbereiten. — 4. Wir können uns jetzt fließend auf Deutsch unterhalten. Wir haben immer intensiv Deutsch gelernt. — 5. Der Verletzte ist gerettet worden. Man hatte ihn rechtzeitig operiert. — 6. Ich brauche viel Geld. Ich will im Ausland studieren. — 7. Robert hat seinen Zug versäumt. Er mußte mit einem späteren Zug fahren und ist spät in Frankfurt angekommen. — 8. Ich habe nicht gewußt, daß du heute kommst. Ich habe mich mit meinen Kollegen im Theater verabredet.

Übung C: *Bilden Sie das Passiv!*

1. Bei der Prüfung stellte man viele schwierige Fragen. — 2. In einer Einbahnstraße darf man nur in einer Richtung fahren. — 3. Bei der Außenministerkonferenz verhandelte man über wichtige wirtschaftliche Fragen. — 4. Ohne Eintrittskarte läßt man niemanden in das Museum ein. — 5. Man hat nicht über den Staatsbesuch des Bundespräsidenten gesprochen. — 6. Man konnte die letzte Sonnenfinsternis in allen Teilen unseres Landes gut beobachten. — 7. Im nächsten Monat muß man alle Schulkinder gegen Pocken impfen. — 8. Medikamente dürfen in Deutschland nur die Apotheken verkaufen. — 9. Der Arzt hat mir eine gute Arznei gegen Migräne verschrieben. — 10. Man soll diese Tropfen dreimal am Tag vor dem Essen einnehmen.

Übung D: *Setzen Sie die Attribute richtig ein!*

1. Wissen Sie, aus welchem Land der Herr kommt? (*europäisch, jung; ich habe gestern mit ihm gesprochen*) — 2. Der Student konnte auf die Frage keine Antwort geben. (*richtig; Professor Müller prüfte ihn gestern; welche Arznei würden Sie dem Patienten verschreiben*) — 3. Haben Sie die Medizin in der Apotheke gekauft? (*in der Ludwigstraße; der Arzt hat Ihnen gestern die Medizin verschrieben*) — 4. Die Studenten sprachen über die Schwierigkeiten. (*Die Studenten saßen in der Mensa; in dieser Stadt ein Zimmer zu finden*) — 5. Können Sie mir etwas verschreiben, Herr Doktor? (*Kopfschmerzen*) — 6. In der Zeitung hat nichts gestanden. (*gestrig, es interessierte mich*)

Übung E: *Bilden Sie mit folgenden Verben Sätze!*

1. voraussagen, brennen, fallen, fühlen, glänzen — 2. mahlen, malen, schieben, verschieben, ziehen — 3. ausdehnen, halten, enthalten, verursachen, abhalten — 4. durchfallen, einfallen, überlegen, verlegen, erschrecken — 5. schlucken, gurgeln, husten, niesen, atmen.

Übung F: *Bilden Sie mit den drei Nomen Sätze!*

1. Patient, Wartezimmer, Arzt — 2. Tablette, Essen, Kranker — 3. Universität, Medizin, Professor — 4. Alpen, Regen, Juni — 5. Meteorologe, Wetter, Wetterkarte — 6. Satellit, Wetterbeobachtung, Funk — 7. Wärme, Metall, Kälte — 8. Ausflug, Wetterbericht, Schule — 9. Regen, Straße, Autounfall — 10. Kosmonaut, Weltraumkapsel, Atmosphäre.

Übung G: *Erklären Sie die folgenden Wörter! Nennen Sie die Artikel und Pluralformen!*

1. Wartezimmer, Sprechstunde, Balkonzimmer, Wartesaal, Haltestelle — 2. Tablette, Tablett, Barometer, Thermometer, Hygrometer — 3. Kinderarzt, Schularzt, Hausarzt, Arznei, Tierarzt — 4. Wetteramt, Zollamt, Finanzamt, Beamter, Amtsarzt — 5. Eis, Speiseeis, Glatteis, Hagel, Nebel — 6. Tau, Reif, Dunst, Rauch, Dampf.

* * *

FÜNFZEHNTER ABSCHNITT

Der betrogene Betrüger [1])

Im Amtsgericht einer norddeutschen Kleinstadt fand vor einigen Jahren ein Strafprozeß gegen eine alte Bäuerin statt, die wegen Betrugs vor dem Richter stand. Die alte Frau machte einen guten Eindruck, ihr schon etwas faltiges Gesicht war klar und offen.

„Sie sind wegen dauernden Betrugs angeklagt", wandte sich der Richter an die Bäuerin. „Sie haben aus der Anklageschrift des Herrn Staatsanwalts soeben erfahren, daß Sie seit längerer Zeit dem Bäckermeister Weber statt der täglich bezahlten zwei Pfund Butter nur einunddreiviertel Pfund geliefert haben sollen. Was haben Sie dazu zu sagen?"

Das sei nicht möglich, erwiderte die Bäuerin ohne Verlegenheit. Sie habe die Butter immer ganz genau abgewogen.

„Haben Sie denn überhaupt eine Waage zu Haus?" fragte der Richter.

„Ja, eine sehr schöne Waage, fast ganz neu", sagte die Angeklagte mit leichtem Stolz.

„Haben Sie auch vorschriftsmäßige Gewichte?"

---

[1]) gesprochen auf Schallplatte III; Glossar Abschnitt 25

Die habe sie auch, sagte sie. Aber ihr jüngster Enkel habe sie beim Spielen verlegt oder vielleicht im Garten verloren. Jedenfalls habe sie sie nicht mehr wiederfinden können.

„Trotzdem behaupten Sie, die Butter immer sorgfältig abgewogen zu haben?"

„Ja, ganz sorgfältig, Herr Vorsitzender."

„Das müssen Sie dem Gericht aber einmal ganz genau erklären. Wie haben Sie das gemacht?"

Ja, das sei so gewesen: sie habe ihr Brot schon seit langen Jahren vom Bäckermeister Weber gekauft...

„Bleiben Sie bei der Sache! Wir sprechen hier über Butter und nicht über Brot", sagte der Richter etwas ungeduldig.

„Aber verstehen Sie doch, Herr Vorsitzender", erwiderte die Bäuerin und ließ sich nicht aus der Ruhe bringen. Und sie erzählte, daß sie jeden Tag bei dem Bäcker, der ihr die Butter abnehme, ein Schwarzbrot von zwei Pfund kaufe. Sie habe immer das zwei Pfund schwere Brot in die andere Waagschale gelegt. So habe das Gewicht der Butter ganz genau stimmen müssen, oder das Brot sei zu leicht gewesen.

Mit diesen Worten zog die Angeklagte als Beweis ein Brot aus der Handtasche und gab es dem Richter. Schnell wurde eine Waage herbeigeholt und das Brot gewogen. Jetzt sahen alle Leute, daß das Brot 125 Gramm zu leicht war. Alle lachten, weil sich der Bäcker selbst betrogen hatte. Die Bäuerin wurde freigesprochen.

Erklärungen und Wortschatz:

der Strafprozeß, -(ss)e: ein Prozeß, in dem eine Strafsache, ein kriminelles Vergehen verhandelt wird

der Eindruck, ⸝⸝e: das äußere Bild, das man von einer Person oder Sache hat; *er macht einen guten Eindruck auf mich*

faltig: mit Falten *(die Falte, -n)*

einunddreiviertel Pfund: 1³/₄ Pfund

wiegen, – o – o: das Gewicht messen; *abwiegen:* von einer größeren Menge einen Teil wiegen

vorschriftsmäßig: wie es *die Vorschrift* bestimmt

verlegen: eine Sache an einen Platz legen, den man später nicht mehr weiß

sorgfältig: mit Sorgfalt *(die Sorgfalt) – der Vorsitzende:* der Präsident

bei der Sache bleiben: nicht das Thema wechseln

sich nicht aus der Ruhe bringen lassen: ruhig bleiben

abnehmen: von jemandem etwas kaufen, abkaufen

stimmen: richtig sein – *das Wort, ⸝⸝er:* das einzelne Wort – *das Wort, -e:* der Ausspruch

Der Sprecher nimmt Stellung zu seiner Aussage

Wenn der Sprecher einen Sachverhalt berichtet, hat er zwei Möglichkeiten für seinen Bericht: 1 er berichtet den Sachverhalt und nimmt keine eigne Stellung dazu, 2. er berichtet den Sachverhalt und drückt seine Meinung dazu aus. Bei beiden Berichten muß man folgendes unterscheiden: a) der Sprecher berichtet einen Sachverhalt, den er selbst beobachtet hat, b) er berichtet einen Sachverhalt, den er von anderen erfahren hat, also nicht selbst beobachtete.

Der Sprecher kann seinen Bericht mit seiner Stellungnahme einleiten, z. B.

ich glaube, daß ...   *ich halte es für möglich, daß* ...

ich vermute, daß ...   *ich bezweifle, daß* ...

ich bin sicher, daß ...   *ich habe nur gehört, daß* ...

ich bin überzeugt, daß ...   *ich schließe daraus, daß* ... usw. usw.

Meist wird er aber bestimmte grammatische Konstruktionen in seinem Bericht gebrauchen, die seine Stellung bezeichnen. Dies sind das Futur, der Konjunktiv, einige Modalverben oder bestimmte Adverbien.

1. Der Sprecher berichtet, nimmt aber keine Stellung zu dem geschilderten Sachverhalt.

a) Er hat den Sachverhalt **selbst beobachtet:**

> Heute ist Fritz gekommen. Er will in München Medizin studieren. – Ich habe heute auf der Straße einen Verkehrsunfall gesehen. – Mein Vater fährt morgen nach Paris. – Frau Meier ist an Grippe erkrankt und liegt im Krankenhaus.

b) Er hat den Sachverhalt **von anderen erfahren:**

> Heute *soll* Fritz gekommen sein. – Heute *soll* auf der Straße ein Verkehrsunfall passiert sein. – Frau Meier *soll* an Grippe erkrankt sein und jetzt im Krankenhaus liegen.

Man gebraucht **das Modalverb sollen** (im Präsens), wenn man die Person, die den Sachverhalt berichtet hat, nicht nennt oder nicht nennen kann.

> Mein Freund erzählte mir, daß Fritz heute *gekommen sei.* Er *wolle* jetzt in München Medizin studieren. – Ich habe in der Zeitung gelesen, daß heute auf der Straße ein Verkehrsunfall *passiert sei.* – Mein Vater sagte daß er morgen nach Paris *fahre.* – Ich habe gehört, daß Frau Meier an Grippe *erkrankt sei* und jetzt im Krankenhaus *liege.*

Man gebraucht **den Konjunktiv I (II),** wenn man angibt, woher man den Sachverhalt erfahren hat.

2. Der Sprecher nimmt Stellung zu dem geschilderten Sachverhalt.

a) Er drückt einen Sachverhalt aus, den er kennt

> Die Kinder *werden* schon im Bett *liegen.* – Wir *werden* bald nach Haus gehen *müssen.* – Euer Lehrer *wird* gestern im Theater *gewesen sein.*

Mit **dem Futur** drückt der Sprecher **eine Vermutung** aus, die er hegt, weil er die Verhältnisse oder die Gewohnheiten einer Person oder Sache kennt. Liegt das Geschehen in der Gegenwart oder in der Zukunft, gebraucht man nach *werden* den einfachen Infinitiv. Für ein Geschehen, das in der Vergangenheit liegt, gebraucht man den Infinitiv Perfekt.

b) Er drückt eine Vermutung aus:

Herr Müller ist jetzt *sicher* zu Haus. — Ihr wart gestern *sicher* hungrig. — Ihr kommt jetzt *sicher* aus der Schule. — Er hat das alte Auto *sicher* nicht gekauft

sicher drückt eine Vermutung aus, die sich auf gute Kenntnisse der Verhältnisse stützt und schon einer Überzeugung nahe steht.

Sie ist jetzt *vielleicht* im Garten. — Der Zug hat *vielleicht* in München zu lange Aufenthalt gehabt. — Morgen regnet es *vielleicht*.

vielleicht drückt eine Vermutung aus, die ohne einen bestimmten Grund ausgesprochen wird.

Mein Onkel befindet sich jetzt *wohl* in Paris. — Der Autofahrer hat das Verkehrszeichen *wohl* nicht beachtet. — Morgen kommt euer Vater *wohl* wieder zurück.

wohl drückt eine Vermutung aus, die man auf Grund von Beobachtungen ausspricht.

Morgen *kann* das Wetter wieder gut werden. — Nach der Handschrift zu urteilen, *kann* dein Bruder diesen Brief geschrieben haben. — Jetzt *kann* Peter jeden Moment kommen.

können drückt eine Vermutung aus, die sich auf Kenntnisse der Verhältnisse stützt.

Morgen *dürfte* das Wetter wieder gut werden. — Dein Bruder *dürfte* den Brief geschrieben haben. — Jetzt *dürfte* Peter jeden Moment kommen.

dürfen drückt im Konjunktiv II die vorsichtige Vermutung aus, die sich auf Kenntnisse der Verhältnisse stützt.

Wenn dem Kind das Essen nicht schmeckt, *muß* es krank sein. — Der Fahrer des Wagens *muß* am Steuer eingeschlafen sein, anders kann man sich die Ursache des Unfalls nicht erklären. — Als ich dich gestern traf, *muß* es 5 Uhr gewesen sein. — Der Mann *muß* viel arbeiten können, wenn er immer mehr Aufträge entgegennimmt.

müssen drückt eine Vermutung aus, die sich auf äußere Wahrnehmungen stützt.

Inge *mag* jetzt 20 Jahre alt sein. — Mein Bruder *mag* jetzt inzwischen in Köln angekommen sein. — Der junge Mann *mag* aus Köln stammen.

mögen drückt eine sehr vorsichtige Vermutung aus, die sich auf eine Schätzung stützt, für die man keine Gewähr gibt.

Der Mann hat das Geld *bestimmt* gestohlen. — Ich habe in meiner Arbeit *bestimmt* keine Fehler gemacht. — Morgen kommt Peter *bestimmt*.

bestimmt drückt die Überzeugung des Sprechers aus.

c) Der Sprecher hat den Sachverhalt von anderen erfahren:

Im letzten Jahr sind viele Touristen nach Italien gefahren. — Peter hat sein Examen bestanden. — Er will in Amerika Arbeit suchen.

Der Sprecher berichtet den Sachverhalt so, als habe er ihn selbst beobachtet. Er ist von der Richtigkeit seiner Aussage überzeugt.

Fritz sagt, daß er sich ein neues Auto gekauft hat. – In der Zeitung stand, daß die Minister wieder zusammentreffen wollen. – Mein Freund schrieb uns, daß er morgen keine Zeit hat, zu uns zu kommen.

Der Sprecher gebraucht in der indirekten Rede keinen Konjunktiv, weil es für ihn keinen Zweifel an der Richtigkeit des geschilderten Sachverhalts gibt.

Der Angeklagte *will* das Auto nicht gestohlen haben. – Er *will* noch nie im Theater gewesen sein. – Er *will* schon 25 Jahre alt sein.

wollen drückt aus, daß der Sprecher die Aussage einer anderen Person nicht glaubt. Er drückt damit seinen starken Zweifel an der Richtigkeit des Sachverhalts aus.

Übung 1: *Geben Sie an, wie der Sprecher zu seiner Aussage steht! Drückt er eine Vermutung, seinen Zweifel, seine Überzeugung aus, oder nimmt er keine Stellung zu den geschilderten Sachverhalten?*

1. Ihr seid sicher schon in Italien gewesen. – 2. In Norwegen muß es im Winter sehr kalt sein. – 3. Peter will schon in Afrika gewesen sein. – 4. Ihr habt auf eurer Reise bestimmt viel Interessantes erlebt. – 5. Euer Lehrer wird gestern im Theater gewesen sein. – 6. Es ist acht Uhr. Der Besuch kann jetzt jeden Augenblick kommen. – 7. Herr Breuer arbeitet sicher schon lange nicht mehr in dieser Fabrik. – 8. Die Schüler müssen nach diesem langen Ausflug sehr müde sein. – 9. Ihr mögt viele Jahre in Amerika gelebt haben, aber eine klare Vorstellung von dem Leben in diesem Land habt ihr bestimmt nicht. – 10. Sie will aus einem guten Hause kommen und weiß nicht einmal, wie sie sich benehmen soll. – 11. Karl hat wohl noch niemals Fremdsprachen gelernt. – 12. Morgen dürfte mein Brief in Berlin sein. – 13. Kurt will dich gestern im Café Meran gesehen haben. – 14. Der Junge sagte, daß er euren Garten nicht betreten habe. – 15. Mein Freund erzählte mir, daß ihr im Sommer immer an die See fahrt. – 16. Der Nachtzug soll gestern zwei Stunden Verspätung gehabt haben.

Übung 2: *Drücken Sie in folgenden Sätzen Ihre Vermutung aus!*

1. Herr Müller arbeitet jetzt noch in seinem Büro. (Um diese Zeit ist er immer dort.) – 2. Dieser Herr ist reich. (Er wohnt im teuersten Hotel dieser Stadt.) – 3. Das Telegramm ist in zwei Stunden in Hamburg. (Normalerweise braucht es nicht länger.) – 4. Die Kinder sind in der Schule. (Ich glaube es sicher.) – 5. Morgen bekomme ich Geld. (Ich kann es natürlich nicht mit Bestimmtheit sagen.) – 6. Nächsten Sommer kommen wieder viele Touristen in unsere Gegend. (Jeden Sommer kommen sie hierher.) – 7. Mein Freund hat mein Fahrrad genommen. (Ich habe es ihm erlaubt. Jetzt steht das Fahrrad nicht mehr dort.)

Die Zeichensetzung

Das Komma

Die Regeln, wann im Deutschen ein Komma stehen muß, sind nicht ganz einfach. Wir geben hier nur die wichtigsten wieder.

I. Bei Satzgliedern und Satzgliedteilen

a) **Gleichgeordnete Satzglieder,** die nicht durch „*und*" oder „*oder*" verbunden sind, werden durch Komma getrennt:

Es *donnerte, blitzte und regnete* in Strömen. – *Gold, Silber und Platin* sind Edelmetalle. – *Heute, morgen und übermorgen* sind die Geschäfte geschlossen. – *Dienstag, den 6. Februar,* findet ein Konzert statt. – Er verlor *Haus und Hof, Hab und Gut.*

b) **Beim Attribut**

1. **Attribute vor einem Nomen**

   Mehrere Attribute vor einem Nomen werden durch Komma getrennt, wenn sie auch mit „und" verbunden werden könnten, d. h., wenn das letzte oder die letzten Attribute nicht mit dem Nomen einen Gesamtbegriff bilden. Nach *folgend-* steht kein Komma.

   Silberne, goldene, rote, grüne und blaue Kugeln hingen am Christbaum.
   Aber: Der Arzt machte einen *schwierigen medizinischen* Eingriff. – Ich habe *folgende nette* Geschichte gehört.

   Achten Sie darauf, daß der Sinn durch das Komma geändert werden kann: *die vorderen, gepolsterten* Sitzreihen — oder: *die vorderen gepolsterten* Sitzreihen. Im ersten Fall sind nur die vorderen Reihen gepolstert, im zweiten Fall alle Reihen.

2. **Attribute, die dem Nomen folgen**

   Attribute, die dem Nomen im gleichen Fall folgen, werden zwischen Kommas gesetzt, wenn sie nicht ein Beiname (Friedrich der Große) geworden sind.

   Der *Karneval, das ausgelassenste Fest des Jahres,* endet am Tag vor Aschermittwoch. – Ich bin mit dem Auto *meines Freundes, eines Kaufmanns aus Frankfurt,* gekommen. – Ein *Mütterlein, alt und gebrechlich,* ging langsam über die Straße.

   Kein Komma steht vor einem Genitivattribut oder vor einem einzelnen Adjektiv.

   Der Vater *Pauls und Georgs* kommt morgen. – Wir bestellen die Möbel in *Eiche mittelbraun.*

c) **Bei hervorgehobenen Satzteilen, Ausrufen, Reden**

1. **Hervorgehobene Satzteile** werden durch Komma abgetrennt.

   Im Wald und auf der Heide, da such' ich meine Freude.

   „bitte" am Satzanfang und im Satz wird nur dann durch Komma abgetrennt, wenn es sehr stark betont ist. Man schreibt also in der Regel:

   Bitte geben Sie mir das Buch! Geben Sie mir *bitte* das Buch!

Am Satzende dagegen trennt man es durch Komma: Geben Sie mir das Buch, *bitte!*

2. Nach **Ausrufen** kann ein Komma stehen. Der Ausruf „oh" wird mit -h geschrieben, wenn er durch Komma abgetrennt ist, sonst ohne -h.

Ach, wie traurig! Oh, diese Gemeinheit! – Dagegen: O diese Auto-fahrer!

3. In der **wörtlich wiedergegebenen Rede und in Briefen** wird die Anrede zwischen Kommas gesetzt.

Ich danke Ihnen, meine Herren, für Ihr Vertrauen. – Ich möchte Sie, sehr verehrter Herr Professor, um eine Gefälligkeit bitten.

d) **Beim Datum und bei Angaben**

1. Beim Datum wird zwischen die Angabe des Ortes, des Tages und der Zeit ein Komma gesetzt. (Datumsangaben in Briefen stehen ohne Punkt am Ende!)

München, den 18. Februar 1962 – Eglsee, Post Undersdorf, den 16. Januar, 8 Uhr 30

2. Bei Angaben werden Namen und Titel, die nach dem Familiennamen stehen, durch Komma getrennt; also:

Berger, Fritz (aber: Fritz Berger) – Herr Dr. Erich Mayer, Rechtsanwalt (aber: Herr Rechtsanwalt Dr. Erich Mayer)

Teile von Angaben trennt man durch Komma:

Schulz-Griesbach, Deutsche Sprachlehre für Ausländer, Teil II, Max Hueber Verlag München, 180 Seiten.

II. Bei Satzverbindungen

a) **Hauptsätze**

1. **Nebengeordnete vollständige Hauptsätze** werden durch Komma getrennt. Hans fährt mit der Straßenbahn zur Schule, Fritz nimmt lieber sein Fahrrad. – Reden ist Silber, Schweigen ist Gold. – Mein Freund kommt morgen, und seine Eltern kommen auch mit. – Wir fahren im Sommer ins Gebirge, oder wir reisen an die See.

Wenn ein Hauptsatz in einen anderen eingeschoben ist, steht er zwischen Kommas:

„Den Kaffee", sagte er, „müssen Sie unbedingt verzollen." – Bei rotem Licht, so lauten die Bestimmungen, darf man die Straße nicht überqueren.

2. **Wenn der zweite Hauptsatz** mit dem ersten einen Satzteil gemeinsam hat, also **unvollständig** ist, werden die Sätze durch Komma getrennt, wenn sie nicht mit „und" oder „oder" verbunden sind.

Wir fahren ins Gebirge, unsere Freunde dagegen an die See. – Wir kommen heute abend, können aber nicht vor 8 Uhr bei euch sein. – **Aber:** Er kam um 10 Uhr heim und ging sofort zu Bett. (Im zweiten Satz ist das Subjekt weggefallen. Beachten Sie: Er kam um 10 Uhr heim, und dann ging er sofort zu Bett.)

b) **Haupt- und Nebensätze**

1. Haupt- und Nebensätze werden immer durch Komma getrennt. (Beachten Sie vor allem auch das Komma vor Relativsätzen!)

   Weil es regnet, bleiben wir zu Hause. — Das Zimmer, das er jetzt gemietet hat, ist nicht teuer. — Wir haben verabredet, daß wir uns um 8 Uhr treffen. — Er kam früher, als ich erwartet habe. (**Aber:** Er kam früher als ich.)

2. **Hauptsatz und verkürzter Nebensatz** (Partizipialsatz, Infinitivsatz mit zu als Objekt) werden durch Komma getrennt.

   Partizipialsatz:
   Von der langen Wanderung ermüdet, kehrten wir in einem Gasthaus ein. — An einer schweren Krankheit leidend, hatte Herr B. das Haus lange nicht verlassen.

   Infinitivsätze mit „um zu", „ohne zu", „anstatt zu" werden durch Komma vom Hauptsatz getrennt.
   Er ging spazieren, anstatt zu arbeiten. — Das hat er gesagt, ohne es sich genau zu überlegen. — Wir arbeiten, um zu leben, aber wir leben nicht nur, um zu arbeiten.

   Infinitiv mit „zu" wird durch Komma getrennt, wenn der Infinitiv ein Satzglied hat oder wenn zwei Infinitive zusammenstehen:
   Hört doch auf, so laut zu singen! — Ich freue mich, Sie hier zu treffen. — Ich bat ihn, zu bleiben und nicht fortzugehen.

   (**Kein Komma** steht nach sein, haben, brauchen, scheinen *mit zu:* Wir brauchen uns darüber keine Gedanken zu machen. — Sie scheinen über diese Äußerung beleidigt zu sein.)

   Wenn **Mißverständnisse** auftreten können, setzt man das Komma.
   Wir erlaubten ihm nicht, zu arbeiten. (Wir erlaubten ihm, nicht zu arbeiten.) — Er bat ihn, zu fragen. (Er bat, ihn zu fragen.) — Er hat die Aufgabe zu schreiben. (Er hat die Aufgabe, zu schreiben.)

c) **Nebensätze**

Nebensätze werden ebenso wie Hauptsätze durch Komma getrennt, außer wenn sie durch „und" oder „oder" verbunden sind:
Er ist sicher, daß er heute seine Arbeit beenden kann, wenn er nicht gestört wird. — **Aber:** Er freut sich, weil er die Prüfung bestanden hat und weil er morgen nach Hause fahren kann.

Übung 3: *Setzen Sie die Kommas in folgende Geschichte richtig ein!*

Knigges Tod

Über den Tod des Freiherrn von Knigge dessen Buch „Umgang mit Menschen" das vor fast zweihundert Jahren erschienen ist noch heute oft zitiert wird erzählt man folgende kleine reizende Anekdote:

„Nachdem Herr von Knigge ein Leben lang viel für die Verbesserung der Tischsitten getan hatte fuhr er so erzählt man nach China um die

Gebräuche der Stäbchenesser zu studieren. Im Roten Meer fiel er von der Hitze ermüdet ins Wasser ohne daß jemand den Vorgang bemerkte. Er schwamm eine Weile in dem warmen trüben Wasser umher als er einen Haifisch auf sich zukommen sah. Entschlossen sich bis zum äußersten zu verteidigen holte er aus seiner Tasche ein Messer hervor das er mit einiger Mühe aufklappen konnte. Der Haifisch sah ihn jedoch erstaunt an und sagte: ‚Oh Herr von Knigge! Fisch mit dem Messer schneiden das tut man doch nicht!' Darauf blieb Herrn von Knigge dem Meister der feinen Tischsitten nichts anderes übrig als das Messer fallen und sich verschlingen zu lassen."

*   *   *

Eine neuartige Bibliothek bewährt sich [1])

Die Landbevölkerung findet im allgemeinen nur wenig Gelegenheit, große öffentliche Bibliotheken zu benutzen. So hat eine große staatliche Bibliothek einer nordbayerischen Stadt vor längerer Zeit ihrem üblichen Leihverkehr einen regelmäßigen Autodienst angeschlossen, der die ländlichen Gemeinden mit guten Büchern versorgt.

Im allgemeinen entleihen die Landbewohner Bücher aus ihren Volksbüchereien, deren kleine Bestände aber immer bald ausgelesen sind. Die Neuanschaffungen dieser kleinen Volksbüchereien können den Bedarf an guter Literatur nicht decken. Diesem Mangel hilft jetzt das Bücherauto ab, das regelmäßig Bücher aus der staatlichen Bibliothek in die kleinen Landgemeinden bringt.

Diese neue Einrichtung habe, so wird berichtet, bei der Landbevölkerung großes Interesse gefunden. Das beweise, daß man auch auf dem Lande gute Bücher liebe. Man interessiere sich nicht nur für die Neuerscheinungen, sondern auch für die großen Dichter der Vergangenheit. Daneben seien aber auch Bücher über Landwirtschaft, Forschungs- und Entdeckungsreisen, Erfinderschicksale, außerdem Tierbücher, Lebenserinnerungen und Geschichte sehr gefragt. Danach komme die Unter-

---

[1]) Glossar Abschnitt 25 E

haltungsliteratur, wie Abenteuerbücher, Berg- und Jagdromane und dergleichen. Interessant sei die Tatsache, daß auch wissenschaftliche Bücher verlangt würden. Jährlich würden rund 11 000 Bücher durch den Autodienst verliehen.

*

Der *Autor* schreibt ein *Manuskript* und gibt es einem *Verlag*. Der *Verleger* gibt es einer *Druckerei* und läßt es dort *drucken*. Der *Buchbinder bindet* oder *broschiert* die Druckseiten. Dann liefert der Verleger die Bücher an die *Buchhandlungen*, die sie verkaufen.

der Autor:	wer Bücher verfaßt; der Verfasser, der Schriftsteller
der Verlag:	ein Geschäft, das Werke der Literatur und der Kunst vervielfältigt und verbreitet
der Dichter:	Verfasser von Versen
der Schriftsteller:	Verfasser von Prosawerken (Romanen, Novellen)
das Drama:	das Schauspiel
das Gedicht:	Sprachkunstwerk in Versen
die Novelle:	eine kleinere Erzählung, die sich auf ein einzelnes bedeutungsvolles Ereignis beschränkt
der Roman:	eine lange Erzählung

Erklärungen und Wortschatz:

neuartig: neu, modern, neu in seiner Art
die Landbevölkerung: die Leute, die auf dem Lande und nicht in der Stadt wohnen
staatlich: dem Staat gehörend
der Leihverkehr: die Organisation des Verleihens von Büchern
der Autodienst: (hier:) die Belieferung der Kunden durch Autos
ländlich: auf dem Land
die Gemeinde, -n: die kleinen Ortschaften auf dem Land
entleihen: von jemandem etwas leihen (*verleihen:* jemandem etwas leihen)
die Volksbücherei, -en: öffentliche Bibliothek für die Bevölkerung
der Bestand, ‒e: der Vorrat
auslesen: zu Ende lesen
die Neuanschaffung, -en: eine Sache, die man gerade gekauft hat
der Bedarf: die Menge an bestimmten Sachen, die man braucht
der Mangel: eine Sache fehlt oder ist knapp: es herrscht Mangel an dieser Sache
abhelfen: beseitigen
die Einrichtung, -en: (hier:) die Organisation
die Neuerscheinung, -en: ein Buch, das neu auf den Büchermarkt kommt
daneben: außerdem
forschen; die Forschung; der Forscher
entdecken; die Entdeckung; der Entdecker
erfinden; die Erfindung; der Erfinder
das Tierbuch: ein Buch über Tiere
die Lebenserinnerung: die Biographie
und dergleichen: und ähnliches

Übung A: *Erzählen Sie die folgenden Berichte, die Sie gehört haben, weiter!*

1. Die Bäuerin, die wegen Betrugs vor den Richtern stand, ist gestern freigesprochen worden. — 2. Sie konnte ihre Unschuld beweisen, obwohl zuerst alle Beweise gegen sie sprachen. — 3. Die Bäuerin war beschuldigt worden, die Butter, die sie verkauft hat, nicht richtig gewogen zu haben. — 4. Sie gestand, daß ihr die richtigen Gewichte fehlten, doch hat sie immer das Zweipfundbrot, das ihr der Bäcker verkauft habe, als Gewicht auf die Waage gelegt. — 5. Wenn er also das Brot richtig gewogen hat, mußte auch das Gewicht der Butter stimmen. — 6. Nach dem neuesten Wetterbericht wird sich die allgemeine Wetterlage bessern. — 7. Ein Hochdruckgebiet, das sich über dem Ostatlantik gebildet hat, wandert langsam ostwärts und wird das Wetter in Mitteleuropa günstig beeinflussen. — 8. Das Tiefdruckgebiet zieht nach Nordosten ab und wird im Laufe der Nacht Westrußland erreicht haben. — 9. Es ist allerdings noch nicht sicher, ob die Wetterbesserung von längerer Dauer sein wird, denn von Island her zieht eine polare Störung langsam südwärts. — 10. Die Frostgrenze in den Bergen steigt von 2500 m auf etwa 3000 m.

Übung B: *Erklären Sie, was Sie tun müssen,*

1. wenn Sie Kaffee kochen wollen — 2. wenn Sie einen Radioapparat gekauft haben und ihn anschließen wollen — 3. wenn Sie jemanden fotografieren wollen — 4. wenn Sie Ihren Füllhalter neu mit Tinte füllen wollen — 5. wenn in Ihrem Haus ein Kurzschluß ist — 6. wenn Sie an Ihrem Fahrrad (Motorrad, Auto) einen Platten haben (d. h. wenn an einem Rad die Luft ausgegangen ist) — 7. wenn Sie Ihren Freund, der in der dritten Etage wohnt, besuchen wollen und die Klingel unten an der Haustür nicht funktioniert — 8. wenn Sie in einem Land, dessen Landessprache Sie nicht verstehen, einen Unfall haben — 9. wenn Sie auf dem Bahnhof ankommen, und Ihnen Ihr letzter Zug vor der Nase wegfährt — 10. wenn Sie durch einen Wald gehen, den Weg verloren haben und nur noch wissen, daß Sie nach Südwesten gehen müssen?

Übung C: *Wie schreiben Sie, wenn Sie auf eine Zeitungsanzeige antworten. Sie suchen*

1. ein gutes, aber preiswertes Zimmer — 2. einen gebrauchten Wagen — 3. einen Deutschen, mit dem Sie Konversation treiben können — 4. einen Arbeitsplatz in Deutschland, um während der Semesterferien etwas Geld zu verdienen — 5. eine günstige Mitfahrgelegenheit nach Hamburg oder Stuttgart.

Übung D: *Wie setzen Sie eine Zeitungsanzeige auf, wenn Sie*

1. auf der Straße eine Brieftasche gefunden haben — 2. eine Arbeit suchen — 3. ein Zimmer suchen — 4. Ihr Fahrrad verkaufen wollen — 5. eine Brieffreundschaft suchen — 6. Ihre Aktentasche in der Straßenbahn liegen gelassen haben.

Übung E: *Schreiben Sie einen Brief!*

1. Sie wollen sich für eine Einladung bei Freunden bedanken. — 2. Sie bewerben sich um eine Stelle — 3. Sie fragen beim Einwohnermeldeamt nach einer Adresse — 4. Sie wollen Ihren Professor in einer wichtigen Angelegenheit sprechen — 5. Ihre Bank, die in einer anderen Stadt ist, soll Ihnen Ihr Geld schicken.

*   *   *

Sechzehnter Abschnitt

Ein Gespräch am runden Tisch[1])

Personen:

Der Diskussionsleiter
Frau Siebert, eine Hausfrau
Fräulein Thomas, eine Sekretärin
Herr Dr. Werner, ein Arzt
Herr Bürger, cand. jur.

Der Diskussionsleiter: Meine Damen und Herren! Seit fast vierzig Jahren können die Frauen in Deutschland wählen und auch gewählt werden. Die Frauen sind in dieser Zeit in das öffentliche Leben eingetreten, und viele Frauen sind an der Politik interessiert. Einige Frauen sind auch schon Minister geworden oder Abgeordnete im Bundestag. Glauben Sie nun, daß das Interesse der Frauen an der Politik seinen Höhepunkt erreicht hat oder daß es noch größer werden müßte? Wie ist Ihre Meinung darüber, Fräulein Thomas?

Die Sekretärin: Ich meine, daß die Beteiligung der Frauen am öffentlichen Leben noch gesteigert werden müßte, denn im Vergleich zur Gesamtzahl der Bevölkerung ist die Zahl der Frauen, die wichtige öffentliche Ämter bekleiden, noch sehr klein. Die Ansicht, daß die Frauen auf diesem Gebiet weniger leisten könnten als die Männer, halte ich für veraltet.

---

[1]) Glossar Abschnitt 26 A

Die Hausfrau: Ja, das ist wahr. Aber als Hausfrau und Mutter von drei Kindern wüßte ich wirklich nicht, woher ich die Zeit nehmen sollte, um mich auch noch mit Politik zu beschäftigen.

Der Arzt: Ich habe die Erfahrung gemacht, daß besonders bei den Hausfrauen wenig Interesse für Politik vorhanden ist, weil sie mit ihrer täglichen Hausarbeit und mit der Erziehung ihrer Kinder zu sehr beschäftigt sind.

Der Diskussionsleiter: Würden Sie uns bitte Ihre Meinung über diese Frage sagen, Herr Bürger?

Der Jurastudent: Ich fände es sehr schade, wenn sich gerade die Hausfrauen und Mütter von einer Teilnahme an politischen Problemen ausschlössen, denn gerade sie hätten allen Grund, sich dafür zu interessieren. Schließlich geht es auch um die Zukunft ihrer Kinder.

Der Diskussionsleiter: Wollten Sie etwas dazu sagen, Herr Doktor Werner?

Der Arzt: Ich halte es für eine gewisse Gefahr, wenn zu viele Frauen in der Politik arbeiten. Die meisten Frauen denken nicht logisch, sondern gefühlsmäßig. Die Frauen sind ja immer besonders stolz auf ihr Gefühl.

Die Sekretärin: Das Gefühl hat uns Frauen immer noch das Richtige gesagt. Der kalte Verstand allein darf nicht die Welt regieren. Wenn mehr Frauen in der Welt in den Parlamenten säßen, gäbe es sicher weniger Kriege!

Der Jurastudent: Das möchte ich bezweifeln. Oder haben Frauen unter sich keinen Streit?

Der Diskussionsleiter: Das gehört nicht zur Sache. Ja, bitte, Frau Siebert?

Die Hausfrau: Ich glaube auch nicht, daß es in der Welt besser aussähe, wenn die Frauen regierten. Gehört es nicht zur Natur der Frau, in der Familie zu leben und sich nur für diese zu interessieren?

Die Sekretärin: Aber wieviel Frauen gibt es, die unverheiratet bleiben. Diese könnten wirklich etwas mehr für ihre Interessen tun!

Der Arzt: Aber oft fürchten die verheirateten Frauen, daß ihre Interessen von den unverheirateten nicht richtig vertreten werden, weil sie in anderen Lebensverhältnissen leben. Außerdem verstehen die meisten Frauen nicht viel von diesen Dingen. Sie werden oft das wählen, was auch der Ehemann wählt. Oder sie geben einem Kandidaten nur deswegen ihre Stimme, weil er „nett" aussieht.

Der Jurastudent: Nun, das sollte man doch wohl nicht verallgemeinern. Wenn alle Frauen so dächten, dann könnte es doch keine Rechtsanwältinnen und Richterinnen geben. Ein Jurist, also auch eine Juristin, muß doch objektiv sein. Man muß aber auch zugeben, daß es viele Männer gibt, denen die Politik gleichgültig ist.

Die Hausfrau: Das ist wahr! Ich habe einen Bekannten, der nur die Sportzeitungen liest und sonntags auf den Fußballplatz geht, aber sich nicht um das Schicksal seines Landes kümmert.

Der Jurastudent: Vielleicht würden auch mehr Frauen in die Politik eintreten, wenn die Parteien mehr Frauen als Kandidatinnen für die Parlamente aufstellten. Ich könnte mir vorstellen, daß man dann schon einen bedeutenden Schritt weiterkäme.

Die Hausfrau: Sicherlich. Ich sähe wohl eine wichtige Aufgabe für die Frau in der Politik dort, wo es um die kleinen Dinge geht. Also in den Gemeindeverwaltungen. Die große Weltpolitik wird wohl immer Sache der Männer bleiben.

Die Sekretärin: Was nützt es, wenn die Parteien Frauen kandidieren lassen und dann die meisten Frauen, die zur Wahl gehen, immer nur Männer wählen. Daß so viele Männer in der Politik sind, ist allein die Schuld der Frauen. Wir Frauen sollten etwas mehr von unserem Recht Gebrauch machen!

Der Diskussionsleiter: Ich glaube, unsere Diskussionszeit ist nun bald abgelaufen. Lassen Sie mich bitte, bevor wir uns trennen, kurz zusammenfassen.

Erstens haben wir festgestellt, daß die Frauen wohl fähig sind, im öffentlichen Leben mitzuwirken, daß sie aber mehr davon Gebrauch machen sollten. Zweitens, daß sie besonders in den Gemeindeverwaltungen tätig sein und den Männern die Weltpolitik überlassen sollten. Genauso wie die Frauen den Weg in viele Berufe gefunden haben, in denen sie früher nicht tätig waren, genauso werden sie sich auch weiterhin ihren Platz in der Politik erkämpfen. Es wird nicht verlangt, daß sich jede Frau aktiv an der Politik beteiligt, aber sie soll sie doch mit Interesse verfolgen und versuchen, sich eine eigene Meinung zu bilden.

Ich habe mich sehr gefreut, daß Sie sich alle so interessiert an dieser Diskussion beteiligt haben. In dieser kurzen Zeit, die uns zur Verfügung stand, war es natürlich nicht möglich, das Thema ausführlich zu behandeln, doch glaube ich, daß wir alle wesentlichen Punkte berührt haben. Ich danke Ihnen sehr, meine Damen und Herren!

Erklärungen und Wortschatz:

ein Gespräch am runden Tisch: eine Diskussion (fig.); *am grünen Tisch: man hat den Plan hinterm grünen Tisch gemacht:* man hat den Plan nur theoretisch durchdacht, ohne an die Praxis zu denken
cand. jur.: Jurastudent vor dem Examen
wählen: das aktive Wahlrecht ausüben
das öffentliche Leben: die politische Tätigkeit
ein Amt bekleiden: höherer Beamter sein
die Hausarbeit: die Arbeit im Haushalt
nett: sympathisch
zugeben: bestätigen
gleichgültig: ohne Interesse
einen Kandidaten aufstellen: als Kandidaten nominieren
die Gemeindeverwaltung: die politische Organisation einer Stadt oder eines Dorfes
Gebrauch machen: gebrauchen
ablaufen: zu Ende gehen
fähig sein: in der Lage sein, können
genauso wie: ebenso wie
zur Verfügung stehen: haben, besitzen
ausführlich: eingehend, in allen Einzelheiten
wesentlich: wichtig

* * *

Überblick über die Grammatik, die Sie gelernt haben

Der folgende Überblick zeigt systematisch den gesamten grammatischen Stoff, wie er in der „Deutschen Sprachlehre für Ausländer", Grundstufe Teil I und II, behandelt wurde.

I. Die Wortarten und die Wortformen
II. Die Satzarten und die Satzformen
III. Die Satzglieder
IV. Die „Normalstellung" der Satzglieder
V. Die Attribute, ihre Arten und ihre Stellung
VI. Einige Ausdrucksformen im Deutschen

I. Wortarten und Wortformen

1. Verb

a) Arten der Verben
schwache Verben: *lernen, fragen* usw.
starke Verben: *nehmen, kommen* usw.
gemischte Verben: *kennen, bringen* usw.
unregelmäßige Verben: *sein, wissen*
   untrennbare Verben: *verkaufen, erklären, bekommen, erschrecken* usw.
   trennbare Verben: *einkaufen, aufräumen, einsteigen, abfahren* usw.
Hilfsverben: *haben, sein, werden*
Modalverben: *wollen, können, dürfen, sollen, müssen, mögen*

b) Verbformen

Personalformen: *ich gehe, du nimmst, er weiß, wir lernten, ihr kamt, sie möchten*
Zeitformen:

    einfache Zeitformen:
      Präsens: *ich lerne, ich wache auf, ich weiß*
      Präteritum: *ich lernte, ich wachte auf, ich wußte*
    zusammengesetzte Zeitformen:
      Perfekt: *ich habe gelernt, ich bin aufgewacht, ich habe gewußt*
      Plusquamperfekt: *ich hatte gelernt, ich war aufgewacht, ich hatte gewußt*
      Futur: *ich werde lernen, ich werde aufwachen, ich werde wissen*

    Modalformen:
      Konjunktiv I: *du gehest, er wisse, ihr seiet, du seiest gegangen*
      Konjunktiv II: *du gingest, er wüßte, ihr wäret, du wärest gegangen*
      Passivformen: *ich werde gefragt; mir wurde geantwortet; davon ist gesprochen worden; mit ihm muß darüber diskutiert werden*

    Infinitformen:
      Infinitiv: *gehen, haben, wollen, abfahren, besuchen; besucht haben, gekommen sein; gefragt werden, geschlagen werden*
      Partizip Präsens: *gehend, habend, wollend, abfahrend*
      Partizip Perfekt: *gegangen, gehabt, abgefahren, besucht, telefoniert*

c) Rektion des Verbs

ein Objekt: *Ich frage d e n Lehrer* (Akk.). *Er antwortet d e m Schüler* (Dat.).
Wir gedenken d e s Freundes (Gen.). *Er sprach ü b e r die Reise* (Präp.).
zwei Objekte: *Sie gibt d e m Kind d e n Ball* (Dat. – Akk.). *Sie bittet d e n Vater u m das Buch* (Akk. – Präp.). *Er dankt d e r Mutter f ü r die Hilfe* (Dat. – Präp.).

d) Funktionen des Verbs

Prädikat: *Habt* ihre eure Freunde *getroffen?* Wir *trafen* sie, als wir auf dem Bahnhof *ankamen.*
Subjekt: *Schwimmen* ist ein gesunder Sport.
Objekt: Mein Bruder lernt *schwimmen.*
Attribut: Wecke das *schlafende* Kind nicht! Der *verletzte* Fahrgast wurde ins Krankenhaus gebracht.

2. Nomen

Singular- und Pluralformen: *der Vater, die Väter; das Kind, die Kinder; die Frau, die Frauen* usw.
Deklinationsformen: *des Vaters, des Kindes, den Schülern, dem Herrn* usw.
Funktionen des Nomens:
    Subjekt: *Der Lehrer* fragte mich. Wir sehen *den Mann* im Garten *arbeiten.*
    Objekt: Ich fragte *den Lehrer.*
    Attribut: Die Tochter *des Kaufmanns.*

3. Pronomen

a) Arten der Pronomen

Personalpronomen: *ich, du, er, es, sie; wir, ihr, sie; Sie*
Reflexivpronomen: *sich*

Demonstrativpronomen: *der, das, die; dieser, dieses, diese*
Relativpronomen: *der, das, die; wer, was*
unbestimmte Pronomen: *man, einer, keiner, jemand, jeder, jedermann, alle; etwas, nichts, vieles* usw.
Fragepronomen: *wer?, was?, welcher?* usw.
Possessivpronomen: *meiner, meine, euer, Ihre* usw.

b) Formen der Pronomen

Singular- und Pluralformen: *die, diese, deine* usw.
Deklinationsformen: *mir, dich, dem, dieser, dessen, wen, einem, jemanden, allen, wessen?, deinen* usw.

c) Funktionen der Pronomen

Subjekt: *Er schläft. Das gehört mir. Dort ist jemand. Wer ist dort?*
Objekt: *Kennst du den? Ich sehe etwas. Wir erinnern uns seiner. Ich warte auf dich.*
Attribut: *dieser Mann, d e r Mann, welcher Mann?, mein Haus, alle Leute*
Artikel: *das Kind, des Kindes, den Leuten*

4. **Adjektiv:** *schnell, gut fleißig* usw.

Zahladjektiv: *ein(s), zwei, drei* usw.; *der erste, zweite, dritte* usw.
Deklinationsformen: *der fleißige Schüler, dem fleißigen Schüler, des hohen Hauses, rotes Licht, zweier Kinder, eines Tages, jeden zweiten Monat*
Komparationsformen: *größer, der höchste Berg, mehr, am wenigsten* usw.
Rektion der Adjektive: *Er ist des Diebstahls verdächtig. Wir sind stolz auf ihn. Er ist mir dankbar. Er ist die Arbeit gewöhnt.*
Funktion des Adjektivs:
als Satzglied: (Modalangabe:) *Peter lernt fleißig Deutsch. Wir gehen schnell ins Büro;* (Prädikatsergänzung:) *der Schüler ist fleißig*
Attribut: *der fleißige Schüler, die schnelle Fahrt*
Artikel: *ein Kind, eine Schule, ein Baum*

5. **Adverb:** *heute, bald, hier, dort, gerne, lange*

Funktion des Adverbs:
als Satzglied (Temporalangabe, Lokalangabe, Modalangabe): *Er kommt heute zu uns. Dort kommen viele Leute. Wir helfen Ihnen gerne.*
Attribut: *Das Haus dort ist sehr hübsch. Der Ausflug gestern hat uns sehr gefallen.*
pronominal: *Worauf wartest du? Freut ihr euch darüber? Damit schreibe ich nicht.*

6. **Präpositionen:**

durch, mit, über, trotz usw.
auf ... zu, von ... aus, von ... ab
Rektion: *durch den Garten; mit dem Auto; in dem Zimmer, in das Zimmer; trotz der Schwierigkeiten* usw.
Präpositionen sind Funktionszeichen für Nomen, Pronomen und Adverbien.

Sie zeigen wie die Kasusformen Funktionen und ersetzen oder ergänzen die Kasusformen als Funktionszeichen:

das Buch von Karl; wir warten auf den Zug; das sind Arbeiten von Schülern; ich erinnere mich an diese Sache; die Welt von heute

7. Konjunktionen:

und, oder, aber, sondern, denn; weil, wenn, als, obwohl usw.

Konjunktionen sind Funktionszeichen für Sätze. Sie kennzeichnen die Funktion eines Gliedsatzes oder Attributsatzes: *Als wir kamen, grüßte er freundlich. Ich bleibe hier, weil ich noch zu tun habe. Wenn er nicht kommt, gehen wir allein. Ich kann Ihnen Ihre Frage, ob wir morgen abreisen müssen, noch nicht beantworten.*

Die Konjunktionen *und, oder, aber, sondern, denn* verbinden Sätze, zum Teil auch Satzglieder und Satzgliedteile: *Hans geht ins Kino, aber wir bleiben zu Haus. Fährst du mit dem Zug oder mit dem Auto? Er ist ein kluger und fleißiger Schüler.*

II. Satzarten und Satzformen

1. Grundform:

Entscheidungfrage:	*Hat*	der Lehrer gestern dem Schüler das Buch	*gegeben*	?
2. Aussagesatz				
Der Lehrer	*hat*	. . . . . gestern dem Schüler das Buch	*gegeben*	.
Gestern	*hat*	der Lehrer . . . . . dem Schüler das Buch	*gegeben*	.
Dem Schüler	*hat*	der Lehrer gestern . . . . das Buch	*gegeben*	.
Das Buch	*hat*	der Lehrer gestern dem Schüler	*gegeben*	.
3. Ergänzungsfrage:				
Wer	*hat*	gestern dem Schüler das Buch	*gegeben*	?
Wann	*hat*	der Lehrer dem Schüler das Buch	*gegeben*	?
Wem	*hat*	der Lehrer gestern das Buch	*gegeben*	?
Was	*hat*	der Lehrer gestern dem Schüler	*gegeben*	?
4. Gliedsatz ohne Konjunktion:	*Hätte*	der Lehrer gestern dem Schüler das Buch	*gegeben*	, . . .
5. Wunschsatz ohne Konjunktion:	*Hätte*	der Lehrer gestern dem Schüler doch das Buch	*gegeben*	!

6. Nebensatz:
Gliedsatz und
Attributsatz

daß	der Lehrer gestern	
ob	dem Schüler das Buch	*gegeben hat*
weil		
wenn		
usw.		

Relativsatz:

...,	*der*	gestern dem Schüler das Buch	*gegeben hat*
...,	*dem*	der Lehrer gestern das Buch	*gegeben hat*
...,	*das*	der Lehrer gestern dem Schüler	*gegeben hat*

III. Satzglieder

1. Subjekt

Nomen: *Mein Freund kommt dort. Ich sehe meinen Freund dort kommen.*
Pronomen: *Du sprichst mit dem Lehrer Deutsch. Ich höre dich mit dem Lehrer Deutsch sprechen.*
Adjektiv: *Am Abend werden die Faulen fleißig.*
Infinitiv: *Reden ist Silber, und Schweigen ist Gold.*
　Infinitivsatz: *Regelmäßig Gymnastik zu treiben, schafft frohen Mut und Tatkraft.*
Gliedsatz: *In der Zeitung steht, daß das Theater heute um 8 Uhr beginnt.*

2. Objekt

Nomen: *Ich kenne diesen Mann. Wir warten auf unsere Freunde.*
Pronomen: *Wen siehst du? Ich kenne ihn nicht.*
Adverb: *Wir freuen uns darüber. Worüber freut ihr euch?*
Infinitiv: *Er hat sich endlich entschlossen zu arbeiten. Er lernt lesen und schreiben.*
　Infinitivsatz: *Ich hoffe, dich bald wiederzusehen.*
Gliedsatz: *Ich hoffe, daß mein Vater morgen kommt. Weißt du, wann er kommt?*

3. Angaben

a) die Angabe der Zeit (Temporalangabe):
　Nomen (Genitiv): *Eines Tages wirst auch du gut Deutsch sprechen.*
　Nomen (Akkusativ): *Wir gehen jeden Tag in die Schule.*
　Nomen (mit Präposition): *Am Nachmittag haben wir keinen Unterricht.*
　Adverb: *Ich gehe sonntags nicht zur Arbeit. Wir warteten lange auf deinen Brief.*
　Gliedsatz: *Als wir kamen, freuten sich unsere Freunde.*

b) Die Angabe des Ortes (Lokalangabe):
　Nomen (Akkusativ): *Geht diesen Weg entlang! Wir steigen den Berg hinauf.*
　Nomen (mit Präposition): *In der Schule lernen wir Deutsch.*
　Adverb: *Ich bleibe hier drei Tage.*

c) die Angabe des Grundes (Kausalangabe):
　Nomen (mit Präposition): *Ich lerne aus Interesse Deutsch. Wir bleiben wegen des schlechten Wetters zu Haus.*

Gliedsatz: *Ich lerne Deutsch, weil ich mich für diese Sprache interessiere. Wir bleiben zu Haus, weil das Wetter schlecht war.*

d) die Angabe der Art und Weise (Modalangabe):
Nomen (mit Präposition): *In großer Eile beendete er seine Arbeit. Er bestand seine Prüfung mit sehr guten Ergebnissen.*
Adjektiv: *Er beendete schnell seine Arbeit. Sie lernt fleißig Deutsch.*
Adverb: *Ich helfe Ihnen gerne.*
Infinitiv: *Er trat ohne zu grüßen ein.*
Infinitivsatz: *Er trat ein, ohne uns zu grüßen.*
Gliedsatz: *Er trat ein, ohne daß wir ihn bemerkten.*

e) die Angabe des Zweckes (final):
Nomen (mit Präposition): *Wir sind zum Medizinstudium nach München gekommen.*
Infinitivsatz: *Wir sind nach München gekommen, um hier Medizin zu studieren.*
Gliedsatz: *Mein Vater hat mir Geld geschickt, damit ich mir einen neuen Anzug kaufe.*

f) die Angabe der Bedingung (konditional)
Nomen (mit Präposition): *Bei schlechtem Wetter findet das Konzert im Kursaal statt.*
Gliedsatz: *Wenn das Wetter schlecht ist, findet das Konzert im Kursaal statt.*

g) die Angabe der Einräumung (konzessiv)
Nomen (mit Präposition): *Trotz großer Schwierigkeiten hat er die Arbeit rechtzeitig beendet.*
Gliedsatz: *Er hat die Arbeit rechtzeitig beendet, obwohl er große Schwierigkeiten hatte.*

IV. Normalstellung der Satzglieder

1. Subjekt und Objekte zwischen dem 1. Prädikatsteil (P1) und dem 2. Prädikatsteil (P2) oder zwischen dem Verbindungsteil (V) und dem Prädikat (P):
als Nomen: Subjekt – Dativobjekt – Akkusativobjekt – Präpositionalobjekt
   P1 (V) – S – Od – Oa – Op – P2 (P)
als Pronomen: Subjekt – Akkusativobjekt – Dativobjekt – Präpositionalobjekt
   P1 (V) – s – oa – od – op – P2 (P)
als Nomen und Pronomen: zuerst die Pronomen und dann die Nomen; Präpositionalobjekte stehen sowohl als Nomen wie auch als Pronomen am Ende der Subjekt-Objekt-Gruppe
   P1 (V) – s – oa – od – S – Od – Oa – op – Op – P2 (V)
Beachten Sie die Stellung bei Formengleichheit: – S – oa –

2. Angaben: – temporal – kausal – modal – lokal
   P1 (V) – At – Ak – Am – Al – P2 (P)

3. Innerhalb der Subjekt-Objektgruppe stehen die Angaben hinter dem nominalen Subjekt:
   P1 (V) – s – oa – od – S – *A* – Od – Oa – op – Op – P2 (P)

V. Attribute

Attribute sind Teile eines Satzglieds. E i n Attribut vor dem Nomen als Gliedkern trägt möglichst das Funktionszeichen:

1. Attribute vor dem Gliedkern

Artikel:	*der*	*Schüler*
	ein	*Schüler*
Demonstrativpronomen:	*d e r*	*Schüler*
	dieser	*Schüler*
Possessivpronomen:	*mein*	*Vater*
Fragepronomen:	*welches*	*Haus?*
unbestimmtes Pronomen:	*alle*	*Kinder*
Adjektiv:	*rotes*	*Licht*
Nomen im Genitiv:	*Richards*	*Freund*

2. Attribute hinter dem Gliedkern:

Nomen im Genitiv:	*die*	*Straßen*	*dieser Stadt*
Adverb:	*dieses*	*Haus*	*hier*
Nomen mit Präposition:	*die*	*Möbel*	*in diesem Zimmer*
Nomen mit Konjunktion:	*das*	*Auto*	*als Verkehrsmittel*
Infinitiv:	*die*	*Pflicht*	*zu arbeiten*
Infinitivsatz:	*die*	*Freude,*	*dich wiederzusehen*
Relativsatz:	*das*	*Haus,*	*in dem wir wohnen*
Konjunktionalsatz:	*die*	*Hoffnung,*	*daß wir euch bald besuchen können,*
indirekter Fragesatz:	*meine*	*Frage,*	*wo ich ihn heute treffen könne,*

Bei einem unbestimmten Pronomen als Gliedkern trägt das nachgestellte Adjektiv die Funktionszeichen: *etwas Neues, mit etwas Neuem, jemand Bekanntes, über jemand Bekannten.*

VI. Einige Ausdrucksformen im Deutschen

Man erzählt einen Sachverhalt weiter, von dem man gehört hat:

Man sagt nicht, von wem man es erfahren hat:

> sollen: *In diesem Jahr soll die Obsternte sehr gut werden. In Norddeutschland soll es gestern sehr stark geregnet haben.*

Man sagt, von wem man den Sachverhalt erfahren hat:

> Konjunktiv I (II): *Der Bauer sagte uns, daß die Obsternte in diesem Jahr sehr gut werde. In der Zeitung stand, in Norddeutschland habe es gestern sehr stark geregnet.*

Das Geschehen steht im Mittelpunkt des Interesses und nicht der Urheber des Geschehens:

> Passiv: *Auf der Autobahn wird immer sehr schnell gefahren. Armen und hilflosen Menschen muß geholfen werden. Die Straße soll im kommenden Jahr verbreitert werden.*

Man drückt seine augenblickliche Absicht aus, etwas in der Zukunft zu tun.
Futur: *Nächstes Jahr werde ich nach England fahren.*

Die feste Absicht bezeichnet das Modalverb
wollen: Ich will nächstes Jahr nach England fahren.

Man drückt seine Vermutung darüber aus, daß ein Sachverhalt eintritt oder
eingetreten ist:
*wohl, vielleicht: Morgen kommt vielleicht mein Vater. Du bist wohl müde. Der
Direktor ist gestern vielleicht nach München gefahren.*
Futur: *Morgen wird (vielleicht) mein Vater kommen. Du wirst müde sein. Der
Direktor wird gestern nach München gefahren sein.*

Einen meist erfüllbaren Wunsch bezeichnet das Modalverb
mögen (Konj. II): *Peter möchte uns morgen besuchen. Ich möchte mir einen
neuen Anzug kaufen.*

Man drückt einen sehnlichen Wunsch, dessen Erfüllung unwahrscheinlich
oder gänzlich unmöglich erscheint, mit einem Wunschsatz aus.
Konjunktiv II: *Kämen doch morgen meine Eltern! Wenn doch morgen meine
Eltern kämen! Wäre Peter gestern doch zu Haus geblieben! Wenn Peter doch
zu Haus geblieben wäre!*

Seine Reue drückt man ebenfalls mit einem Wunschsatz aus:
Konjunktiv II: *Hätte ich doch in der Schule besser gelernt! Wenn ich doch in
der Schule besser gelernt hätte! Wären wir doch zu Haus geblieben!*

* * *

Rückblick und Ausblick

Mit diesem Abschnitt schließt dieser Teil des Lehrgangs, die Grundstufe. Wenn Sie dem Lehrgang bis hierher gefolgt sind, besitzen Sie
gute Grundkenntnisse der deutschen Sprache. Sie sind in der Lage,
sich in der deutschen Sprache gut zurechtzufinden. Sie können Deutsch
sprechende Menschen verstehen und selbst auch in Deutschland alle
Alltagssituationen sprachlich meistern. Es wird Ihnen auch nicht schwer-
fallen, mit Hilfe eines guten Wörterbuchs deutsche Texte zu lesen. Sie
haben sich einen großen Grundwortschatz angeeignet; Sie haben gelernt, welche Wortarten es im Deutschen gibt und wie sich die Wörter
verändern können, d. h. welche Formen sie annehmen können. Sie
haben erfahren, daß die Wörter bestimmte Funktionen übernehmen
und woran Sie diese Funktionen erkennen können. Sie wissen, daß
Satzglieder Bauteile eines Satzes sind und bestimmten Stellungsregeln
unterliegen. Kurzum, Sie verstehen den Bau eines deutschen Satzes
und seiner Teile und können auf Grund der erlernten Kenntnisse selbständig deutsche Sätze bilden.

Mit den Kenntnissen, die Sie sich bisher angeeignet haben, sind Sie aber noch nicht am Ziel, denn nun erst haben Sie die Voraussetzungen geschaffen, um in das Wesen der deutschen Sprache tiefer einzudringen und damit der Beherrschung des Deutschen näher zu kommen. Jetzt gilt es, Ihre Kenntnisse auszubauen und zu vertiefen. Hierzu verhilft Ihnen der anschließende „Deutschkurs für Fortgeschrittene, Mittelstufe". Dort erfahren Sie, wie sich die Sätze als Teile der Rede zusammenfügen, nach welchen Gesetzen sie ihre innere Form verändern und welche Ausdrucksformen dem Deutschen zur Verfügung stehen. Diese Kenntnis und ein tieferer Einblick in den deutschen Wortschatz und seinen Gebrauch wird Sie am Ende des fortgeschrittenen Kurses befähigen, Ihre Gedanken so auszudrücken, wie es dem Wesen der deutschen Sprache entspricht.

ANHANG

Ländernamen und abgeleitete Nationalitätssubstantive und -adjektive (s. S. 56)

Ägypten, der Ägypter, ägyptisch
Äthiopien, der Äthiopier, äthiopisch
Afghanistan, der Afghane,
  afghanisch
Albanien, der Albanier, albanisch
Andorra, der Andorraner,
  andorranisch
Argentinien, der Argentinier,
  argentinisch
Australien, der Australier,
  australisch

Belgien, der Belgier, belgisch
Birma, der Birmane, birmanisch
Bolivien, der Bolivianer, bolivianisch
Brasilien, der Brasilianer,
  brasilianisch
Bulgarien, der Bulgare, bulgarisch

Ceylon, der Ceylonese, ceylonesisch
Chile, der Chilene, chilenisch
China, der Chinese, chinesisch
Costa Rica, der Costaricaner,
  costaricanisch

Dänemark, der Däne, dänisch
Deutschland, der Deutsche, deutsch
Dominikanische Republik, der
  Dominikaner, dominikanisch

Ecuador, der Ecuadorianer,
  ecuadoranisch
El-Salvador s. Salvador
England, der Engländer, englisch

Finnland, der Finne, finnisch
Frankreich, der Franzose, französisch

Ghana, der Ghanese, ghanesisch
Griechenland, der Grieche, griechisch
Großbritannien, der Brite, britisch
Guatemala, der Guatemalteke,
  guatemaltekisch

Haiti, der Haitaner, haitanisch
Holland s. die Niederlande
Honduras, der Honduraner,
  honduranisch

Island, der Isländer, isländisch
Indien, der Inder, indisch
Indonesien, der Indonesier,
  indonesisch
der Irak, der Iraker, irakisch
der Iran, der Iraner, iranisch
Irland, der Ire, irisch
Island, der Isländer, isländisch
Israel, der Israeli, israelisch
Italien, der Italiener, italienisch

Japan, der Japaner, japanisch
Jemen, der Jemenite, jemenitisch
Jordanien, der Jordanier, jordanisch
Jugoslawien, der Jugoslawe,
  jugoslawisch

Kambodscha, der Kambodschaner,
  kambodschanisch
Kanada, der Kanadier, kanadisch
Kolumbien, der Kolumbianer,
  kolumbianisch
Korea, der Koreaner, koreanisch
Kuba, der Kubaner, kubanisch

Laos, der Laote, laotisch
der Libanon, der Libanese,
  libanesisch
Liberia, der Liberianer, liberianisch
Libyen, der Libyer, libysch
Liechtenstein, der Liechtensteiner,
  liechtensteinisch
Luxemburg, der Luxemburger,
  luxemburgisch

Malaya, der Malaie, malaiisch
Marokko, der Marokkaner,
  marokkanisch

Mexiko, der Mexikaner, mexikanisch
Monaco, der Monegasse,
   monegassisch
Mongolische Volksrepublik,
   der Mongole, mongolisch
Nepal, der Nepalese, nepalesisch
Neuseeland, der Neuseeländer,
   neuseeländisch
Nicaragua, der Nicaraguaner,
   nicaraguanisch
die Niederlande,
   der Niederländer (Holländer),
   niederländisch (holländisch)
Nigeria, der Nigerianer, nigerianisch
Norwegen, der Norweger,
   norwegisch

Österreich, der Österreicher,
   österreichisch

Pakistan, der Pakistaner,
   pakistanisch
Panama, der Panamaner,
   panamanisch
Paraguay, der Paraguayaner,
   paraguayanisch
Peru, der Peruaner, peruanisch
die Philippinen, der Filipino,
   philippinisch
Polen, der Pole, polnisch
Portugal, der Portugiese,
   portugiesisch

Rumänien, der Rumäne, rumänisch

Salvador, der Salvadorianer,
   salvadorianisch
Saudi(sch)-Arabien,
   der Saudi(sch)-Araber,
   saudi(sch)-arabisch
Schweden, der Schwede, schwedisch
die Schweiz, der Schweizer,
   schweizerisch
Siam s. Thailand
die Sowjetunion, der Sowjetbürger,
   sowjetisch
Spanien, der Spanier, spanisch
Sudan, der Sudanese, sudanesisch
die Südafrikanische Union,
   der Südafrikaner, südafrikanisch
Syrien, der Syrer, syrisch

Thailand, der Thailänder,thailändisch
die Tschechoslowakei,
   der Tschechoslowake,
   tschechoslowakisch
die Türkei, der Türke, türkisch
Tunesien, der Tunesier, tunesisch

Ungarn, der Ungar, ungarisch
Uruguay, der Uruguayer,
   uruguayisch

der Vatikan, –, vatikanisch
die Vereinigten Staaten
   (von Amerika),
   der Amerikaner, amerikanisch
Venezuela, der Venezuelaner,
   venezuelanisch
Vietnam, der Vietnamese,
   vietnamesisch

Wichtige Abkürzungen

Folgende Abkürzungen stehen immer ohne Punkt:

Abkürzungen aus Großbuchstaben (CDU), Abkürzungen, bei denen der letzte Buchstabe genannt wird (jd), Abkürzungen für Maße, Gewichte und Himmelsrichtungen.

a. D.	außer Dienst	*dl*	Deziliter
Adj.	Adjektiv	*dm*	Dezimeter
Adv.	Adverb	*DM*	Deutsche Mark
Akk.	Akkusativ	*d. M.*	dieses Monats
allg.	allgemein	*dpa*	Deutsche Presse-Agentur
Anm.	Anmerkung	*Dr.*	Doktor
ao.	außerordentlich(Professor)	*DRK*	Deutsches Rotes Kreuz
Aufl.	Auflage (Buchhandel)	*Dtzd*	Dutzend (12 Stück)
		d. U.	der Unterzeichnende
BB	Bundesbahn		
betr.	betreffend	*et.*	etwas
bez.	bezahlt	*ev.*	evangelisch
Bhf	Bahnhof	*e. V.*	eingetragener Verein
b. R.	bitte Rückgabe		
b. w.	bitte wenden (Rückseite des Blattes beachten)	*f.*	folgende (Seite); feminin
		ff.	folgende (Seiten); sehr fein
bzw.	beziehungsweise, oder	*Fa*	Firma
C	Celsius	*FDP*	FreieDemokratischePartei
cand.	Kandidat, Student vor der Prüfung)	*f. d. R.*	für die Richtigkeit (Briefunterschrift, wenn der Diktierende nicht unterschreiben kann)
cbm	Kubikmeter		
CC	am Auto: Angehöriger eines Konsulats		
		fig.	figurativ, bildlich
CD	am Auto: Angehöriger einer Botschaft	*Fleurop*	europäischer Blumenhandel
CDU	Christlich demokratische Union	*Frl.*	Fräulein
		Fut.	Futur
Chr.	Christus, Christi		
cm	Zentimeter	*g*	Gramm
Co.	Kompanie (bei Firmen)	*Gen.*	Genitiv
CSU	Christlich Soziale Union	*gen.*	genannt
		gespr.	gesprochen
D.	Doktor der Theologie	*gez.*	gezeichnet, unterschrieben (bei Briefen)
DAAD	Deutscher Akademischer Austauschdienst		
		GmbH	Gesellschaft mit beschränkter Haftung
Dat.	Dativ	*(G.m.b.H.)*	
d. i.	das ist, das heißt	*gr.-kath.*	griechisch-katholisch

h	Höhe	*Min.*	Ministerium
ha	Hektar	*mind.*	mindestens
HB	Hofbräuhaus (Brauerei in München)	*mm*	Millimeter
		m. M.	meiner Meinung
Hbf	Hauptbahnhof	*möbl.*	möbliert
h. c.	honoris causa, ehrenhalber	*Ms.*	Manuskript
		m. W.	meines Wissens
hl	Hektoliter	*N*	Norden
hl.	heilig (vor Namen)	*n*	neutral, Neutrum
i.	in	*n.*	nach
i. A.	im Auftrag (bei Briefen)	*n. Chr.*	nach Christi Geburt
i. J.	im Jahre	*NO*	Nordosten
ill.	illustriert, bebildert	*Nr*	Nummer
Imp.	Imperfekt	*NW*	Nordwesten
Inf.	Infinitiv	*O*	Osten
i. R.	im Ruhestand	*Obj.*	Objekt
i. V.	in Vertretung	*oG*	ohne Gepäckbeförderung (in Zügen)
J.	Jahr		
jd (jn, jm, js)	jemand (jemanden, jemandem, jemands)	*o. G.*	ohne Gewähr
Jg.	Jahrgang	*Pf*	Pfennig
jur.	juristisch, Jurist	*Pfd*	Pfund (500 gr)
		Perf.	Perfekt
kath.	katholisch	*PKW*	Personenkraftwagen
kfm.	kaufmännisch	*Plur.*	Plural
Kfz	Kraftfahrzeug	*pop.*	populär, volkstümlich (Sprache)
kg	Kilogramm		
km	Kilometer	*Präp.*	Präposition
km/st	km in einer Stunde	*Präs.*	Präsens
Komp.	Komparativ	*Prät.*	Präteritum
Konj.	Konjunktiv; Konjunktion	*Prof.*	Professor
KP	Kommunistische Partei	*Pron.*	Pronomen
kW (KW)	Kilowatt	*prot.*	protestantisch
l	Liter	*qcm*	Quadratzentimeter
lfd. Nr.	laufende Nummer	*qdm*	Quadratdezimeter
lit.	literarisch (Sprache)	*qkm*	Quadratkilometer
LKW	Lastkraftwagen	*qm*	Quadratmeter
luth.	lutherisch	*r*	Radius
Lwd	Leinwand, Leinen (Bucheinband)	*rd*	rund, ungefähr
		Red.	Redaktion
m	maskulin; Meter	*rer. nat.*	Naturwissenschaften (Gen.)
m. A.	meiner Ansicht		
m. E.	meines Erachtens	*rer. pol.*	Staatswissenschaften (Gen.)
med.	medizinisch, Medizin		
med. dent.	zahnmedizinisch, Zahnmedizin (Gen.)	*S*	Süden
Mill.	Million	*s.*	siehe
min	Minute	*s. a.*	siehe auch

sec (sek)	Sekunde	*USA*	Vereinigte Staaten von
sfr	Schweizer Franken		Nordamerika
Sing.	Singular	*usw.*	und so weiter
SO	Südosten	*u. U.*	unter Umständen
SPD	Sozialdemokratische	*u. v. a.*	und vieles andere
	Partei Deutschlands		
s. S.	siehe Seite	*v*	Volumen
st	Stunde	*v.*	vide, siehe
St.	Sankt (heilig – vor	*v. Chr.*	vor Christi Geburt
	Namen)	*vergr.*	vergriffen (Buchhandel)
Str.	Straße	*vgl.*	vergleiche
stud.	Studierender, Student	*v. Gr.*	von Greenwich (Angabe
s. u.	siehe unten		der Längengrade)
Subj.	Subjekt	*v. H.*	von Hundert, Prozent
Subst.	Substantiv	*v. J.*	voriges Jahr
SW	Südwesten	*Vj.*	Vierteljahr
		VSt	Vereinigte Staaten von
t	Tonne (1000 kg)		Nordamerika
TH	Technische Hochschule	*vulg.*	vulgär, gewöhnlich
theol.	theologisch, Theologie		(Sprache)
		VW	Volkswagen
u.	und		
U	Umgangssprache	*W*	Westen
u. a.	und anderes		
u. ä.	und ähnliches	*X-Strahlen*	Röntgenstrahlen
u. a. m.	und anderes mehr		
U. A. w. g.	Um Antwort wird gebeten	*z. B.*	zum Beispiel
	(auf Einladungen)	*z. d. A.*	zu den Akten
U. A. z. n.	Um Abschied zu nehmen	*Z. (Zs.)*	
	(auf Besuchskarten)	*für ...*	Zeitschrift für ...
u. d. M.	unter dem Meeresspiegel	*z. H. v.*	zu Händen von
ü. d. M.	über dem Meeresspiegel	*z. T.*	zum Teil
UdSSR	Union der Sozialistischen	*Ztg.*	Zeitung
	Sowjetrepubliken	*Ztr.*	Zentner (50 kg)
u. E.	unseres Erachtens	*z. V.*	zur Verfügung
u. ff.	und die folgenden	*z. Z.*	zur Zeit